旧街道紀行

土地々に根付いた歴史と文化

八尋 章文

旧街道ウォーキング・マップ

関東・中部	
30	成田街道
31	川越街道
32	青梅街道
33	五日市街道
34	鎌倉街道
35	踊子歩道
36	富士裾野一周
37	中山道
38	甲州街道
39	東海道

東北・北陸	
10	奥州街道
11	日光街道
12	陸前浜街道
13	水戸街道
14	米沢街道
15	会津西街道
20	羽州街道
21	羽州浜街道
22	出羽街道浜通り
23	北国街道（続）
24	北国街道
25	北陸道

四国・九州	
70	讃岐街道
71	土佐街道
72	中村街道
73	宿毛街道
74	宇和島街道
75	大洲街道
76	今治街道
80	長崎街道
81	日向街道
82	薩摩街道

近畿・中国	
50	丹後街道
51	若狭九里半街道
52	鞍馬街道
53	比叡山を巡る
54	京街道
55	西国街道
56	伊勢街道
57	熊野古道
58	奈良街道
59	柳生街道
60	高野山を巡る
61	山陰道
62	山陽道
63	萩城下を歩く

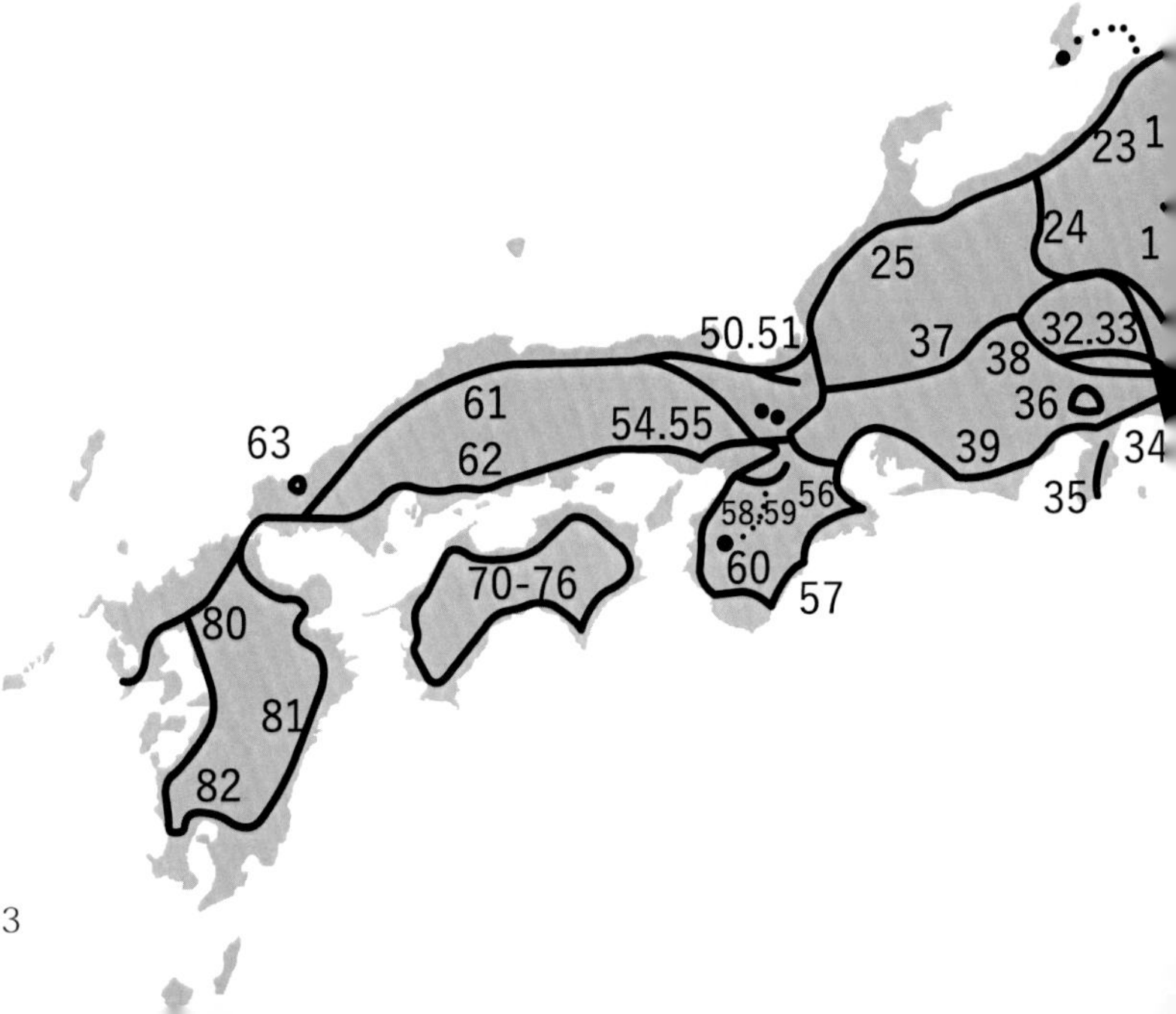

街道詳細

No	街道	km	起点	終点	日数	期間（すべて平成）
10	奥州街道	836	宇都宮	三厩～龍飛崎	33	15.9/19～11/29、16.12/1～3、18.5/25～10/18
11	日光街道	144	東京（日本橋）	宇都宮～東照宮	10	15.7/4 ～ 9/10
12	陸前浜街道	299	水戸	宮城県（岩沼）	10	22.3/27 ～ 5/12
13	水戸街道	104	葛飾区（新宿）	水戸	4	16.8/21 ～ 9/13
14	米沢街道	82	会津若松	米沢	3	22.10/18 ～ 21
15	会津西街道	138	今市	会津若松	6	22.10/1 ～ 8
20	羽州街道	249	秋田	油川（青森県）	9	25.6/11 ～ 29
21	羽州浜街道	199	鼠ケ関	秋田	8	24.10/4 ～ 25.5/16
22	出羽街道浜通り	134	新潟（沼垂）	鼠が崎	8	24.6/22 ～ 10/4
23	北国街道（続）	69	出雲崎	新潟	2	20.9/9 ～ 10
24	北国街道	225	信濃追分	出雲崎	10	20.5/26 ～ 7/4
25	北陸道	453	高田	鳥居本	15	20.9/27 ～ 21.4/8
30	成田街道	68	千住	成田（新勝寺）	3	16.3/27 ～ 4/6
31	川越街道	33	板橋	川越城下	2	21.3/12 ～ 18
32	青梅街道	167	新宿追分	甲府（酒折）	6	21.9/2 ～ 19
33	五日市街道	49	高円寺	五日市	2	21.9/24 ～ 10/24
34	鎌倉街道	158	鎌倉	高崎	7	16.1/28 ～ 3/10
35	踊子歩道	42	湯ヶ島	下田	2	16.5/24 ～ 25
36	富士裾野一周	160	富士山駅	富士山駅	6	25.9/13 ～ 11/1
37	中山道	516	東京（日本橋）	草津	24	14.7/23 ～ 11/29、15.4/26 ～ 5/28
38	甲州街道	210	東京（日本橋）	下諏訪	9	14.4/1 ～ 21
39	東海道	492	東京（日本橋）	京都（三条大橋）	22	14.12/16 ～ 15.3/6

（注）距離は地図（マップメジャー）から求めたものもある

No	街道	km	起点	終点	日数	期間（すべて平成）
50	丹後街道	346	今庄	鳥取県（岩美）	15	24.4/15 ～ 10/21
51	若狭久里半街道	33	新平野	近江今津	1	24.5/20 ～ 21
52	鞍馬街道	-	鞍馬駅	奥の院	-	21.5/24
53	比叡山を巡る	-	日吉大社	延暦寺	1	24.5/21
54	京街道	47	大津追分	大阪（高麗橋）	3	15.3/25 ～ 27
55	西国街道	57	京都（東寺）	西宮（神社）	3	18.11/25 ～ 27
56	伊勢街道	79	四日市（日永追分）	伊勢神宮	4	15.12/22 ～ 25
57	熊野古道	466	伊勢（田丸）	大阪（天満橋）	22	16.4/16 ～ 11/5
58	奈良街道	36	大阪（高麗橋）	奈良	2	15.2/4 ～ 5
59	柳生街道	26	奈良	柳生の里	1	15.2.6
60	高野山を巡る	-	極楽橋	弘法大師廟	1	22.4/8 ～ 9
61	山陰道	714	京都（丹波口）	山口（小郡）	27	21.10/11 ～ 11/1、 26.6/7 ～ 11/22
62	山陽道	590	西宮	下関～小倉	24	19.3/28 ～ 11/2
63	萩城下を歩く	-	東萩	萩	1	27.3/26
70	讃岐街道	219	西条	徳島	10	23.4/21 ～ 5/18
71	土佐街道	255	徳島	高知	10	24.11/12 ～ 25.2/23
72	中村街道	143	高知	中村	6	25.2/24 ～ 12/2
73	宿毛街道	117	中村	宇和島	4	25.12/3、 26.4/5 ～ 7
74	宇和島街道	55	宇和島	大洲	4	26.4/7 ～ 23
75	大洲街道	73	大洲	松山	2	26.4/24 ～ 25
76	今治街道	92	松山	西条	4	23.4/4 ～ 7
80	長崎街道	228	小倉（常磐橋）	長崎（県庁前）	10	20.3/18 ～ 4/11
81	日向街道	546	小倉	鹿児島	20	26.6/6 ～ 27.3/25
82	薩摩街道	395	筑紫野市（山家）	鹿児島	15	21.4/27 ～ 12/4
	（合計）	9,344			391	

旧街道紀行　土地々に根付いた歴史と文化／構成

古道 七国山の碑（鎌倉街道）

日本橋の麒麟像（東海道）

ロケット発祥之地（青梅街道）

信玄の郷（甲州街道）

川越の時の鐘（川越街道）

玉川上水　羽村取水口（五日市街道）

奥多摩むかし道入口（青梅街道）

雷電為右衛門顕彰碑（成田街道）

はじめに

ウォーキングは健康に良いという。しかし、いつも同じ道を歩くのはつまらない。〝どうせなら気力・体力が残っているうちに日本各地を歩いて旅をしよう〟。

しかし〝歩いて旅をする〟といっても、果して一日にどれくらい歩けるものなのか、何日続けて歩けるものなのか。これを確かめようと、近くを流れる多摩川の土手道を何度かサイクリングしていた。距離にして約50㎞、これを歩いてみようと、JR南武線の川崎駅から近くの多摩川下流の土手道に出て、ここから上流の自宅方向を目指し歩いた。平成13年の12月のことだった。

これに味をしめて1月に〝荒川〟の新秋ヶ瀬橋（武蔵野線の西浦和近く）から葛西臨海公園まで約36㎞を9時間かけて歩き、2月に〝江戸川〟を武蔵野線の三郷から旧江戸川経由で葛西臨海公園まで約34㎞を8時間かけて歩いた。まずは、こうして〝歩いて旅する要領〟を掴んだ。

しかし、以前から〝東海道〟を歩いてみたいと思っていた。しかし距離が492㎞もあり、歩き通せるか不安があったので、最初は自宅近くのJR中央線に沿った甲州街道から歩いて〝街道歩き〟の要領をつかんだところで、自宅から離れた〝東海道〟〝中山道〟へと広げていくことにした。

こうして平成14年4月1日に近くの〝甲州街道〟から歩きはじめた。そして自分が歩いた街道を日本地図にウォーキング・マップとして赤ペンで描いていくと、生命の血が流れていくかのように〝歩いた足跡〟が身体に通う血管のように思え、もっともっと血を通わせたいという〝夢〟に膨らんでいった。

　そして、ひそかに心した目標は主要旧街道を歩く〝日本を見て歩くウォーキングの旅〟で、目標は旧街道のない北海道と沖縄を除く〝全都府県の縦断又は横断〟だった。

　こうして平成14年4月1日に〝甲州街道〟を歩きはじめて、平成27年3月25日に最後〝日向街道〟を無事歩き終え、この目標を達成することができた。結果は、歩いた街道数41、距離約9300㎞を延べ13年かけ、北海道と沖縄を除く45都府県を歩き終えた。振り返ってみると苦しいこともあったが、一つひとつの旧街道を歩き終えたときの喜びと達成感はなんともいえなかった。（結果詳細は巻頭の添付「旧街道ウォーキング・マップ及び街道詳細」の通り）

　このように日本各地を歩いて地形や自然風景を楽しみ、地域特有の景観や歴史・文化に触れるロングウォーキングの旅は中学、高校時代に学んだ一般的な日本の地理・歴史に加え、日本の産業（農業・漁業・林業・鉱業）や食生活の実際を自分の目・足・口で確かめる旅そのものであり、日本を再発見する旅でもあった。

　こうして見聞を広めたこともあって、今までと違った目で歴史小説を読み、時代劇映画を観るようになった。しかも歩いた山村や町に愛着が湧いてテレビの天気予報や地域ニュースにその町が出てくると、歩いた当時を思い出し、今までと違った親しみを持って観るようになった。

＊筆者の生い立ち

私は京都で生まれ終戦後、すぐに金沢市に引っ越した。金沢の家の近くに浅野川が流れ、川を渡ると小高い卯辰山（標高２００mほど）があった。浅野川は日本海に注いでいて、海まで20㎞ほど。物心がついて大学を卒業するまでおよそ20年をこの金沢で育った。学生時代のアルバムを見ると、小学校、中学校、高校ともに、50人のクラスが10クラス、といった子どもの多い時代。戦後のベビーブームの始まりの頃で、学校が終わると近所の子ども達がそれとなく路地に出て、夕方までキャッチボールやメンコ、ビー玉遊び、学校が半ドン日や休みの日は川で魚とり、山で探検ごっこをして遊んでいた。

また、近くの卯辰山に小さなスキー場があったので、雪が降るとスキー場までスキーを担いで登ってスキーを楽しんでいた。当時は長靴を履いてのスキーだった。

また、浅野川の下流に内灘砂丘でせき止められてできた河北潟（海跡湖）があった。周囲は水田地帯になっていて、この用水路が絶好のフナ釣り場になっていたのでよくフナ釣りにも出かけ、近くの海辺でよく泳いでいた。このように家から20㎞圏内に山、川、潟、海があって、自転車で手軽に出かけることができた。こういった環境で幼少時代～学生・青春時代の18年間を過ごし、昭和41年、金沢大学を卒業し、当時東京の板橋に本社があった会社に就職した。

初めて親元を離れて東京へ、最初に向かったのは皇居広場。この芝生に仰向けに寝そべって青空を眺めながら社会人になっての夢と希望を膨らませ感慨に耽っていた。金沢では見たこともない、雲一つない晴天の真っ青な空。会社は東京の板橋、会社の寮は東上線の志木にあった。こうして志木から板橋に通う社会人としての一歩を踏み出した。

仕事にも慣れ、会社の仲間とスキー、海水浴、山登り、魚釣りに出かけていた。東京は交通の便が良くどこにでもいけるが、いずれも遠くて時間がかかるのが金沢との大きな違いだった。

一方、東京の〝真っ青な空〟はとてもきれいだと思った。この〝雲一つない晴天の空〟は金沢はもちろん、関東以外では見られない、東京ならではの美しさではないだろうか？……これが東京に着任して抱いた最初の印象だった。

4年近く勤めて会社生活に慣れると、もっと必死に没頭できる大きい仕事をやってみたいと思うようになった。このとき東芝で発電所計算機制御システムの開発設計をやっていた大学の先輩から誘いがあって転職した。

若い頃は仕事をやればやるほど仕事を覚え、さらに広い・深い仕事が任される。気が休まる暇がなかったが、自分に合っていたのでガムシャラに働いてきた。おかげで課長になるまでの約15年間は残業、残業で手当が給料と同じくらいあった。最後は東北システムセンターの所長を2年勤め、55歳のとき役職定年で東芝の子会社に移籍した。

職場が変わると新鮮な気持ちになり、緊張感があって楽しいと思っていた。子会社に移ったときも、東芝グループの発展に何か貢献できれば、と強い期待を持って入社手続きを行ったが、この期待は一年目にして失せた。

定年満期まで無難に過ごしてくれ、といわれているようで、自分には「野球の優勝が決まったあとの消化試合」のように思われた。給料は東芝時代と同じで仕事が楽。何もいうことはないはずなのに…。でも、なにか寂しい。無駄な人生をただ過ごしているようでもったいない気がした。

会社に就職して以来、わき目も振らずに仕事をしてきた。仕事は充分してきたし、一生働く分は働いたという想いもあった。娘は一年前に結婚、息子は来年大学院を卒業し就職するはず。マイホームのローン返済も5年前に終わっている。来年になると今までのように働かなくていい。まだ気力が残っているうちに、今度は仕事以外の世界で燃えるものを求めよう。「仕事から離れて新たな発見をしてみたい」と思うようになった。神様が「おまえはよく働いたので他のことをしなさい」とその機会を与えてくれている、と思ったりもした。

こうして日本各地を歩いて、日本の地形や自然風景を楽しみ、地域特有の景観や歴史・文化に触れるロングウォーキングの旅をスタートした。この旅は中学、高校時代に学んだ日本の地理・歴史を自分の足と目で確かめる旅そのものであり、日本を再発見する旅でもあった。特に日本は北東から南西に延びる火山列島にあって、人が住んでいる所（市・町・村）はそれぞれ緯度・軽度が異なっており、これらの多くは自然、地形、天候、景観、産業に現れている。

本書は、筆者が〝日本を見て歩くウォーキングの旅〟を終えたのを機に、こうして歩いた旧街道を「関東・東海」、「中部・北陸」、「出羽・東北」、「関西・紀伊」、「山陰・山陽」、「四国・九州」に区分し、8年前に出版した「歩いて学ぶ歴史と文化」の続編としてまとめている。

＊著書出版について

熊野古道を歩き始めたとき、次は山陽道を歩こうと思って道筋が記された資料を探したが見つからないまま終点の大阪「天満橋」に着いてしまった。熊野古道は東海道並みに距離があり、しかも峠が多く、歩き終えたときの達成感はなんともいえず感慨もひとしおだった。歩き始めて3年近く経っていたので、これを区切りに一服しようと思った。

このみちの旅では今までどういう道を歩いてきたか、後々に思い出せるようにと街道風景をはじめ、目に付くものは何でも写真に撮ってきた。一日平均60枚以上撮っている。美しい光景や町並み風景はもちろんのこと、史跡の説明板や碑文等々、こんな道を歩いたとか、ここから古道に入ったとか、とにかく心に留まるものは何でも写真に撮ってきた。これを機会に今までの写真を見て何かまとめてみたくなった。

こうして、同じ旧街道を歩く人の参考になる、あるいは興味のある人に読んでもらえる旅日記を書いてみようと「歴史街道を歩いてみよう〝江戸五街道旅日記〟」を出版したのが、2006年3月。

この後も当時の記憶を失わないようにと〝旅日記〟を書き綴ったホームページ〝道の旅〟を立ち上げ、街道を歩き終える毎に記載するようにした。一方、この本の出版を機に講演を頼まれるようになったので、講演資料をまとめた「旧街道紀行・歩いて学ぶ歴史と文化」を8年前に出版した。

本書はこの続編でもあり、〝日本を見て歩くウォーキングの旅〟の総括版 **〝土地々に根付いた歴史と文化〟** についてまとめている。

本編は「関東・東海編」として第1章 東海道、以下、第2章 鎌倉街道、第3章 甲州街道、第4章 青梅街道、第5章 五日市街道、第6章 川越街道、第7章 成田街道を含めており、夫々次の三つで構成されている。

①普通の旅日記として流し読みする本文。②主要項目をピックアップした「ポイント項目」③本文中に出てくる史跡・説明板・碑文・由緒書、等々の内容全文を記載した「ポイントの詳細説明」がある。

従ってじっくり読む場合は普通通り全文を通して読んでいけば良いが、要点を絞って読みたい場合は「ポイント項目」をピックアップして読んでいける構成になっている。

以下、文中の〈 〉は峠を 〃 〃は宿場町及び「」と同意で、二重カッコや強調ポイントを示す意味で用いている。側線破線、例えば〝泉岳寺〟は文末に補足説明（概要）を、側線実線について、例えば〝銀座発祥の地〟の場合は文節末の［ポイントの詳細説明］に内容全文を付記している。

〔関東・東海〕編

ここでは東海道を始め、起点・西から鎌倉街道、甲州街道、青梅街道、五日市街道、川越街道、成田街道を含めている。

第1章【東海道】

【東海道】のポイント（日次）

第１章【東海道】

＊宿場町と行程（①〜⑨は文節を示す）

東海道は基点①日本橋から品川、多摩川の〝六郷の渡し〟を経て川崎、神奈川、保土ヶ谷、戸塚を経て「**相模国**」藤沢、平塚、②大磯、小田原で〈箱根峠〉を越え「**伊豆国**」箱根、三島を経て「**駿河国**」沼津、原、吉原から〝富士川の渡し〟を経て、③蒲原、由比で〈薩埵峠〉を越え興津、江尻、④府中から〝阿部川の渡し〟を経て丸子、岡部、藤枝、島田から〝大井川の渡し〟を経て「**遠江国**」

金谷、⑤日坂、掛川、袋井、見付から〝天竜川の渡し〟を経て、⑥浜松、舞阪〝今切り渡し〟を経て新居、白須賀を経て「**三河国**」二川、吉田、御油、赤坂、藤川、岡崎、⑦池鯉鮒を経て「**尾張国**」鳴海、宮から〝七里の渡し〟を経て「**伊勢国**」桑名、四日市、石薬師、庄野、亀山、⑧関、坂下で〈鈴鹿峠〉を越えて「**近江国**」土山、水口、石部、⑨草津、大津を経て「**山城国**」京都・三条大橋に至る。これが全長約４９２㎞の東海道五十三次の行程。

江戸時代に首都機能が江戸に移ると東海道は五街道の一つとされ、京と江戸を結ぶ最も重要な幹線道路として数多くの大名が参勤交代に利用した。また道中には風光明媚な場所や名所旧跡が多く、歌川広重の〝東海道五十三次・浮世絵〟や十返舎一九の代表作〝東海道中膝栗毛〟に取り上げられている。

東海道は律令時代に設けられた〝五畿七道〟の一つ。畿内から東に延びる三重県から茨城県に至る太平洋沿岸地方に相当し、江戸までは近世の東海道とおおむね重なっている。

＊東海道の起点・江戸〝日本橋〟に立つ（平成14年12月16日）

日本橋に立つのは甲州街道、中山道に続き3度目。新鮮味は少し薄れてきたが、本命の〝東海道五十三次４９２㎞〟の踏破を目指しスタートした。すでに奥州街道や甲州街道で日本橋から出発しているが、あこがれの〝東海道を歩く〟となると心構えも違ってくる。このさわやかな緊張感に心を弾ませ〝日本橋〟を出発した。

①街道筋の概要とポイント

（日本橋から品川、川崎、神奈川、保土ヶ谷、戸塚、藤沢、平塚、大磯へ）

▽街道筋の概要1（日本橋～川崎）

中山道と反対方向に〝日本橋〟を背に中央通り（国道15号）を南に向かう。百貨店や金融会社が建ち並ぶ東京の中心ビル街をビジネスマンに交って歩く。東京駅八重洲前から有楽町の「江戸歌舞伎発祥之地・碑」を過ぎ、銀座京橋ガードをくぐって〝銀座〟に来ると「煉瓦銀座之碑」、「銀座発祥の地」碑につづいて、楽譜と歌詞を刻した「銀座柳の碑」が建っている。

そして銀座新橋のガードをくぐり、浜松町駅手前に来ると徳川将軍家の菩提寺〝増上寺〟の参道門が見えてくる。この後、交通量の多い国道15号（第一京浜）を30分ほど歩いて田町駅を過ぎると「高輪大木戸跡」説明板のすぐ先に赤穂浪士で有名な忠臣蔵の聖地〝泉岳寺〟がある。そして品川駅を過ぎて、東海道本線と京浜急行線を渡って国道から旧道に入ると利田神社の境内に〝鯨塚と捕鯨鯃〟があった。

・煉瓦銀座之碑

「明治5年2月26日銀座は全焼し延焼築地方面に及び焼失戸数四十戸と称せらる」とある。この大火後、街の不燃化が計画されて街の銀座煉瓦街が建設され、以後この煉瓦街と街路樹の柳は銀座の名物になったという。この名残りの柳〝銀座の柳二世〟が生えていて、側に〝銀座柳の碑〟が建っている。

•銀座発祥の地

「慶長十七年（西暦一六一二年）徳川幕府此の地に銀貨幣鋳造の銀座役所を設置す当時町名を新両替町、と称せしも通称を銀座町と呼称せられ明治二年遂に銀座を町名とする事に公示さる。昭和三十年四月一日建之　銀座通聯合会」（碑文より）

•高輪大木戸跡

江戸の南の入口として夜は閉めて通行止めとし、治安の維持と交通規制の機能を果たしていたという。

•泉岳寺

〝四十七士〟の墓それぞれに線香が焚かれていたが、多くの観光客が訪れ墓参していた。この一角に「首洗井戸」碑が建っていて、説明板に「吉良上野介義央の首をこの井戸にて洗い以って主君の墓前に供う」とあった。

•鯨塚と捕鯨話

この鯨塚は江戸を驚かせた三大動物の一つ〝寛政の鯨〟の骨を埋めた上に建てられた供養碑で、寛政10年（1798）5月1日、品川沖で体長約16・5m、高さ約2mの鯨が現れ、品川の漁師たちが捕獲。この大鯨は江戸中の評判となり、11代将軍徳川家斉が浜御殿で上覧されたほど大騒ぎになったという。

このあと少し道に迷ったが、あまり目立たない所に、「東海道品川宿本陣跡」と題した説明板が立っていて、次のように記されていた。

＊東海道品川宿本陣跡

「品川宿は、江戸四宿の一つで、東海道五十三次の第一番目の宿駅として発達した。ここはこの本陣跡であり、品川三宿の中央に位置していた。東海道を行き来する参勤交代の諸大名や、公家・門跡などの宿泊・休息所として大いににぎわったところである。明治五年（一八七二）の宿駅制度廃止後は、警視庁病院などに利用された。現在、跡地は公園となり、明治元年（一八六八）に明治天皇の行幸の際の行在所となったことに因み、聖蹟公園と命名されている。平成十四年三月二十八日品川区教育委員会」。（説明板より）

〝**品川**〟はこのように江戸の玄関口として賑わっていたようだが、その名残りはほとんど見られなかった。江戸四宿とは〝品川〟〝千住〟〝板橋〟〝内藤新宿〟をいう。

・品川三宿

〝品川〟には江戸府内のように火消組の消防組織がなかったので、歩行新宿・北品川宿・南品川宿を設け〝鳶人足《とびにんそく》〟を雇って防火の取り締まりを行っていたという。

このあと1時間ほど歩いて〝浜川橋〟を渡る。この橋は〝立会川〟に架かる小さな橋でまたの名を〝涙橋〟と呼ばれている。この少し先〝大経寺〟の横に〝鳴く子も黙る〟といわれた〝鈴ヶ森刑場跡〟がある。

※鈴ヶ森刑場遺跡を訪れる

＊〝涙橋〟の由来

説明によると「慶安4年（1651）、品川にお仕置場〝鈴ヶ森刑場〟が設けられたが、ここで処刑される罪人は裸馬に乗せられて江戸府内から刑場に護送されてきた。この時、親族らがひそかに見送りにきて、この橋で共に涙を流しながら別れたということから〝涙橋〟と呼ばれるようになった」という。（説明板／要約）

＊鈴ヶ森刑場遺跡

この〝鈴ヶ森刑場遺跡〟入口近くに刺殺処刑者用の〝磔台〟と火炙処刑に使用した〝火炙台〟がある。ここに次のような鈴ヶ森史跡保存会の説明板が添えてあった。

・**〝磔台〟**には「丸橋忠弥を初め罪人がこの台の上で処刑された。真中の穴に丈余の角柱が立てられ、その上部に縛りつけて刺殺したのである」。

・**〝火炙台〟**には「八百屋お七を初め火炙の処刑者は皆この石上で生きたまゝ焼き殺された。真中の穴に鉄柱を立て足下に薪をつみ縛りつけて処刑されたのである」。

この跡地に「都旧跡 鈴ヶ森遺跡」碑が建っていて次のような説明が添えてあった。

＊都旧跡 鈴ヶ森遺跡

「寛政十一年（一七九九）の大井村〝村方明細書上〟の写によると、慶安四年（一六五一）に開設された御仕置場で、東海道に面しており、規模は元禄八年（一六九五）に実施された検地では、間口四〇間（七四メートル）、奥行九間（一六・二メートル）であったという。

歌舞伎の舞台でおなじみのひげ題目を刻んだ石碑は、元禄六年（一六九三）池上本門寺日顗の記した題目供養碑で、処刑者の供養のために建てられたものである。大経寺境内には、火あぶりや、はりつけに使用したという岩石が残っている。ここで処刑された者のうち、丸橋忠弥、天一坊、白井権八、八百屋お七、白木屋お駒などは演劇などによってよく知られている。江戸刑制史上、小塚原とともに重要な遺跡である。　昭和四十四年十月一日　建設　東京都教育委員会」

この他〝首洗いの井〟〝受刑者の墓〟〝無縁供養塔〟等があった。出口側に大きな「東京都史蹟 鈴ヶ森刑場遺跡・標柱」が建っていた。見せしめのために人通りの多い東海道沿いに設けられていたようで、明治4年（1871）の閉鎖まで10万～20万人の罪人がここで処刑されたといわれている。

☆東京都／神奈川県境（多摩川）

再び第一京浜に合流し、**大森、蒲田を過ぎて多摩川の〝新六郷橋〟を渡ると、東京都から神奈川県に入る。**かつて家康が架けた〝六郷大橋〟は洪水で流され、以後、実に200年の間〝渡し舟〟の時代が続いたという。

＊〝川崎〟は砂浜の低地だった！

〝川崎〟に入ると〝川崎歴史ガイドパネル〟に、当時の〝川崎〟について次のような内容が記されていた。

「川崎宿には旅籠や商家など350軒ほどの建物が約140mの長さにわたって軒を並べ賑わいを見せていた。川崎宿の辺りは砂浜の低地で、多摩川の氾濫時に冠水の被害に見舞われるため、東海道は砂洲の微高地上を通るように配慮され、宿域には盛土が施されていた」という。

▽街道筋の概要2（川崎～大磯）

〝川崎〟を過ぎると、京浜急行の八丁畷駅近くに「八丁畷の由来と人骨」、鶴見川を渡ると「鶴見橋関門旧跡」、そして生麦駅近くに「生麦事件発生現場」と題した説明板がつづく。

そして日本橋から3番目の〝**神奈川**〟に入ると、大きな「神奈川台関門跡」碑が建っていた。このあと〝**保土ヶ谷**〟の外れで〝権太坂〟を上ると〝境木地蔵〟がある。この地蔵は〝武蔵／相模〟国境の印として江戸時代にはそのしるしが建てられていて、境木の地名はそれからおきたといわれている。

このあと木立が残る道を進むと、日本橋から9番目という「信濃一里塚跡」説明板が立っていて一里塚の目的が詳細に記されていた。（このあと1時間近く歩いて戸塚へ）

〝**戸塚**〟入口に建つ「江戸方見付跡」碑から戸塚駅を過ぎると〝戸塚〟の「本陣跡」説明板、「上方見付跡」（標柱）とつづく。そして国道1号に戻って〝藤沢〟に向かう。

＊個々詳細は次の通り（川崎～戸塚）

・八丁畷の由来と人骨

「川崎宿から隣の市場村まで八丁（８７０メートル）あり、道が田畑の中をまっすぐにのびていたので、この地を〃八丁畷〃と呼ぶようになった。この付近では江戸時代から多くの人骨が発見され、戦後になっても道路工事などでたびたび掘り出され、その数は十数体にも及んだ。川崎宿では震災や大火・洪水・飢饉・疫病などの災害にたびたび襲われ、多くの人々が落命しているので、そうした災害で亡くなった身元不明の人々を川崎宿のはずれの松や欅の並木の下にまとめて埋葬したのではといわれている」。（説明板／要約）

・鶴見橋関門旧跡

「安政6年（１８５９）横浜開港とともに、外国人に危害を加えることを防ぐために、横浜への主要道路筋の要所に関門や番所を設けて横浜に入る者を厳しく取り締まった。文久2年（１８６２）8月、生麦事件の発生により、その後の警備のために川崎宿から保土ヶ谷宿の間に20か所の見張番所が設けられた。世情も安定してきた明治4年に各関門は廃止された」。（説明板／要約）

・生麦事件発生現場

これは、文久2年（１８６２）薩摩藩主島津久光が江戸から帰郷の途に、行列を乱した英国人4人（1人は女性）を久光の従士が無礼討ちにした殺傷事件。これを契機に薩英戦争へと発展している。（説明板・要約／原文後述）

・神奈川台関門跡（神奈川台の関門跡／説明板）

「ここよりやや西よりに神奈川台の関門があった。開港後外国人が何人も負傷され、イギリス総領事オールコックを始めとする各国の領事たちは幕府を激しく非難した。幕府は、安政6年（1859）横浜周辺の主要地点に関門や番所を設け、警備体制を強化した。この時、神奈川宿の東西にも関門が作られた。そのうちの西側の関門が、神奈川台の関門である。明治4年（1871）に他の関門・番所とともに廃止された」。（説明板／要約）

・一里塚の目的

徳川幕府は五街道を整備し、当時あいまいであった駄賃銭を決めるため、江戸の日本橋を起点とした距離が判る里程標が必要との事で、街道の両側に一里ごとに5間四方の塚が造られ、この上にエノキやマツが植えられた。等々、一里塚の目的が詳細に記されていた。（詳細後述）

・江戸方見付跡

〝見付〟は宿の入口にあり京側にあるものを〝上方見付〟、江戸側が〝江戸方見付〟で両〝見付〟の内側が宿内になる。本来〝見付〟は城下に入る城門のことをいうが、宿見付も宿の出入口で〝見付〟から正式に宿内であることを示し、宿間の距離は見付を基準にしていた。

＊〝**藤沢**〟は遊行寺の門前町として、また東海道をはじめ大山道、江の島道、鎌倉道、八王子道（滝山街道）などが交わり、流通の中心地でもあった。また当時の代表的な名所・旧跡として、①時宗の総本山〝遊行寺〟②江の島神社を象徴する〝一ノ鳥居〟③〝義経首塚と首洗い井戸〟ゆかりの〝白

旗神社〟の三つが挙げられるという。

まず、国道４６７号の藤沢橋に出て、時宗総本山〝遊行寺〟を訪れ、少し先の〝白幡神社〟に立ち寄ると、説明板に御祭神 寒川比古命 源義経公とあり、由緒に〝首実験をなし此の地に埋めたり…〟といった内容が記されていた。

そして〝茅ヶ崎の松並木〟と碑文「茅ヶ崎一里塚」を過ぎると、自然石に刻まれた「南湖の左富士之碑」が建っている。ここに「南湖の左富士の由来」と題した説明パネルが据えてあって、次のように記されている。

＊南湖の左富士の由来

「浮世絵師安藤廣重は天保三年（一八三二年）東海道を旅し、後続々と東海道五十三次の風景版画を発表した。その中の一枚に南湖の松原左富士がある。東海道の鳥井戸橋を渡って、下町屋の家並の見える場所の街道風景を写し、絵の左には富士山を描いている。

東海道のうちで左手に富士山を見る場所は、ここと吉原（静岡県）の二か所が有名。昔から茅ヶ崎名所の一つとして南湖の左富士が巷間に知られている」。（説明パネルより）

そして相模川を渡るとまもなく〝平塚〟に入る。

＊〝平塚〟入口に「平塚宿の江戸見附」と題した説明板が立っていたが、ここでは「見附は必ずしも宿境を意味するものではなく〝宿境は傍示杭で示す〟と付記されていた。この先に「史跡 平塚の塚」の案内標示が出ていたので立ち寄ると「平塚の塚緑地」としてきれいに整備された一画があった。

中に入ると石柱「平塚の碑」が建っていて「平塚の塚由来」と題した、次のような説明板が添えてあった。

＊平塚の塚由来

「江戸時代の天保十一年に幕府によって編さんされた〃新編相模国風土起稿〃の中に里人の言い伝えとして、〃昔、桓武天王の三代孫、高見王の娘政子が、東国へ向かう旅をした折、天安元年（八五七）二月この地で逝去した。柩《ひつぎ》はここに埋葬され、墓として塚が築かれた。その塚の上が平らになったので里人はそれを〃ひらつか〃と呼んできた〃という一節があり、これが〃平塚〃という地名の起こりとなりました。この事から〃平塚〃の歴史の古さが伝わります。平塚市」。

「史跡 平塚の塚」から街道筋に戻って高来神社を過ぎると「化粧坂の物語」と題した碑文が建っていた。この少し先に、虎御前が朝な夕な井戸水を汲んで化粧したという〃化粧井戸〃の説明板が立っている。（このあと〃大磯〃へ）

＊個々詳細は次の通り（藤沢～平塚）

• 遊行寺

清浄光寺《しょうじょうこうじ》が公式の寺名だが、遊行上人の寺ということから広く一般に遊行寺と呼ばれている。宗祖は〃一遍上人〃で南無阿弥陀仏のお札を配って各地を回り、修行された念仏の宗門。この〃遊行寺〃は正中二年（１３２５）遊行四代呑海上人によって藤沢の地に開かれ、時宗の総本山となっている。（詳細後述）

・一ノ鳥居

江戸時代、東海道は遊行寺橋を通っていて、当時ここが江の島道との分岐点でもあった。江戸方面から東海道を上りこの橋を渡ると、少し南に江の島道入口としての〝一の鳥居〟があったらしい。その袴石は遊行寺宝物館の入口に保存されているという。

・白幡神社

「文治五年源義経奥州にて敗死し、其の首を黒漆櫃に入れ、美酒に浸し持ち来り腰越の里にて和田太郎義盛、梶原平三景時甲直垂を着け甲冑の郎従二十騎を相具して首実験をなし此の地に埋めたり、斬る事実に基きて宝治三年丁丑九月義経を合せ祀る、社前領家町に首塚首洗井あり、…以下省略」。

・化粧坂の物語

「曽我兄弟は降りしきる雨の中で父の仇を討ったが兄の十郎は討たれ弟の五郎は召捕られた。十郎の愛人虎御前は悲しんで尼となり兄弟の冥福を祈ったという。以来この日は必ず雨が降り、虎が雨と名づけられ俳句の季語となり、虎御前が住んでいたあたりを化粧坂と言われ、鎌倉時代の歓楽街であったという」。(碑文要約)

この〝化粧坂の物語碑〟を過ぎると「大磯宿小島本陣旧蹟」の石柱がひっそり建つ〝大磯〟に入る。

＊湘南発祥の地〝大磯〟

この〝大磯宿小島本陣旧蹟〟の石柱を過ぎると「湘南発祥之地大磯」と刻まれた大きな石碑が建っていた。ここに「湘南発祥の地大磯の由来」と題した説明板が添えてあって、

「中国湖南省にある洞庭湖のほとり湘江の南側を湘南といい、大磯がこの地に似ているところから湘南と呼ばれるようになりました」。と記されていた。

この〝大磯〟の石碑を過ぎると、国道沿い左側に樹木に囲まれた茅葺の家〝鴫立庵《しぎたつあん》〟がある。ここに「鴫立庵」と題した説明パネルが立っていて、次のように記されていた。

＊鴫立庵《しぎたつあん》

「小田原の崇雪がこの地に五智如来像を運び、西行寺を作る目的で草案を結んだのが始まりで、俳人の大淀三千風が入庵し〝鴫立庵〟と名付け、第一世庵主となった。京都の落柿舎・滋賀の無名庵とともに日本三大俳諧道場の一つといわれている」。（要約／詳細後述）

＊今も残る〝東海道の松並木〟

このあと国道1号に今も残る〝東海道の松並木〟沿いを歩く。ここに説明板が立っていて次のように記されていた。

「この松並木は今から約400年前に諸街道の改修のときに植えられたもので、幕府や領主により保護され150年前ころからはきびしい管理のもとに、立枯れしたものは村々ごとに植継がれ大切に育てられてきたものです。この松並木は、このような歴史をもった貴重な文化遺産です」。（最寄り二宮駅）

① **［ポイントの詳細説明］**（日本橋～大磯）

＊生麦事件発生現場

「文久二年八月二十一日辛未晴天 島津三郎様御上り異人四人内女壱人横浜与来リ本宮町勘左衛門前ニ而行逢下馬不致候哉異人被切付直ニ跡へ逃去候処追被欠壱人松原ニ而即死外三人ハ神奈川へ疵之儘逃去候ニ付御役人様方桐屋へ御出当村役人一同桐屋へ詰ル右異人死骸ハ外異人大勢来リ引取申候

生麦村名主　関口日記ヨリ　平成十一年一月　生麦事件参考館設置」（原文より）

＊一里塚の目的（信濃一里塚／説明板・要約）

「慶長9年（１６０４）徳川幕府は、五街道を整備し、あわせて宿場を設け、交通の円滑を図った。同時に、当時あいまいであった駄賃銭を決めるため、江戸の日本橋を起点とした距離が判る里程標が必要との事で、街道の両側に一里ごとに5間四方の塚が造られ、この上にエノキやマツが植えられた。この一里塚は、旅人にとって旅の進みぐあいがわかる目印であると同時に、塚の上に植えられた木は、夏には木陰をつくり、冬には寒風を防いでくれるため、旅人の格好の休憩場所になった。そのため、一里塚やその付近に茶店ができ、立場が設けられるようになった」。（要約）

＊江戸方見付跡

〝戸塚〟の入口に「江戸方見付跡」の石碑が建っている。戸塚駅を過ぎると「戸塚宿本陣跡」（碑）、「上方見付跡」（標柱）とつづく。このように〝見付〟は宿の入口にあり京側にあるものを〝上方見付〟、江戸側が〝江戸方見付〟で両〝見付〟の内側が宿内になる。本来〝見付〟は城下に入る城門のことをいうが、宿見付も宿の出入口で〝見付〟から正式に宿内であることを示し、宿間の距離は〝見付〟を基準にしていた。

＊遊行寺

「清浄光寺（しょうじょうこうじ）が公式の寺名ですが遊行上人の寺ということから広く一般に遊行寺と呼ばれます。宗祖は一遍上人（一二三九年～一二八九年）で南無阿弥陀仏のお札をくばって各地を回り、修行された（遊行といいます）念仏の宗門です。この遊行寺は正中二年（一三二五年）遊行四代呑海上人によって藤沢の地に開かれ、時宗の総本山となっています。宝物として、国宝「一遍聖絵」、国重要文化財「時衆過去帳」など多数があります。境内には日本三黒門の一つである総門、銀杏の巨木、中雀門、市指定文化財の梵鐘、国指定の藤沢敵御方供養塔、小栗判官と照手姫の墓、板割浅太郎の墓、有名歌人の句碑などもあります。また、桜・ふじ・花しょうぶの名所で、観光百選の一つにもなっています」。（説明板より）

＊鴫立庵

「寛文四年（一六六四年）小田原の崇雪がこの地に五智如来像を運び、西行寺を作る目的で草庵を結んだのが始まりで、元禄八年（一六九五年）俳人の大淀三千風が入庵し鴫立庵と名付け、第一世庵主となりました。現在では、京都の落柿舎・滋賀の無名庵とともに日本三大俳諧道場の一つといわれています。崇雪が草庵を結んだ時に鴫立沢の墓石を建てたが、その標石に「著盡《ああ》湘南清絶地」

と刻まれていることから、湘南発祥の地として注目を浴びています。

こころなき　身にもあはれは　知られけり
鴫立沢の　秋の夕暮れ　（西行法師）」（説明パネルより）

②街道筋の概要とポイント

（大磯から小田原、箱根〈箱根峠〉、三島、沼津、原、吉原、蒲原）

▽街道筋の風景

〝大磯〟をあとに「江戸より十八里、史跡 東海道一里塚の跡」碑を過ぎ、緩やかな坂を上っていくと左に〝相模湾〟が見えてくる。東海道を歩いて初めての美しい海岸風景だった。

途中に「史跡車坂」の標柱が立っていて太田道灌、源実朝、北林禅尼3人の唄を記したパネルが添えてあった。当時、歌が詠まれるほど景色がよかったのだろう。〝大磯〟あたりから海岸線を歩くが、海側に〝西湘バイパス〟が走っていて、しかも樹木に覆われているので海が見えなかった。

国道に戻り酒匂歩道橋の近くで再び松並木がつづく。そして水鳥の群れが漂う〝酒匂川〟を渡るとまもなく〝小田原〟に入る。

＊〝小田原〟

中心街にさしかかると「小田原城址江戸口見付跡」の標柱が建つ側に「史跡 小田原城跡」と題した説明板が立っていて、次のような内容が記されていた。

＊史跡 小田原城跡（城の構成）

小田原北条氏時代の小田原城は、雄大な規模を持った城郭として知られている。現在見られる小田原城の石垣は江戸時代のもので、小田原北条氏時代の空堀・土塁は、主にJR小田原駅西側の山手に今も残っており、山王口は、東海道の東側の城下に入る出入口だったという。（要約／詳細後述）

この説明板を過ぎると、歩道の所々に旧町名を記した石柱が建っていて、側面に町の役割や当時の状況が詳細に記されていた。

例えば「唐人町」には「小田原北条時代に中国人が遭難し小田原に漂着した40人近くがこの地に居住したので当時は〝唐人村〟と呼ばれていた」とあった。そして「旧本陣古清水旅館」前を通り〝清水金左衛門本陣〟があったという「明治天皇宮ノ前行在所跡」、〝片岡本陣〟があったという「明治天皇本町行在所跡」を過ぎると、〝小田原城跡入口〟があった。前述「史跡 小田原城跡」の地図に城址の地下に東海道新幹線や東海道本線が画かれていたが、このように街道筋から10分もしない街の中心街に〝小田原城跡〟があった。

※小田原城（国史跡）を訪れる

きれいな城門をくぐると、入口に「総合案内図（地図）」と「小田原城」と題した説明パネル」が備えてあって次のように記されていた。

＊小田原城

「16世紀初め頃に戦国大名小田原北条氏の居城となってから関東支配の中心拠点として次第に拡張整備され、豊臣秀吉の来攻に備えて城下を囲む大外郭を完成させると城の規模は最大に達し、日本最大の中世城郭に発展した。江戸時代を迎えると小田原城は徳川家康の支配するところとなり、城の規模は三の丸以内に著しく縮小され近世城郭として生まれ変わった。その後、大久保氏が城主となり、箱根を控えた関東地方防御の要衝として、また幕末体制を支える譜代大名の居城として、幕末まで重要な役割を担ってきた。現在の小田原城跡は本丸を中心に〝城址公園〟として整備され、天守閣が復興、次いで常盤木門、銅門が復原されている」。（要約／詳細後述）

そして銅門《あかがねもん》から城内に入ると「小田原城と小田原合戦攻防図」を描いた大きなパネルに〝合戦の流れ〟が次のように記されていた。

＊「小田原城と小田原合戦攻防図」

「天正18年（1590）小田原北条氏の本拠地小田原城は、全国統一を推し進める豊臣秀吉率いる諸大名の大軍に包囲される。

＊中世最大規模の城、小田原城出現。

＊小田原を包囲する戦国の英雄たち。

（この布陣詳細が「小田原城と小田原合戦攻防図」として描かれている）

＊秀吉、石垣山城築城。

＊北条氏の降伏。

＊そして、戦国時代は終わる。

この合戦の過程で、関東ばかりでなく伊達政宗ら東北の諸将も秀吉に臣従する。この結果、天下統一の事業が達成され、北条氏の滅亡とともに戦国時代も終わりを告げた」。

（項目のみ／詳細後述）

＊秀吉が築いた〃石垣山城〃とは…

この合戦の勝敗を決定づけた秀吉築城の〃石垣山城〃は距離にして南西側３～４㎞のところにある。この城が〃太閤一夜城〃と呼ばれるのは秀吉が築城にあたり、山頂の林の中に塀や櫓の骨組みを造り、白紙を張って白壁のように見せかけ、一夜のうちに周囲の樹木を伐採し、それを見た小田原城中の将兵が驚き士気を失ったためといわれている。実際は４万人が動員され、大正18年４月から６月まで約80日間が費やされたという。

《所感》小田原城跡地は小田原城址公園になっていて、園内の動物園に大きな象がいたのに驚いた。寒い時期にもかかわらず多くの観光客が訪れていた。広い城内に高い石垣を基礎にして建つ３層の天守閣はそれほど大きくないが、今も小田原北条の威風を感じさせるものがあった。

▽街道筋の概要３（小田原～三島）

※〃**箱根八里の峠越え**〃の道に入る

小田原城出口に据えられた「箱根口門跡」標石を見て〃大久寺〃の門を潜って街道筋に戻ると、すぐ右上に〃箱根登山鉄道〃が走っている。このあと左に流れる〃早川〃に沿って〃国道１号〃の緩やかな上り坂がつづく。ここは正月のイベントで有名な〃箱根駅伝〃の道。このあと箱根旧街道〃箱根八里の峠越え〃の道に入る。

車が多いがきれいに整備された歩きやすい歩道を１時間近く歩くと、右手前方に〃箱根湯本〃の温泉街が見えてくる。この少し先で国道から左の〝旧東海道・県道〈732〉〟に入る。そして〝箱根湯元駅〟を右に見て〝三枚橋〟を渡って〝早雲寺〟を過ぎると〝国史跡 箱根旧街道入口〟の立札が立っていて、ここから**〝箱根八里の峠越え〟**の道に入る。

・早雲寺

「早雲寺は、大永元年（1521）北條早雲の遺命により、その子氏綱によって建立された寺であり、以来北条氏一門の香火所としてその盛衰をともにし現在に至っています。この寺には、北條文化の香りを伝える数多くの文化財が残されており北條文化を語るのに欠くことのできない寺です」（説明板／要約）

＊国史跡「箱根旧街道入口」

「江戸幕府は、延宝8年（1680）に箱根旧街道に石を敷き、舗装をした。この先から約255mは、その面影を残しており、国の史跡に指定されている」。（立札／要約）

このあと、自然石の平べったい面を上面に敷き詰められた趣きある〝石畳道〟がつづく。当時もこんな道だったの？と思うほどきれいに敷き詰められていた。そして〝箱根観音・福寿院〟を過ぎて〝女転坂〟から〝割石坂〟を上っていくと、ひっそりとした林の中に再び〝江戸時代の石畳〟が現れる。ここは少しデコボコしていて昔からの石畳という感じがした。

・割石坂

曽我五郎が、富士の裾野に仇討ちに向かう時、腰の刀の切れ味を試そうと、路傍の巨石を真二つ

に切り割ったところと伝えられています。（説明板より）

この〝割石坂〟から〝江戸時代の石畳〟を登っていくと「箱根路のうつりかわり」と題した説明板が立っていて、次のように記されていた。

＊箱根路のうつりかわり

「箱根路は、古来より東西交通の難所であり、文化の流通に大きな障壁となってきた。この壁を通過する交通路は、地形の制約をうけながら常に箱根山を対象に設けられてきた。箱根路のうつりかわりは、日本の歴史にも深いつながりをもち、各時代のうつり変りと共に箱根越えの路も次のように変わってきた。

①箱根で最も古い峠道〝碓氷道〟②奈良・平安時代に利用された〝足柄道〟③鎌倉・室町時代に開かれた〝湯坂道〟④江戸時代に開かれた〝旧東海道〟⑤現在の東海道〝国道1号線〟

環境庁　神奈川県」。（説明パネル／要約）

＊間の宿〝畑宿〟

▽このあとバス通りの県道に出るが、なおも上り坂がつづく。〝箱根八里の峠越え〟の道に入って1時間半ほど歩くと民家が見えてくる。今まで人気のない山道を歩いてきたので何かホッとする。この民家に〝本陣跡〟のバス停が立っていて、この敷地の一角に大きな「畑宿本陣茗荷屋跡」の標柱が建っていた。この一角に「本陣跡」と題した説明パネルが添えてあって、次のように記されていた。

・本陣跡

「安政4年、米国初代総領事ハリスタウンゼントが江戸入りの途中休息観賞したが、このハリスの箱根越えはエピソードが多く大変だったようです。下田から籠で上京したハリスは箱根関所で検査を受けることになった。その際、ハリスと関所側は検査をめぐってトラブルが起き、下田の副奉行が中に入ってほとほと困り抜いたと云う。」と記されていた。（詳細後述）

＊〝**畑宿**〟は伝統工芸〝箱根細工〟が生まれ育ったところ。この〝箱根細工〟は小田原北条氏時代にまでさかのぼるという。この近くに〝畑宿寄木会館〟があった。

途中の休憩所で一息入れたあと、大きな「箱根路 東海道の碑」が建つ石畳道に入ると、入口に〝箱根旧街道〟と題した次のような国の説明板が立っている。

＊箱根旧街道

「江戸幕府は元和四年（一六一八年）湯本から元箱根に至る湯坂道（現ハイキングコース）を廃し湯本の三枚橋から須雲川に沿い畑宿を通り二子山の南側を経て、元箱根に至る古い山路をひろげ世に箱根の八里越えと伝えられる街道を作った。そして、延宝八年（一六八〇年）幕府の手によりはじめてこの街道に石が敷かれたが、この石畳の道は現在も所々に存し国の史跡に指定されている」。

（要約／詳細後述）

※**国史跡〝箱根旧街道〟を歩く**

この説明板に目を通して〝石畳の道〟に入ると目の前に〝畑宿一里塚〟があった。こんもりと土盛りされた塚に若い苗木が植えられていた。この〝石畳道〟は途中、所々で〈箱根峠〉を越える県道と合流、あるいは所々で県道のカーブをショートカットする階段や急坂を登っていく。この厳しい上り坂を1時間くらい必死に登ると、途中に休み処のお店「甘酒茶屋」があった。現在も県道と旧街道が接する場所にあるので車の人も立ち寄っていた。この隣に茅葺の「旧街道資料館」があった。

・甘酒茶屋

「赤穂浪士の一人、神埼与五郎の詫状文伝説を伝えるこの茶屋は、畑宿と箱根宿のちょうど中ほどにあり、旅人が一休みするには、適当な場所でした。当時この茶屋は箱根八里間で十三軒あり〝甘酒〟を求める旅人でにぎわいました」。（説明板より）

＊権現坂の石畳を下って芦ノ湖畔へ

この茶屋から裏手の旧街道に戻って石畳道を登り切ると〝箱根馬子唄の碑〟が建つ小さな広場に出る。格好の休憩スポットで、この石碑に〝箱根八里は馬でも越すが越すに越されぬ大井川〟と刻まれていた。降り口に「権現坂」と題した説明板が立っていて「小田原から箱根路を登る旅人が、いくつかの急所難所あえいでたどりつき、一息つくのがこの場所です。目前に芦ノ湖を展望し、箱根山にきたという旅の実感が、体に伝わってくるところです」と記されていた。少し先に「箱根旧街道案内図」が立っていて、ここに次のような説明が添えてあった。

＊「箱根旧街道案内図」／添付説明文

「江戸幕府は、元和四年（１６１８）に旧来の湯坂道を廃止して小田原・三島両宿の間、箱根山中の芦ノ湖畔に箱根宿を置き、関所を新に設けて湯本の三枚橋から須雲川に沿い、畑宿から急坂を二子南ろくに登り元箱根に至る古い山路をひろげて街道をつくった。この道は、江戸時代を通じて世に箱根の八里ごえといわれ、東海道中屈指の難路であり、その有様は詩歌、物語等で多く歌われている」。

＊美しい箱根神社の朱の鳥居

この〝権現坂〟の石畳を10分ほど下ると〝芦ノ湖畔〟の元箱根に出る。寒い時期で観光客は少なかったが、真青な空が芦ノ湖の湖面に映り、遠く水辺に建つ〝箱根神社〟の朱の鳥居が映えてとても美しかった。

このあと「旧東海道 箱根杉並木」碑が建つ小路を通って〝箱根恩賜公園 箱根離宮跡〟に立ち寄った。高台にあるきれいな公園で、芦ノ湖の外輪山後方に見える〝真っ白な富士山〟がとてもきれいだった。〝恩賜公園〟を下りたところに〝箱根御関所〟がある。

＊〝箱根〟は〝相模・伊豆の国境〟にある宿場町で半分が〝相模の国〟半分が〝伊豆の国〟で〝小田原〟と〝三島〟から50軒ずつ移転させて造った宿場だったという。現在、旅館やお土産店が並んでいるだけで往時の面影は残ってなかった。

・箱根御関所

江戸時代初め設置された東海道〝箱根山中〟の関所で〝三島・小田原〟の両宿の中間に位置し〝相模国〟の西入口にあたる。北に〝芦ノ湖国〟南に〝屏風山国〟が控える眺望豊かな立地は関所にふさわしい場所なのだろう。〝小田原藩主〟が預かり、特に〝入鉄砲出女〟の取り締まりが厳重であったといわれている。平成19年（2007）、徳川幕府が東海道に設けた〝箱根関所〟の江戸後期の姿が復元されている。

＊〈箱根峠〉頂上に到達！

〝箱根〟を過ぎて緩やかな坂を登ると箱根峠頂上（846m）に着く。ここに「箱根峠・神奈川県」の標識が建っていて、振り返ると箱根の〝駒ヶ岳〟がよく見える。交差点になっていて右は〝芦ノ湖スカイライン〟左に曲がると〝十国峠〟に通じている。

☆神奈川／静岡県境〈箱根峠〉

〈箱根峠〉は〝神奈川／静岡県境〟にあって、東海道はこのあと国道1号から旧道の細い小路に入って〝箱根旧街道〟のハイキングコースに戻る。すぐに〝接待茶屋跡〟や原型を思わせる大きな一里塚〟さらに大きな半球形の〝かぶと石〟とつづく。

このかぶと石は豊臣秀吉が小田原征伐のとき休息した際、兜をこの石の上に置いたことから〝かぶと石〟と呼ばれるようになったという。

そして、うっそうとした杉林に敷かれた石畳道を30分ほど歩くと、北条氏が永禄年間（1558～1570）に築城したという〝山中城跡（国史跡）〟がある。この説明板を流し読みし、さらに坂を下っていくと視界が開け、富士山がとてもきれいに見える休憩所〝富士見平〟があったので、ここで富士山を眺めながら一休みした。

このあと、崩れた塚にしっかりと木の根を張る〝笹原一里塚〟を過ぎると「こわめし坂の念仏石」と題した説明板が立っていた。あまりに長く急な坂のため背負ったお米が汗と熱で〝こわめし〟ができたという。

この〝こわめし坂〟を過ぎると坂も緩やかになり、大きな〝標石・箱根路〟を見て一旦国道に出るが、すぐに国道脇の松並木遊歩道に入ると左手にきれいな形をした〝錦田一里塚（国史跡）〟がある。この説明板を読んで、三島市街のバス通りに出ると〝三嶋〟側入口を示す「史跡 箱根旧街道」の石柱が建っていた。

（所要時間は「国史跡・箱根旧街道入口」から約8時間だった）

このあと〝三島〟市街に通じる旧道を20分ほど歩いて街道沿いの〝三嶋大社〟に立ち寄ったあと、この日は三島駅近くのホテルに泊まった。
＊〝三島〟は〈箱根峠〉西側の最初の宿場町であり〝三嶋大社〟の門前町でもあった。〝戦国時代〟に箱根峠〜三嶋間に〝山中城〟が築かれており〝伊豆の国府〟があったことから宝暦9年（1759）まで伊豆国統治のための代官所が設けられていたという。
＊個々詳細は次の通り（小田原城〜三嶋）
・山中城跡（国史跡）
小田原に本城のあった北条氏が、永禄年間（1558〜1570）に築城したと伝えられる中世最末期の山城。箱根山西麓の標高５８０ｍに位置する、自然の要害に囲まれた山城で、北条氏にとって、西方防備の拠点として極めて重要視されていたが、戦国時代末期の天正18年（１５９０）３月、全国統一を目指す豊臣秀吉の圧倒的大軍の前に一日で落城したといわれている。（説明板／要約）

•錦田一里塚（国史跡）

江戸日本橋より東海道の28里（１１２㎞）の地点にあり、松並木の間に道路をはさんで向かい合って一対残っており、旧態を保っていて貴重ということで国史跡になっている。

•三島大社

〝三島〟入口に鎮座する〝三嶋大社〟は伊豆一の宮。〝三島〟はこの〝三島大社〟の門前町として古くから賑わってきた。源頼朝が挙兵に際し祈願をよせ、緒戦に勝利したことでも有名。春は参道のソメイヨシノや三島桜、神池周辺の枝垂桜が美しいらしい。

▽街道筋の概要４（三島～蒲原）

翌日〝三島〟から富士山の裾野に沿って駿河湾の海岸沿いの〝沼津〟に向かうと、途中の〝八幡神社〟に〝対面石 頼朝義経兄弟〟の案内板が立っていた。

＊頼朝と義経が対面した〝対面石〟

この鳥居をくぐって境内に入ると、大きな四角い石が向き合うように二つ並んでいた。この横に「対面石」と題したたな説明板が立っていて、次のように記されていた。

「治承4年（1180）10月、平家の軍勢が富士川の辺りまで押し寄せてきた時、鎌倉にあった源頼朝はこの地に出陣した。たまたま、奥州からかけつけた弟の義経と対面し、源氏再興の苦心を語り合い、懐旧の涙にくれたという。この対面の時、兄弟が腰かけた二つの石を〝対面石〟という。清水町教育委員会」。（説明板／要約）

このあと〝沼津〟を経て駿河湾沿いを東海道線に沿って西の〝原〟〝吉原〟へと向かう。

＊〝**沼津**〟との境界に建つ標石〝従是西 沼津領〟を過ぎると、日本三大仇の一〝平作地蔵尊の由来〟と題した説明板が立っていて、「〝伊賀越道中双六〟に出てくる沼津の平作にゆかりの深い地蔵尊としてその名が知られている」。と記されていた。この奥に小さな地蔵尊があった。少し行くと、今から1200～1300年前に玉類を磨ぐために用いられたという〝玉砥石〟が展示されていて、説明板に「柱状の二つの大石にそれぞれ直線的な溝があり、ここに玉の原石を入れて磨いたと考えられていています」。と記されていた。

このあと、晩年を沼津の地で過ごした〝若山牧水の墓〟がある乗運寺に立ち寄ったあと、東海道本線と共に駿河湾に沿って県道163号を西に向かう。片浜駅を過ぎると次の宿場〝原〟に着く。

＊〝**原**〟は〝白陰禅師誕生地〟で入口に大きな碑が建っている。この側に「白陰禅師誕生地」と題した説明パネルが添えてあって、次のような内容が記されていた。

臨済禅中興の祖と仰がれる白陰禅師は15才の時〝松蔭寺〟の単嶺祖伝和尚を師として自ら望んで出家仏門に入り、19才から32才まで修行行脚で全国を巡り33才で松蔭寺住職となり84才で亡くなるまで〝松蔭寺〟を中心に全国各地で真の禅宗の教えを広めた」という。この〝松蔭寺〟は、この碑の裏側（海側）にあった。（詳細後述）

そして〝田子の浦〟にさしかかると視界が開け、右手に富士山の裾野が見えてくる。吉原駅前に来たところで〝田子の浦〟港に立ち寄ってみた。

＊かつて〝ヘドロ〟の汚れで騒がれた〝田子の浦〟

吉原から富士にかけて製紙工場が多く、かつて〝田子の浦〟はヘドロの汚れで騒がれていた。当時の港がどうだったかは知らなかったが、今は他の港と変わらずきれいだった。東海道はこのあと海岸沿いから少し離れた〝吉原〟に向かう。

＊〝吉原〟は富士市中心街にあって北25㎞に富士山が聳え、南側は駿河湾・田子の浦の漁港が近く、行く先西側近くに富士川が流れている。吉原駅を過ぎて沼川を渡ると、正面右手に**〝ぽっかり浮かんだ美しい富士山〟**が望める。そして新幹線のガードをくぐり、工場地帯を抜けると道脇の一角に大きな〝平家越の碑〟が建っていた。

・平家越の碑

「治承４年（１１８０）源平の富士川の合戦の際、富士沼（浮島ヶ原）の水鳥が群れ立つ羽音に驚いた平氏は、源氏の襲来かと思いそのまま逃げ去ったという。その場所がこの付近と伝えられている」。とある。（碑文より）

○地形的ポイント〝**雄大な富士山**〟

〝吉原〟をあとに西に向かうと、街道沿いの家が建ち並ぶ屋根頭上に〝雪を被った雄大な富士山〟が見えてくる。周りが少し霞んでいるため、雪が積もっている山頂部分が白くぽっかりと浮いているように、それも〝**4軒の屋根上を見上げる大きさ**〟で見える。ほぼ右正面（北側）に見えるので富士山に最も近い場所なのだろう。

少し先、間宿〝本市場〟に「鶴芝の碑」が建っていた。このあとしばらく西に向かって進むと「富士川渡船場跡」碑が建っていて「水神ノ森と富士川渡船場」と題した説明板が立っていた。

・鶴芝の碑

「この碑は、文政3年（1820）6月、東海道間の宿（旅人の休憩所）本市場の鶴の茶屋に建てられたもので、当時ここから雪の富士を眺めると、中腹に一羽の鶴が舞っているように見えたので、この奇観に、京都の画家蘆洲が鶴をかき、これに江戸の学者亀田鵬斉が詩文を添え、碑とした。市内では旧東海道をしのぶ数少ない貴重な文化財である。富士市教育委員会」。（説明板／要約）

・水神ノ森と富士川渡船場

「富士川を渡るには渡船を利用した。これは富士川が天下に聞えた急流であり、水量も多いことと、幕府を開いた徳川家康の交通政策によるものだった。街道の宿駅整備にあわせ渡船の制度を定め、用いた船には定渡船、高瀬船、助役船があり、通常の定渡船には人を30人、牛馬4疋を乗せ、船頭が5人ついた。水神ノ森には安全を祈願し水神社を祀り、著名な〝東海道名所図会〟にも記されて

いる　富士市教育委員会」。（要約／詳細後述）

＊富士山が一番きれいに見えるという〝富士川橋〟

ここで〝富士川橋〟を渡るが、右後方に見える富士山がとてもきれい。視界を遮るものがなく裾野が広がる富士山の全貌が望める。この橋から見る富士山は一番きれいらしい！

東京では冬の富士山は真っ白に見えるが、裾野から広がる富士山の全貌を見ると、雪を被っているのは頂上部分で全体の3分の1から4分の1くらい。訪れたのは平成15年1月14日…だった。

＊〝蒲原〟の宿場通りに入ると入口に常夜灯が建っていて、この一角に「蒲原宿 案内板」や「東木戸・常夜灯」の説明板が立っていた。宿場内に入ると江戸時代に〝問屋職〟を務めた渡辺家土蔵、〝なまこ壁〟と塗り家造りの家（佐藤家）、今も大きな屋敷を構える本陣跡、〝手づくりガラスと総欅の家〟（磯部家）、味噌や醤油の醸造を営む商家で町家形式の典型という志田家住宅主屋（国登録文化財）等々、当時の面影を残す家が建ち並んでいた。

途中〝御殿道跡〟の説明板が立っていて「このあたりに〝蒲原御殿〟があった。はじめは武田氏を攻めて帰る織田信長を慰労するために徳川家康が建てた小規模なものだったが、将軍秀忠・家光が東海道を往来するたびに拡張・整備され、規模も大きくなった。この〝蒲原御殿〟から下る道を〝御殿道〟と呼んでいた」。という内容が記されていた。そして〝西木戸跡〟に来たところで街道筋に戻った。

《所感》〝蒲原〟は東海道（旧国道1号）に並行に脇道として〝当時の宿場通り〟が残っているの

で、昔の町並みがよく保存されており、東海道を歩いて初めて宿場の雰囲気に触れた気がした。

②［**ポイントの詳細説明**］（小田原～蒲原）

＊史跡 小田原城跡（城の構成）

「小田原北条氏時代の小田原城は、全国屈指の雄大な規模を持った城郭として知られています。その構築法は、内郭（本丸・二の丸・三の丸）や城下町の周囲に大外郭を設けてこれを保護しながら、内郭の外側に雄大な防御線を張ろうとする備えで、これを〝総構・総曲輪〟と呼び、また〝総構〟が土塁と空堀とで作られているところから〝総堀〟ともいわれました。この小田原城総曲輪は、おそらく北条氏三代 氏康の永禄年間（一五五八～六九年）ごろから作り始められ、上杉謙信、武田信玄の再度の来攻の経験などを生かして次第に拡大され、五代 氏直の時、豊臣秀吉の小田原攻めがはじまる直前の天正十八年（一五九〇）早春に完了したものと考えられます。

現在見られる小田原城の石垣は、江戸時代のもので、小田原北条氏時代の空堀・土塁は、主にJR小田原駅西側の山手に今も残っています。ここの山王口は、東海道の東側の城下に入る出入口でした」。（小田原市教育委員会／説明板より）

＊小田原城跡（国史跡）

「小田原城が初めて築かれたのは、大森氏が小田原地方に進出した15世紀半ばごろのことと考えられている。16世紀初めごろに戦国大名小田原北条氏の居城となってから関東支配の中心拠点として次第に拡張整備され、豊臣秀吉の来攻に備えて城下を囲む大外郭を完成させると城の規模は最大に達し、日本最大の中世城郭に発展した。

江戸時代を迎えると小田原城は徳川家康の支配するところとなり、その家臣大久保氏を城主として迎え、城の規模は三の丸以内に著しく縮小された。その後、稲葉氏が城主となってから大規模な改修工事が始められ、近世城郭として生まれ変わった。その後、大久保氏が再び城主となり、箱根を控えた関東地方防御の要衝として、また幕藩体制を支える譜代大名の居城として、幕末まで重要な役割を担ってきた。

しかし、小田原城は明治3年に廃城となり、ほとんどの建物は解体され、残っていた石垣も大正12年（1923）の関東大震災によりことごとく崩れ落ちてしまった。

現在の小田原城跡は、本丸・二の丸の大部分と大外郭の一部が、国の史跡に指定されている。また、本丸を中心に〝城址公園〟として整備され、昭和35年（1960）に天守閣が復興次いで昭和46年（1971）には常盤木門、平成9年（1997）に銅門が復原された。さらに小田原市では、貴重な文化的遺産である小田原城跡をより一層親しんでいただくとともに、長く後世に伝えていくことを目的として、本格的な史跡整備に取り組んでいる。国指定史跡　小田原城跡」。

＊「小田原城と小田原合戦攻防図」〝合戦の流れ〟

「天正18年（1590）小田原北条氏の本拠地小田原城は、全国統一を推し進める豊臣秀吉率いる諸大名の大軍に包囲される。

*中世最大規模の城、小田原城出現

北条氏の当主氏直は、臣従を迫る豊臣秀吉と交渉を続ける一方、小田原城をはじめ諸城を強化し、総動員態勢を整える。特に、小田原城に城下の街ごと囲む全長9㎞に及ぶ長大な大外郭を構築し、決戦に備えていた。結果的に交渉は決裂。氏直は、国境線を固めるとともに小田原城に主力を投入、さらに領内100ヵ所に及ぶ支城の防備を固めて防衛体制を整えた。

*小田原を包囲する戦国の英雄たち

豊臣方の軍勢は水陸あわせて約22万。徳川家康らを先鋒とする秀吉の本隊は東海道、前田利家・上杉景勝率いる北国勢が上野国（群馬県）から北条氏の領国に侵攻。長宗我部元親・九鬼嘉隆らの率いる水軍が兵員・物資を搬送し、海上封鎖に従事した。大外郭の出現により中世最大の規模を誇った小田原城には、6万とも伝える人々が籠り、豊臣秀吉・徳川家康をはじめ、織田信雄・蒲生氏郷・羽柴（豊臣）秀次・宇喜多秀家・池田輝政・堀秀政など、名だたる戦国の英雄を迎え撃ち、3ヵ月余りに及ぶ攻防戦を展開する。

（この布陣詳細が〝小田原城と小田原合戦攻防図〟として描かれている）

*秀吉、石垣山城築城

小田原城の攻略に当たり、十分な兵糧・資金を用意して長期戦の構えで臨む秀吉は、壮大な石垣山城を築き、本営を湯本早雲寺（箱根町）から移動。淀殿や参陣諸将の女房衆を召し寄せ、また千利休らの茶人や芸能者を呼ぶなど長陣の労を慰めた。

＊北条氏の降伏

北条方は、各地の諸城に籠って防戦し、機会を見て反撃に転じる作戦であったが、主力の籠る小田原城を封鎖されたまま各地の支城を撃破され、次第に孤立していった。同年7月に至り北条氏直は城を出て降伏を申し入れ、自らの命と引き換えに、籠城した一族・家臣や領民らの助命を願い出る。しかし、秀吉はこれを認めず、氏直の父氏政とその弟氏照らに切腹、氏直に高野山追放を命じ、ここに戦国大名小田原北条氏は滅亡した。

＊そして、戦国時代は終わる

この合戦の過程で、関東ばかりでなく伊達政宗ら東北の諸将も秀吉に臣従する。この結果、天下統一の事業が達成され、北条氏の滅亡とともに戦国時代も終わりを告げた」。（説明板より）

＊ハリスの箱根越え

「下田から籠で上京したハリスは箱根関所で検査を受けることになった。その際、ハリスと関所側は検査をめぐってトラブルが起き、下田の副奉行が中に入ってほとほと困り抜いたと云う。ハリスは〝私はアメリカ合衆国の外交官である〟と検査を強く拒否したことから副奉行がハリスを馬に乗せて籠だけ検査することで関所側と妥協した。ハリスは怒ったり笑ったりで関所を通った。そして畑宿本陣に着いてから彼がはじめて見る日本式庭園の良さに心なごみ機嫌はすこぶる良好になったといいます」。（本陣跡説明板／要約）

＊箱根旧街道

「江戸幕府は元和四年（一六一八年）十六夜日記でも知られる旧来の湯本から湯坂山～浅間山～鷹ノ巣山～芦ノ湯を経て、元箱根に至る湯坂道（現ハイキングコース）を廃し湯本の三枚橋から須雲川に沿い畑宿を通り二子山の南側を経て、元箱根に至る古い山路をひろげ世に箱根の八里越えと伝えられる街道を作った。

この街道は、寛永十二年（一六三五年）参勤交代の制度ができて、一層交通が盛んとなり、そのありさまは詩歌、物語等にも多く歌われた。延宝八年（一六八〇年）幕府の手によりはじめてこの街道に石が敷かれたが、この石畳の道は現在も所所に存し国の史跡に指定されている。現在、残っている石畳は、文久三年（一八六三年）二月、孝明天皇の妹、和宮内親王が十四代将軍 徳川家茂のもとに降嫁されるにあたり、幕府が時の代官に命じ文久二年（一八六二年）に改修工事を完成させたものだといわれている。

平均、約三・六メートルの道幅の中央に約一・八メートル幅に石が敷きつめられていたという」。（説明板より）

＊白陰禅師誕生地

「〝駿河には過ぎたるものが二つあり　富士のお山に原の白隠〟と歌われ、臨済禅中興の祖と仰がれる白陰禅師は、西暦１６８５年12月25日長澤宗彝（そうい）を父、妙遵（みょうじゅん）を母とし三男二女の末子として当地の屋号沢瀉屋（おもだかや）に生まれる。15才の時松蔭寺の単嶺祖伝和尚を師として自ら望んで出家仏門に入る。19才から32才まで修行行脚で全国を巡り33才で松蔭寺住職となり84才で亡くなるまで松蔭寺を中心に全国各地で真の禅宗の教えを広めた。毛筆の書画に秀でて達磨図や観音菩薩絵は特に有名である。現地が沢瀉屋（おもだかや）の跡地で禅師が生まれた時使用した〝産湯の井戸〟がこの奥にいまなお清水を湛えている」。（説明パネルより）

＊水神ノ森と富士川渡船場跡

「江戸時代、東海道を東西し富士川を渡るには渡船を利用しました。これは富士川が天下に聞えた急流であり、水量も多いことと、幕府を開いた徳川家康の交通政策によるものでした。街道の宿駅整備にあわせ渡船の制度を定め、渡船は岩渕村と岩本村との間で行われました。

東岸の渡船場は松岡地内の一番出しから川下二十町の間で、上船居中布内、下船居の三箇所があり、川瀬の状況で使い分け、そこから上、中、下の往還が通じていました。今でも当時のなごりとして、下船居のあった水神ノ森辺りを〝船場〟と呼んでいます。用いた船には定渡船、高瀬船、助役船があり通常の定渡船には人を三十人、牛馬四疋を乗せ、船頭が五人つきました。

渡船の業務は岩渕村で担当していましたが、寛永十年（一六三三）以後、船役の三分の一を岩本村が分担しました。これは交通量の増加に伴って業務が拡大したためで、岩本村が渡船に重要な役割をにないました。

水神ノ森には安全を祈願し水神社を祀り著名な〝東海道名所図会〟にも記され、溶岩の露頭は地盤堅固であり、古郡氏父子の巨大な雁堤は、ここから岩本山々裾にかけて構築されています。このほか、境内には富士登山道標や帰郷堤の石碑が建っています」。(富士市教育委員会」(説明板より)

③街道筋の概要とポイント

〈蒲原から由比、〈薩埵峠〉、興津、江尻〉

◎地形&ルートの概要

このあと、静岡県南側の静岡平野から豊橋平野へと駿河湾から遠州灘の海岸沿いを南西方向に下っていく。厳しい峠越えはないが、北部の明石山脈から木曽山脈の山々から流れ出る大きな川(安倍川、大井川、天竜川)が流れ、浜名湖の〝今切渡し〟を含め厳しい川渡りが多いのがポイントだろう。〝蒲原〟から20分くらいで〝由比〟に着く。

＊〝由比〟は〝東海道五十三次〟の中で最も小さい宿場の一つだが、往時の面影をよく残している。宿場入口に「由比宿東桝型跡」の説明板が立っていて〝東木戸〟にあたるところに格子造りの家「昔の商家」(志田氏宅)があった。屋号〝こめや〟を名乗り家のたたずまいも昔の商家の面影を残していた。

そして宿場中央にある〝由井本陣屋敷跡〟に「由比本陣の沿革」と題し次のような内容が記されていた。

＊由比本陣の沿革

「ここに本陣がおかれたのは、由比本陣家の先祖である由比助四郎光教が永禄３年（１５６０）主君〝今川義元〟とともに〝桶狭間の戦い〟で討死し、その子権蔵光広が帰農して、この地に永住したことにはじまります。以来、由比本陣家は連綿として子孫があいつぎ当代の由比宏忠氏にいたっています。

由比町は平成元年、当主の理解をえて、この本陣屋敷跡地を購入し、町民のために由比本陣公園として整備し、敷地内に町民文化の振興と町の活性化の一助にと〝東海道広重美術館〟を開館しました」。（説明板／要約）
＊由比正雪の生家
この〝屋敷跡〟の斜め向かいに暖簾「正雪紺屋」を提げたお店があった。江戸時代初期から400年も続いている染物屋で〝由比正雪〟の生家といわれている。裏庭の祠に正雪を祀ったという五輪塔があるらしい。（〝由井正雪〟は幕府転覆を図ったという軍学者）

※由比の特産〝桜えび〟

このあと〝由比港〟前を通ったので立ち寄ってみると「桜えびと由比港」と題した説明パネルが立っていて、次のような内容が記されていた。
＊桜えびと由比港
「明治27年鯵船が富士川沖に出漁中、遇々《たまたま》網に浮樽をつけずにおろしたところ、大量の桜えびが引揚げられ一躍有望視され明治30年には由比・蒲原で併せて160隻の鯵船が桜えび船に変身し、大正2年には年産水揚げ15万円をあげ、町内産物の紙、みかんを抜いて第一位となった。最近の漁獲高は30億円、うち由比漁港の水揚げは22億円である。　昭和57年3月　由比町教育委員会、他」。

東名高速道路が海の橋脚の上を走っていて由比港はこの内側にある。この静かな港に桜えび船が一杯停泊していた。

＊〝桜えび〟の生態

〝桜えび〟は駿河湾の他に東京湾、相模灘にも生息しているが、漁業の営業許可を静岡県だけが認めているので、国内の水揚げは100％駿河湾。桜えび漁の許可証を持つ船は由比、蒲原、大井川地区の合計で120隻しかないとのこと。

この〝桜えび〟は日中、駿河湾の水深200～350mに分布。日没後、距離を縮め群れながら20～60mの表層まで上昇してくる。桜えび漁はこの習性を利用し夜行われているらしい。（〝桜えび〟の生態詳細／後述）

桜えびの一生は約15カ月。10～12カ月で成熟して産卵後は2～3カ月で一生を終える。禁漁期はこの産卵期と桜えびが海の深いところで生活する冬の時期に設定されている。えさは主にプランクトン、成長後はオキアミ類も捕食するという。

▽街道筋の概要1（由比～〈薩埵峠〉～興津）

由比駅を過ぎると、すぐに間の宿**〝西倉沢〟**集落がある。〈薩埵峠〉を控えた間の宿で10軒ばかりの休み茶屋があったという。この峠の登り口に「一里塚跡」碑が建っていて、横に貸し出し用の杖棒が4～50本立てかけてあった。

ここに「薩埵峠」と題した説明板が添えてあって、次のように記されていた。

「戦国時代、足利尊氏が弟直義と合戦せし古戦場として知られ、又東海道随一の難所〝親しらず子知らず〟の悲話が伝えられている。峠は磐城山・岫崎《くまざき》ともいい万葉集に〝磐城山ただ越えきませ磯崎のこぬみの浜にわれ立ちまたむ〟と詠まれ、江戸時代安藤広重の東海道五十三のうち、ここ薩埵峠より見た富士山、駿河湾の景観を画いたものは、あまりにも有名です。（山の神　薩埵峠の風景は三下り半にかきもつくせじ　蜀山人）」

※〈**薩埵峠**〉へ

この説明板を読んで舗装された坂道を登ると、右手の南斜面に〝みかん畑〟がつづき、左に真っ青な海〝駿河湾〟が見えてくる。振り返ると雪を被った雄大な富士山が見える。30分程で見晴台がある峠の頂上（標高２４４ｍ）に着いた。眼下に、海岸線に沿って東海道本線と国道1号が走り、この上を高架で交差する東名高速道路が〝薩埵トンネル〟に入ってゆく。この先遠くに裾野が広がる富士山の雄姿がくっきりと見える。この右奥に箱根の山が小さく見え、これにつながる伊豆半島が駿河湾をふさいでいる。今日は雲ひとつ無い快晴、海が真青で空も澄みきっていて遠くまでよく見えるすばらしい眺めだった。この登りきったところに「東海道薩埵峠周辺絵図」と「薩埵山合戦場」と題した説明パネルが立っていて次のような内容が記されていた。

＊薩埵山合戦場
「ここでは2度の大合戦があった。室町幕府を開いた足利尊氏と鎌倉に本拠を構えた弟の直義が不仲になり、山岳戦を展開し直義軍が敗退。もう一つは、武田信玄が駿河に侵攻、今川氏真が薩埵峠

に先鋒を構えたが敗退するも、小田原の北条氏が今川に加勢し出陣。今度は武田が敗れ、一旦甲州へ引き上げたが三たたび侵攻し、このとき蒲原城を攻略した」。（詳細後述）

このあと、日当たりの良いハイキング道を進むと、１月だというのに道脇の紅梅がもう咲いていた。風も無く、陽射しが暖かくとても気持ちが良い。この〈薩埵峠〉は〝由比〟と〝興津〟の宿境になっていて〝興津〟側に入ると興津地区まちづくり推進委員会の「薩埵峠の歴史」と「薩埵山の合戦」と題した次のような説明パネルが立っていた。

＊薩埵峠の歴史

「この峠道が開かれたのは１６５５年の朝鮮使節の来朝を迎えるためで、それまでの東海道は崖下の海岸を波の寄せ退く間合を見て岩伝いに駆け抜ける〝親知らず子しらず〟の難所だった。今のように国道１号が海岸を通れるようになったのは〝安政の大地震〟（１８５４年）で地盤が隆起し陸地が生じた結果である」。（要約）

＊薩埵山の合戦

「薩埵山は京都と鎌倉を結ぶ重要な戦略地点で、たびたび古戦場となっている。１３５１年（観応の騒乱）に足利尊氏はここに陣を張り、弟足利直義の大軍を撃破した〝太平記〟に見える陣場山、桜野などの地名はこれより北方の峰続きに存在する。

降って戦国時代の１５６８年12月、武田信玄の駿河進攻の時、今川氏直はこの山に迎え討って敗退した。その翌年の春には、今川救援のため出兵した小田原の北條氏と武田軍が３ヶ月余も対陣し

たが決定的な戦果はなくて武田方が軍を引いた」。(要約)

＊〝興津〟

薩埵峠を下ったあと興津川を渡り、JR興津駅の手前で国道1号に戻ると、清水市〝興津宿〟の標柱が建っていたが「興津宿東本陣址」「興津宿西本陣址」の石柱がつづくだけで宿場の面影を見ることなく〝興津〟をあとにしたところ、右側JR東海道本線の線路を挟んだ高台に、徳川家康が今川氏の人質となっていた少年時代に学問を修めたという〝清見寺〟があった。

▽街道筋の概要2(興津〜江尻)

地形的には〝静岡平野〟の北東端にあって〝興津〟を過ぎると静岡平野の真ん中を東海道本線に沿って南西方向に〝江尻〟を経て〝府中〟(静岡駅)へと向かう。(〝江尻〟は旧清水市)

30分ほど歩いて国道1号から右の旧道に戻ると「ほそいの松原」の説明板が立っていて「当時、この旧道両脇に206本の松が植えられていたが、太平洋戦争の時に航空機燃料(松根油)の原料として伐採されたので現在その跡もない」。と記されていた。そして東海道本線の清水駅を過ぎるとまもなく〝江尻〟に入る。

＊〝江尻〟は、清水湊の海運で栄えた宿場町。清水駅前の繁華街を通って巴川に架かる〝稚児橋〟を渡る。この橋の袂に「稚児橋の由来」と題したプレートが埋め込まれていた。この繁華街(商店街)を抜けると「是より志ミづ道」の追分道標が建っていた。東海道から清水湊へ通じる道で〝清

水次郎長〟が子分〝森の石松〟の恨みを晴らすため、都田の吉兵衛（通称都鳥）を討ったのはこの辺らしく、次のような説明板が立っていた。（要約）

＊清水次郎長と森の石松

「春まだ浅き文久元年（1861）正月15日、清水次郎長は遠州都田の吉兵衛（通称都鳥）をここ追分で討った。その是非は論ずべくも無いが吉兵衛の菩提を弔う人も稀なのを憐み里人が供養塔を最期の地に建立して俠客の霊を慰さむ。此處を訪れる諸士は彼のために一掬の涙をそそぎ香華を供養されるならば、黄泉の都鳥もその温情に感泣するであろう」。そして巴川の支流（金谷橋）を渡ると「追分と金谷橋の今昔」と題した説明パネルが添えてあった。このあと1時間半、これといった史跡のない単調な県道を〝府中〟（静岡）に向けひたすら歩く。

•稚児橋の由来

「この橋は江尻橋と命名されることになっていたが、渡り初めの儀式の日に川の中から一人の童子が現われたとみるやするすると橋脚を登り忽然と入江方面へ消えさった。集まった人達はあっけにとられ童子変じて稚児橋と名付けたといわれている。その不思議な童子は巴川に住む河童だったとも語り継がれ、清水の名物〝いちろんさんのでっころぼう人形〟の中に河童がいるのはこの伝説による」。という。（プレート／要約）

•追分と金谷橋の今昔

「往来の旅人は土橋であった金谷橋を渡ったが重い荷物を運搬する牛馬は橋横の土手を下り渡川し

て土手に上り街道に合流した。古来、牛道と言われた名残りを今にとどめている東海道の史跡である」。（説明パネル／要約）

③［**ポイントの詳細説明**］（由比〜江尻）

＊〝桜えび〟の生態詳細

桜えびの一生は約15カ月。10〜12カ月で成熟して産卵後は2〜3カ月で一生を終える。禁漁期はこの産卵期と桜えびが海の深いところで生活する冬の時期に設定されている。えさは主にプランクトン、成長後はオキアミ類も捕食するという。

生態系が富山湾のホタルイカとが似ている気がする**…?**

＊薩埵山合戦場

「古来、ここでは二度の大合戦があった。まず観応二年（一三五一）室町幕府を開いた足利尊氏と鎌倉に本拠を構えた弟の直義が不仲になり、ここ薩埵峠から峯つづきの桜野にかけて山岳戦を展開し、やがて直義軍が敗退した。

二度めは永禄十一年（一五六八）から翌年にかけてで、武田信玄が駿河に侵攻したので、今川氏真が清見寺に本陣を置き薩埵峠に先鋒を構えたが敗退した。そこで小田原の北条氏が今川に加勢して出陣し、今度は武田が敗れて一旦甲州へ引き上げたが、永禄十二年十二月に三たび侵攻し、このとき蒲原城を攻略した。　平成四年三月　由比町教育委員会」

＊安政の大地震

安政地震は、嘉永7年（１８５４）11月4日に発生した安政東海地震（Ｍ８・４）と翌5日に発生した安政南海地震（Ｍ８・４）の巨大地震をいっている。東海地震の被害は関東から近畿に及び、特に沼津から伊勢湾にかけての海岸がひどく、津波が房総から土佐までの沿岸を襲い被害を大きくしたという。南海地震は東海地震の32時間後に発生、被害は中部から九州に及び、津波の波高は串本～久礼で15～16メートルあったといわれている。死者は東海地震で2～3千人、南海地震で数千人とある。（理科年表より）

④街道筋の概要とポイント

（府中～丸子、岡部、藤枝、島田、金谷、日坂）

江尻から東海道本線に沿って静岡県南側の静岡平野から豊橋平野へと駿河湾から遠州灘の海岸沿いを南西方向に下っていく。厳しい峠越えはないが、北部の南アルプス（明石山脈）から木曽山脈の山々から流れ出る大きな川（安倍川、大井川、天竜川）が流れ、浜名湖の〝今切渡し〟を含め厳しい川渡りが多いのがポイントだろう。

◎地形＆ルートの概要

静岡市西端を流れる〝安倍川〟を渡ると静岡平野の南西端を抜けて南アルプスの南端が駿河湾近くまで迫る山間を横断する部分を南西に向かう。東名高速と東海道新幹線は南に下って駿河湾沿いの〝日本坂トンネル〟に入る。東海道本線は南へ下り駿河湾沿いの〝石部トンネル〟に入る。東海道は国道1号と所々で合流しながら南西方向へ〝丸子〟から〈宇津ノ谷峠〉を越えて〝岡部、藤枝〟へと向かう。

＊〝府中〟と静岡県について

静岡県は伊豆国、駿河国、遠江国の3国が明治9年（1876）に行われた県の統合によって現在の静岡県になっている。〝府中〟は現在の静岡市で駿河国の政治の中心だったので〝府中〟といい、駿河の府中であることから〝駿府〟ともいわれていた。

＊〝府中〟へ

〝江尻〟から1時間半、静岡駅近くに来ると「久能山・東照宮道」の石碑が建っている。この下部に「久能街道の由来」と題した次のような内容が記されていた。

「〝府中〟から久能山麓に通じる久能街道の起点で、東海道を上り下りする大名たちはここで東海道を離れ、徳川家康がまつられている山頂〝久能山東照宮〟にお参りに行きました。幕府に仕えた大名たちにとって、家康は神様と同じに考えられていたからです」。（要約／詳細後述）

＊静岡の由来

このあと駿府城跡の県庁を右に見てクランクに何度か曲がると途中、市役所近くに「駿府町奉行所址」碑と「静岡の由来」と題した碑文が建っていて、次のように記されていた。

「廃藩置県を前に駿府または府中といわれていた地名の改称が藩庁で協議され、賤機山《しずはたやま》にちなみ〝賤ヶ丘〟といったんは決まったが、藩学校頭取の向山黄村先生は時世を思い土地柄を考えて静ヶ丘即ち〝静岡〟が良いと提案され衆議たちまち一決したという」。（詳細後述）

そして地図を頼りに静岡市中心街を通り抜け〝府中〟をあとに安倍川を渡るが、この手前に「安倍川の会所跡」の説明板が立っていて次のように記されていた。

＊安倍川の会所跡

「江戸時代、東海道で架橋を禁じられていた川に安倍川や大井川などがある。東海道を往来する旅人は〝川越人夫〟に渡してもらわなければならなかった。〝川越人夫〟による渡しでは、小型川越えの興津川、中型川越えの安倍川、大型川越えの大井川などが代表的な存在で、この〝川越人夫〟が人や荷物を渡すのを監督するところが〝川会所〟であった。

ちなみに、安倍川の川越え賃は〝脇下から乳通り〟までは一人六十四文〝へそ上〟は五十五文〝へそまで〟は四十八文〝へそ下〟は四十六文〝股まで〟は二十八文〝股下〟は十八文、〝ひざ下〟は十六文であったといわれている」。（説明板／要約）

この先に「弥勒町」と題した説明板が立っていて、「江戸時代のはじめに弥勒院という山伏が還俗して安倍川の川原で餅を売るようになった。この餅を〝安倍川餅〟という。これが〝弥勒町〟の名の由来となった」と記されていた。

今も橋の袂にあるお店〝石部屋〟で安倍川餅を売っていたので一つ作ってもらい、お茶を飲んで一服してから安倍川を渡った。

▽街道筋の概要（丸子～日坂）

このあと東海道本線は南に下って駿河湾沿いの日本坂トンネルへ向かうが、旧東海道は〝安倍川〟を渡ったあと、東海道本線から離れ、国道1号と共に西（山間方向）の〝丸子〟に向かう。

＊**〝丸子〟**の集落入口に建つ「史跡 丸子宿本陣跡」碑を過ぎると宿場の家並みがつづく。この途中に「お七里役所」という新しい石碑が建っていて、この側面に「家康が亡くなって3年後、駿府を追われ紀州和歌山にお国替えさせられた徳川頼宣は幕府の行動を警戒する諜報機関として、江戸

屋敷と領国の居城の間を七里間隔の宿場に独自の連絡機関として23カ所に中継ぎ役所を設けた。これが〝紀州お七里役所〟で、ここに5人1組の飛脚を配置した」と記されていた。(要約/詳細後述)

このすぐ先に〝とろろ汁〟で有名な「丁子屋」があった。「名物創業慶長元年・とろろ汁」の暖簾と提灯を下げた茅葺のお店で、北斎や広重の絵にも描かれていたという。現在も営業中で、平日にもかかわらず多くの女性客が訪れていた。

＊間の宿〝宇津ノ谷〟

このあと丸子橋を渡って国道1号に合流し、丸子川に沿って40分くらい緩やかな坂を上っていくと国道1号が〝宇津ノ谷トンネル〟に入り、東海道はここで〈宇津ノ谷峠〉越えの古道に入る。この入口に間の宿〝**宇津ノ谷**〟がある。

タイル張りのきれいな道で道脇には「車屋」「伊勢屋」「御羽織屋」など〝屋号札〟が残っていて、この落ち着いた山あいの集落を通り抜けると「旧東海道のぼり口」の案内が出ていた。

＊〈宇津ノ谷峠越え〉の古道を歩く

この道は〝豊臣秀吉〟が小田原征伐のときに大軍を通すために開拓されたものといわれ、それ以前は「宇津ノ谷トンネル」北側の〝つたの細道〟と呼ばれる道を通っていたという。急坂の山道を登ると5分くらいで頂上に着く。眼下に今通ってきた〝宇津ノ谷〟の集落が見えてくる。この眺めは今も昔も変わらないらしい。そして、落葉が敷き詰めた峠道を下っていくと、途中から舗装道に変わり「東海道参勤交代の道」の標柱が立っているところで一旦国道に合流し〝岡部〟の宿場町通りに入る。この入口に「東海道岡部宿案内板」が立っていて〝岡部宿のあらまし〟が次のように記されていた。

〝**岡部**〟は東に〈宇津ノ谷峠〉、西に〝大井川〟という難所を控えていることから、平安時代後期から宿としての形を整え、鎌倉・室町時代と発展し、慶長7年（1602）年に宿の指定を受け、東海道の要衝として栄えた。〝岡部〟は江戸時代の作家〝十返舎一九〟の滑稽本「東海道中膝栗毛」にも登場しているという。（詳細後述）

この宿場入口にあった大旅籠〝柏屋〟の玄関土間に女将と二人の旅人が座っていて、一人は桶に足を浸しながら相棒と話している…。本物かと思ったら、当時の旅籠の雰囲気を感じさせる人形セットだった。

明治になって建てかえられたという「岡部宿本陣址」碑が建つ屋敷前を通って、落ち着いた宿場通りから広い道路に出ると弧巻きされた〝岡部宿の松並木〟が残っていた。そして、国道1号と所々で交差しながら1時間ほど歩いて「藤枝宿東木戸跡」（標柱）を過ぎると間もなく〝藤枝〟の商店街にさしかかる。（この日は商店街裏近く藤枝シティホテルに泊まり、翌日、商店街に戻り続きを歩く）

〝**藤枝**〟の六地蔵尊を過ぎると「東海道追分」「千貫堤」「染飯茶屋蹟」三つの石柱が建っていて、それぞれ説明パネルが添えてあった。ここに「この辺は池や湿地が多い所だったので、これを迂回する道（追分）があった。大井川の大洪水で度々水害に悩まされていたので〝一千貫〟もの労銀を投じて大堤防を築造した。〝染飯〟とは強飯をくちなしで染め薄く小判型にしたもので、足腰が強くなるというので旅人には好評で、現在の茶店蹟で江戸時代の終わり頃まで売られていた」。等々記されていた。そして、わずかに残る松並木を過ぎると一旦国道に合流し、なおも1時間近く歩くと次の宿場〝島田〟に着く。

＊〝**島田**〟の中心街近くに「島田刀鍛冶の由来」と題した大きな碑文が建っていて次のような内容が記されていた。

＊**島田刀鍛冶の由来**（要約／本文後述）

「島田の刀鍛冶は、室町時代より江戸時代末期にいたる約４００年間の歴史をもち、繁栄期には、この島田に多くの刀工が軒を連ね、鍛冶集団を形成していた。その系譜は義助・助宗・広助を主流とし、作風は相州風・備前風などのみえる業物打ちであった。江戸時代になると、貞助系・忠弘系が派生し、信州などに進出していった刀工たちは、戦国大名の今川・武田・徳川氏などに高く評価され、多くの武将に珍重された。とくに、義助の〝お手杵の槍〟や、武田信玄所蔵という助宗の〝おそらく造りの短刀〟など、刀剣史上に今なお名をとどめる秀逸な作品も少なくない」。（要約／本文後述）

※**大井川〝川越遺跡**〟（国史跡）

島田駅を過ぎると右手に立派な〝青銅鳥居〟を構える〝大井神社〟がある。由緒に「昔、大井川が乱流し、度重なる災害に悩まされた里民は、子孫の繁栄と郷土の発展の為に御守護を祈るべく大井神社を創建した。また川越の公家・大名・一般旅人からも大井川渡渉りの安全を祈願するため深く信仰されたという」。(要約) この少し先に、大井川〝川越遺跡〟がある。

＊大井川〝川越遺跡〟

当時の姿が復元され観光スポットになっている。人足が詰めていた番宿、荷崩れした荷物を直した荷縄屋、人足が川札をお金に変えた札場、川越しの料金を決めたり川札を売ったりした川会所など、当時の川越施設が復元されている。女の人も人足に肩車されて渡っている様子が描かれていて、ここに「川会所と川越制度」と題した次のような説明板が立っている。

＊川会所と川越制度(要約/本文後述)

「慶長6年に幕府は〝宿場伝馬の制〟を定めて東海道に〝五十三次の宿場〟をおき、江戸城の要害として大井川に〝渡渉制度〟をしいた。この渡渉は江戸時代初期においては比較的自由なものであったが、貞享《じょうきょう》・元禄のころから制度の内容を更にきびしくして、元禄9年には2人の川庄屋をおいた。日々川の深浅による渡渉賃銭の取りきめや、公卿や大名をはじめ各種公用人から庶民に至るまでの通行人の渡河順序の割振り諸荷物等の渡渉配分などの円滑な運営をはかり、徒渉地点以外から越える廻り越しの監視などを厳重に行った」。

《所感》〝箱根八里は馬でも越すが越すに越されぬ大井川〟といわれるだけに、真っすぐ延びる橋の先がよく見えない。渡るのに20分近く要したが、当時ならこの倍以上掛かったのではないだろうか。橋の長さは2㎞はありそう。大井川を渡ると30分ほどで対岸の〝金谷〟に着く。

＊〝**金谷**〟は東に大井川、西に〈小夜の中山峠〉の難所に挟まれた〝川越の宿場〟として栄えた宿場町。このあと東海道本線は南に下って掛川駅に向かうが、旧街道はそのまま西へ〈金谷峠〉に向かう。峠の上り坂にさしかかると〝金谷坂の石畳〟〝菊川坂の石畳〟とつづく。そして〈小夜の中山峠〉の上り坂にさしかかると街道筋の両側に広大な茶畑が現れる。山の斜面を切り開いた茶畑が一面に広がり、この壮大な光景は日本一のお茶の産地〝静岡〟を思わせる。

この茶畑が続くのどかな丘陵地帯を進むと、久延寺境内に〝小夜の中山夜泣石〟という大きな丸石があった。このあと芭蕉が松の下で〝命なりわずかの笠の下涼み〟と詠んだという〝涼み松〟さらに〝夜泣石跡碑〟とつづく。この辺は丘陵地帯に栽培された茶畑の農道のような道で歩いていてとても気持ちがいい。昔の東海道を歩いているような素朴さを抱かせてくれる。

そして〝日坂〟入口の急カーブの坂道にさしかかると「二の曲がりと沓掛」と題した説明板が立っていて「〝二の曲がり〟は沓掛に至るこの急カーブを指し〝沓掛〟は峠の急な坂道にさしかかった所で沓(くつ)を履き替え、古い沓を木に掛けて旅の安全祈願するという古い習慣に因る」。とあった。

＊〝**日坂**〟は東海道三大難所の一つ〈小夜の中山峠〉の西の麓に位置し、小さな宿場町ではあったが大井川の川止めや、大名の参勤交代などで結構賑わっていたらしい。そして表門だけ残す本陣〝扇屋〟、江戸時代の面影を残す問屋役を勤めた旅籠〝川坂屋〟を過ぎて宿場の外れに来ると〝事任八幡宮〟があった。事任は〝ことのまま〟と読み〝願いが事のままに叶うありがたき言霊の社〟として平安朝の枕草子にも記載されているという。

＊個々詳細は次の通り（丸子〜日坂）

・金谷坂の石畳

　この石畳は、江戸時代幕府が近郷集落の助郷に命じ金谷宿と日坂宿との間にある金谷峠の坂道を旅人たちが歩き易いように山石を敷き並べたもので平成3年に、町民の参加を得て実施された「平成の道普請」で延長430mが復元されたという。

・菊川坂の石畳

　この石畳は江戸時代後期のもの。当時、様々な仕事が助郷という制度によってなされており、この石畳も近隣12ヶ村に割り当てられた助郷役の人達によって敷設された。長さが約690mあったが、現在は長さ61m、最大幅4・3mを残しているという。

・〈小夜の中山峠〉

　東海道の〝金谷〟と〝日坂〟間にある〈小夜の中山峠〉は急峻な坂が続く街道の難所だったようで、鬱蒼とした樹木に埋もれ、当時は山賊なども横行したため峠越えは容易ではなかったようだ。当時の〝日坂宿〟の説明に「東海道三大難所の一つ〝小夜の中山峠〟西の麓に位置し、…」と説明されている。

・日本一のお茶の産地〝静岡〟

　1244年、聖一国師が宋よりお茶の種子を持ち帰り、静岡市郊外の足久保に植えたのがはじまりと言われている。明治維新の頃、徳川藩士などによる牧之原台地の開墾により、日本一のお茶の産地になった。１８８３年には全国の14％足らずだった生産量が、現在では全国の約４割を生産する大産地という。（伊藤園資料より）

④［**ポイントの詳細説明**］（府中～日坂）

＊久能街道の由来

「東海道府中宿（静岡市伝馬町）から、久能山の麓に通じる久能街道はここから始まります。目の下に青い駿河湾、遠くに伊豆半島をみることができる久能山の頂には、久能山東照宮があり、そこには３００年にわたる平和な江戸時代を開いた徳川家康がまつられています。江戸時代、東海道を上り下りする大名たちは、ここで東海道を離れ、久能山にお参りに行きました。幕府に仕えた大名たちにとって、家康は神様と同じに考えられていたからです。昭和20年代まで、この場所には、〝久能山 東照宮道〟と記した石碑がたっていました。

もともと久能街道は、久能海岸で作られた塩を始めとする海の産物を駿府に運び込むために、古代から使われてきた、静岡でもっとも古い街道の一つで、駿府の町に北側から入ってくる安倍街道や藁科街道につながります。そして、町の中央には、東海道が東西に走っています。駿府の町は南北から生活物資が運び込まれた久能街道や安倍街道と、東西から人や情報が流れ込んだ東海道とが交差するところに発展したことになります。久能街道ははるか昔から、駿府を支えてきた大切な道

でした」。（碑文より）

＊静岡の由来

「明治二年（一八六九）廃藩置県を前にして駿府または府中といわれていた地名の改称が藩庁で協議された。重臣の間では賎機山にちなみ賎ヶ丘といったんは決まったが藩学校頭取の向山黄村先生は時世を思い土地柄を考えて静ヶ丘即ち〝静岡〟が良いと提案され衆議たちまち一決同年六月二十日〝駿洲府中静岡と唱えせしめられ候〟と町触れが達せられた。以来百有余年富士を仰ぐふるさと静岡の名は内外に親しまれ県都として今日の発展を見るに至った。ここに市制施行九十周年を迎え黄村先生の遺徳を敬仰しゆかりの地藩庁跡に市名の由来をしるす。昭和五十四年四月一日　静岡市」（碑文より）

＊お七里役所

「江戸時代の初期、寛文年間　紀州　徳川頼宣は、江戸屋敷と領国の居城の間、百四十六里に沿って七里間隔の宿場に、独自の連絡機関として二十三ヶ所に中継ぎ役所を設けた。県内では〝沼津〟〝由比〟〝丸子〟〝金谷〟〝見付〟〝新居〟に設けられ、この役所を『紀州お七里役所』と呼び五人一組の飛脚を配置した。これには健脚にして剣道、弁舌、に優れた仲間が選ばれ、昇り竜、下り竜の模様の伊達半天を着て『七里飛脚』の看板を持ち腰に刀、十手を差し御三家の威光を示しながら往来した。普通便は毎月三日、江戸は五の日、和歌山は十の日と出発し道中八日を要し、特急便は四日足らずで到着した。幕末の古文書に、入山勘太夫役所、丸子勘太夫などと記されている、丸子宿におけるお七里役所は、当家のことである。徳川頼宣は、徳川家康の第十子で家康が亡くなって三年後に駿府を追われ紀州和歌山にお国替えさせられた。こうした事もあって紀州家では、幕府の行動を警戒する諜報機関としてお七里役所を置いたのである」。（碑文より）

＊岡部宿のあらまし

〝岡部〟は東に〈宇津ノ谷峠〉、西には〝大井川〟という難所を控えていることから、平安時代後期から宿としての形を整え始めました。鎌倉・室町時代と発展を続け、慶長7年（１６０２）に宿の指定を受け、東海道の要衝として栄えました。江戸時代の作家、十返舎一九の滑稽本〝東海道中膝栗毛〟にも登場します。雨中の宇津ノ谷峠で滑って転んだ弥次さんと喜多さんが、増水のため大井川が川留めと聞いて岡部宿に投宿する際に一首〝豆腐なるおかべの宿につきてげり足にできたる豆をつぶして〟と交通の難所であった様子が描かれています。（東海道岡部宿案内板／「岡部宿のあらまし」より）

＊島田刀鍛冶の由来

「島田の刀鍛冶は、室町時代より江戸時代末期にいたる約四百年間の歴史をもち、繁栄期には、この島田に多くの刀工が軒を連ね、鍛冶集団を形成していたという。

その系譜は、義助・助宗・広助を主流とし、作風は、相州風・備前風などのみえる業物打ちであった。江戸時代になると、貞助系・忠弘系が派生し、信州などに進出していった刀工たちもある。彼ら島田鍛冶は地方的な存在であったが、戦国大名の今川・武田・徳川氏などに高く評価され、多くの武将に珍重された。とくに、義助の〝お手杵の槍〟や、武田信玄所蔵という助宗の〝おそらく造りの短刀〟など、刀剣史上に今なお名をとどめる秀逸な作品も少なくない。

紀行文や文芸作品・芸能にも島田鍛冶は取り上げられ、往時の繁栄ぶりと名声のほどがうかがわれる。また、室町末期に活躍をした連歌師宗長は、島田の刀工義助の子であったといわれている。島田鍛冶集団は、中世末期から近世にいたる島田の歴史のなかでも、とりわけ燦然と輝いている。

昭和六十一年三月吉日　島田市」。（碑文より）

＊大井川の川会所と川越制度

「江戸時代の初期、慶長六年に幕府は宿場伝馬の制を定めて東海道に五十三次の宿場をおき、江戸城の要害として大井川に渡渉制度をしいた。

この渡渉は江戸時代初期においては比較的自由なものであったが、貞享・元禄のころから制度の内容を更にきびしくして、元禄九年には二人の川庄屋をおいた。川会所はその渡渉を管理するための役所であって、大井川畔三軒家（現在の河原町）に建てられ、川庄屋のもとに年行事・小頭・口取・侍川越等の役のものをおいて日々川の深浅による渡渉賃銭の取りきめや、公卿や大名をはじめ各種公用人から庶民に至るまでの通行人の渡河順序の割振り諸荷物等の渡渉配分などの円滑な運営をはかるとともに、規定の徒渉地点以外から越える廻り越しの監視などを厳重に行なった。

川越人夫は幕末近くまでは、島田・金谷両宿とも各三六〇人が定められていて、それらは一番から一〇番までの一〇班の組に分けられ、日々の交通量に見合わして各組の出番を指示した。それら出番組の川越人夫の集合所としての番宿・川越の補助的作業を問う仲間の宿・川越札の現金引換である札場・荷物の繕いを行なった荷縄屋等が設けられていたものである。

　川越制度は明治維新まで続けられたが、明治三年五月、民部省からの通達により架橋・渡船の禁が解かれこの制度は廃止された。

　川会所の建物はそののち大井川通船の事務所や学校々舎の一部に利用されその位置も移動されたが、昭和三年、国道大井川鉄道の架設を記念して鉄橋端大井川公園に移されて保存されることになった。そののち久しく等閑に付されていたが、昭和四十一年八月一日、島田宿大井川川越遺跡として文部省から指定を受け、昭和四十五年八月三十一日に旧跡地に隣接して復元完成されたものである」。（説明板より）

＊小夜の中山夜泣石

「その昔、お石という女が菊川の里へ働きに行っての帰り中山の丸石の松の根元でお腹が痛くなり、苦しんでいる所へ、轟業右衛門と云う者が通りかかり介抱していたが、お石が金を持っていることを知り殺して金を奪い逃げ去った。その時お石は懐妊していたので傷口より子どもが生まれ、お石の魂魄がそばにあった丸石にのりうつり、夜毎に泣いた。里人はおそれ、誰と言うとはなく、その石を〝夜泣石〟と言った。

　傷口から生まれた子どもは音八と名付けられ、久延寺の和尚に飴で育てられ立派な若者となり大和の国の刃研師の弟子となった。

そこへ轟業右衛門が刃研にきたおり刃こぼれがあるので聞いたところ、〝去る十数年前小夜の中山の丸石の附近で妊婦を切り捨てた時に石にあたったのだ〟と言ったので、母の仇とわかり名乗りをあげ、恨みをはらしたということである。その後弘法大師がこの話を聞き、お石に同情し石に仏号をきざみ、立ち去ったと言う。

文化元年滝沢馬琴の〝石言遺響《せきげんいきょう》〟より」。

《所感》お金を持っていたので殺されお金を奪われた。このお石の魂魄がそばにあった丸石にのりうつり夜毎に泣いたという。いろいろな伝説が残っているもので、人の道を戒める昔の人の知恵なのだろう。

⑤街道筋の概要とポイント（日坂から掛川、袋井、見付、浜松）

◎地形&ルートの概要

なおも南アルプス(明石山脈)南端の丘陵地を横切るように〝金谷〟〝日坂〟を経たあと〝牧之原台地〟の北西側を沿うように〝掛川〟を経たあと西南西方向へ〝袋井〟から〝見附〟〝浜松〟を経て〝浜名湖の今切口〟に向かう。

＊〝**掛川**〟（城下町）

〝日坂〟から1時間半ほど歩いて葛川（馬喰橋《うまくらばし》）を渡ると「掛川宿東番所跡」（標柱）の横に「七曲り」と題した次のような説明板が立っていて、そのまま進むと右手に〝掛川城大手門〟が現れる。

＊七曲り

「葛川と新町の境に堀割があり、ここにかかる橋を渡ると門があった。この門から西が宿場のなかで、ここから東海道は南に折れ、道がかぎの手にいくつも折れ曲がる新町七曲に入る。七曲りは、容易に敵を進入させないための構造だと考えられ、七曲りの終点に、城下に入ってくる人物や物を取り締まるための木戸と番所があった。番所には、捕縛のための三道具（刺股《さすまた》・突棒・袖がらみ）や防火用の水溜め桶などが備えられていた」。（要約）

旧街道を歩く立場からすると、地図を片手に一番悩まされる区間だが、なんとか通り抜けると右手に立派な掛川城大手門が現れる。

＊掛川城

〝掛川〟は山内一豊が整備した城下町で、復元された大手門をくぐり城内に入ると、3層の天守閣は大きくはないが、小高い所に聳え立つその雄姿はとても美しい。閉門時間が迫っていたので、きれいに整備された城内と掛川市街を見渡したあともう一度振り返つて、美しい天守閣を眺めて城をあとにした。（この日は駅近くの「ターミナルホテル掛川」に宿泊）

▽街道筋の概要（掛川から浜松へ）

〝掛川城〟から通勤車が行き交う商店街を抜けると、街道筋に〝平将門〟と家臣十九人を祀った〝十九首塚〟があった。地名も〝十九首町〟というユニークな町名。ここに「十九首塚の由来」と題した説明板が立っていて、町民はこの首塚を〝町の守り神〟として供養祭を行い、今日まで続いているという。

このあと、国道1号に合流し、当時は土橋だったという大池橋を渡ると「大橋池と秋葉街道」と題した説明板が立っていて「東海道を東から来てこの大池橋を渡ると、正面に青銅製の鳥居とその両側に常夜灯が建てられていて〝火防の神〟秋葉山へ通じる街道の入口であることを示していました」。と記されていた。

そして「大池一里塚跡」標柱を過ぎると〝東海道の松並木〟が現れる。昔はこの辺の街道脇すべて松並木だったらしいが、松食い虫の被害で枯れてしまい今は岡津～原川間にわずかに残っているだけとのこと。それでも田畑が広がる中の松並木は気持ちを和ませてくれる。そして「名栗の立場」の説明板を過ぎると大きな〝赤い鳥居〟が見えてくる。近づくと「冨士浅間宮赤鳥居」の説明板が添えてあった。そして久津部の「一里塚跡」碑を過ぎると間もなく、〝東海道五十三宿〟の中間点の宿場〝袋井〟に着く。

・十九首塚の由来

平将門の首級を祀る十九首塚。将門は関東下総の国、桓武天皇五代の孫。この武将・将門は、常陸を始め関東一円を占拠、自ら親皇と称し律令国家に対抗する国家を企てた。この叛乱に、朝廷から将門征討が興され、平貞盛、藤原秀郷らにより、将門は滅ぼされた（天慶の乱）。秀郷は将門をはじめ一門の家臣十九人の首級を持って京に上る途中、京から検視の勅使が派遣されこの地で首を洗い検視を受けた。秀郷は「将門は逆心なりとも、名門の出である。その罪重しといえども、今や滅びて亡し。その死屍に鞭打つは礼に非ず」と十九の首を別々に埋葬し、懇ろに供養した。地名の由来も十九の首塚があったところから十九首町と呼ぶようになったという。（説明板要約／詳細後述）

・〝火防の神〟秋葉山

火防の神が鎮座する秋葉山は静岡県浜松市天竜区春野町にある標高866mの山。この山頂近くに〝火防の神・秋葉大権現〟の後身〝秋葉山本宮秋葉神社〟がある。秋葉山はこの神社の俗称として呼ばれている。祭神は火の神・カグツチノカミで〝秋葉大神〟とも称されている。（詳細後述）

•富士浅間宮の赤鳥居

「赤鳥居と呼ばれているこの鳥居は、東海道分間延絵図にもその姿が描かれ、重要文化財で木花開耶姫命を祀る富士浅間宮本殿までの参道の入口に建っています。現在は鳥居と社殿の間に一般国道1号や東名高速道路が通り、周辺には多くの工場が立ち並んでいるために、鳥居だけが取り残されたように見えますが、江戸時代には東海道から木々の間に社殿を見渡すことができたようです」。(説明板より)

＊〝袋井〟

徳川家康により東海道の宿駅制度が定められてから15年後の元和2年(1616)に開設。江戸日本橋から数えても京都三条大橋から数えても27番目〝東海道五十三次〟のちょうど〝どまん中〟の宿になる。

これを売りものにした休憩所「東海道どまんなか茶屋」がある。ここで売っている「どまんなか茶屋まんじゅう」を食べて一服していると、お店で寛いでいた先客から「道中どこが良かったか?」の話題で話が尽きなかった。帰り際に大きな将棋の駒で造られた「袋井宿通過証」と「東海道袋井宿通過証明書」をもらい、食べ残った饅頭と一緒にリュックに入れ店をあとにした。

東本陣跡の向かい側に、当時の宿場状況を紹介する〝袋井宿場公園〟があったので立ち寄ると、東海道の本陣、本陣の宿泊、本陣の利用、本陣の経営について、それぞれ実態が記されていた。(詳細後述)

そして、「土手（土塁）」と題した説明板に「いくつかの中小河川をひかえた袋井宿は背の高い土手（土塁）に囲まれていた」。と記されていて、この一つ、宇刈川を渡って〝袋井〟をあとにした。少し行くと「古戦場木原畷」の説明板が立っていて「元亀3年（1572）、鷲巣の久野城を攻めた武田信玄は、ここ木原に陣をはり、浜松城を守る徳川家康の偵察隊と衝突しました。この戦いが世にいう〝木原畷の戦い〟です」とあった。

〝袋井〟から、これといった史跡のない道を1時間近く歩くと〝レンガ歩道〟が現れ「これより見付宿」と記された大きなモニュメントが建っている。

＊**〝見付〟**は〝姫街道〟の起点として大きな役割を果たした宿場で、西からの旅人が、ここで初めて〝富士山〟を目にしたことから〝見付〟という宿名が付いたらしく、西に〝天竜川の渡し〟を控えた東海道各宿の中でも重要な宿の一つだった。

宿内には「東海道見付宿」「本陣跡」の案内板を見るだけで〝見付〟をあとに南の磐田駅に向かうと、途中に立派な鳥居を構えた〝府八幡宮〟この対面に〝遠江国分寺跡（特別史跡）〟がある。そして磐田駅前で右折し西方向に1時間近く歩くと〝天竜川〟にぶつかる。この天竜川橋にはガード付きの歩道がなく、白線を引いただけの狭い歩道を怖い思いをして〝天竜川〟を渡ると、橋の袂に「舟橋跡」「天竜川木橋跡」2本の標柱が立っていた。天竜川は大井川と違って舟や木橋で渡っていたのかも知れない…。

なおも街道風景を楽しみながらひたすら歩くこと1時間半。浜松駅の最寄り地点に来たところで街道筋を離れ、この日は浜松駅近くのビジネスホテルに泊まった。

• 府八幡宮

奈良時代に櫻井王が遠江国司として赴任したとき、国内がよく治まるようにと建立したと伝えられている。大鳥居をくぐり参道を進むと楼門、中門を経て拝殿・本殿へと続き、広大な敷地は緑豊かな森に囲まれている。

• 遠江国分寺跡

「国分寺は今から1250年前の奈良時代（西暦741年）に聖武天皇の命令によって日本国内60数ヶ所に建てられた仏教文化を代表する寺院。僧寺と尼寺が一対となって建てられた遠江国分寺は、往時の偉容を偲ぶことのできる数少ない寺院跡のひとつと言われている」。（説明板要約／詳細後述）

• 天竜川を渡る

大井川と同じく天竜川も川幅が広く鉄橋のアーチが延々とつづく。しかし天竜川橋にはガードレール付きの歩道がなく、形だけの白線が引いてあるだけ。対向車は途切れることなくやってくる。しかも大型トラックはこの白線の上を走ってくる。ここを通るの？と危険を感じ、一瞬ひるんだが、行くしかなかった。帽子が吹き飛ばされないように手に持って橋を渡り始めた。急ぎ足で歩いたが渡り終えるのに20分弱かかった。

※浜松城を訪れる

翌日、浜松城を訪れた。位置的には駅から1・5㎞ほど北西にあるので、駅近くに来たところで国道152号を右折（北に）すると大手門跡が、この少し先の市役所前に〝浜松城跡〟がある。

＊浜松城築城の経緯

「永禄11年（1568）、三河から東進し、今川領の制圧を開始した徳川家康。家康は、駿府に攻め込んできた武田信玄の侵攻に備え、遠州一帯を見渡せる三方ヶ原の丘に着目しました。天下を盗るためには、まず信玄を倒さねばならないと判断した家康は、元亀元年（1570）、岡崎城を長男の信康に譲り、三方原台地の東南端に浜松城を築城、駿遠経営の拠点としました」。（浜松城公園パークマネジメント共同体資料／浜松城の歴史より）

浜松城は市中心街に建つ平城で、本丸に入ると〝若き日の徳川家康公〟像が建っていて、少し先にこぢんまりとした「浜松城跡」があった。ここに「浜松城跡」と題した説明板が立っていて次のように記されていた。

＊浜松城跡

「浜松城は、徳川家康が遠州攻略の拠点として築いた城で、元亀元年（一五七〇）六月に入城し、十七年間在城した。東西六〇〇㍍、南北六五〇㍍の規模で、南の東海道に大手門が開き、東から西へ三之丸、二之丸、本丸、天守台と連なり、順次高さを増す。ここは、その天守曲輪の跡である。家康の後、城主は代々譜代の大名が勤め、在城中に老中まで栄進した人が多い。中でも水野越前守忠邦の名はよく知られている。石垣は、野づら積みと呼ばれる堅固な作りで、古い石垣の特徴をよく残しており、浜松市の史跡に指定されている。浜松市」

《所感》浜松城は3層4階のこぢんまりした天守閣。徳川家康が29歳から17年間在城し、家康が去ったのち浜松城主になるのが幕閣への登竜門と言われ、別名〝出世城〟とも言われていた。また、土台の石垣は見るからに荒々しく、外観は粗雑で一見崩れやすいように見えるが、400年の風雪に耐え、いまなお当時の面影を残しているという。

再び街道筋に戻り、通勤の車が激しく往来する国道257号を南方向に進み、歩道に立つ立札「高札場跡」「杉浦本陣跡」「川口本陣跡」を見ながら〝浜松〟をあとにした。

⑤［ポイントの詳細説明］（掛川～浜松）

＊十九首塚の由来

「ここは〝平将門〟の首級を祀る十九首塚です。人皇六十一代朱雀天皇の御代、関東下総の国（茨城県）相馬郡猿島に、桓武天皇の五代の孫で、相馬小太郎将門という武将がおりました。

承平五年（西暦九三五年）、一族の内証を契機として、将門は、常陸を始め関東一円を占拠、自ら親皇と称し律令国家に対抗する国家を企てた。この叛乱に、朝廷から大規模な将門征討が興され、平貞盛、藤原秀郷らにより、将門は天慶三年（西暦九四〇年）二月十四日滅ぼされました（天慶の乱）。秀郷は将門をはじめ一門の家臣十九人の首級を持って京に上る途中掛川の宿まで来ました。一方、京からは検視の勅使が派遣されこの地（現在の十九首町）の小川（東光寺南血洗川）で首を洗い、橋に架け検視を受けました。首実検の後、秀郷は〝将門は逆臣なりとも、名門の出である。その罪重しといえども、今や滅びて亡し。その死屍に鞭打つは礼に非ず〟と十九の首を別々に埋葬し、懇ろに供養しました。時は天慶三年八月十五日でありました。

この後、歳月の流れと土地開発等の為、移動し現在地に移りました。ここ十九首塚には、葬られた十九人の詳細な名前が残されています。地名の由来も十九の首塚があったところから十九首町と呼ぶようになりました。町民は、首塚を町の守り神として春秋二季の彼岸と八月十五日の命日には供養祭を行い、今日まで続いております。平成十四年三月」。（説明板より）

＊火防の神

火防の神が鎮座する秋葉山は静岡県浜松市天竜区春野町にある標高866mの山。この山頂近くに火防の神〝秋葉大権現〟の後身〝秋葉山本宮秋葉神社〟がある。秋葉山はこの神社の俗称として呼ばれている。祭神は火の神・カグツチノカミで〝秋葉大神〟とも称され、〝火の幸を恵み、悪火を鎮め、火を司り給ふ〟神様として、関東・東海・北陸に信仰を広め、特に幾度となく大火に見舞われた江戸において広く信仰を集めるようになったといわれている。

この秋葉信仰の盛んな様を示すものとして、秋葉灯籠がある。この灯籠は広汎に作られ、また秋葉講も各地に作られるなど、秋葉信仰は全国的な展開を見せていて、東京の秋葉原の地名も火防の神・秋葉山に由来しているといわれている。

※以下、袋井宿場公園の「本陣」についての説明板より

＊東海道の本陣

「本陣とは江戸時代に大名や公家、幕府の役人などが宿泊したり、休憩する宿泊施設のことで、参勤交代の制度が始まった寛永年間ごろから整備が本格化し、五街道の宿場にはかならず本陣が置かれた。一般の旅行者が宿泊できる旅籠屋と違って門・玄関・式台などを造ることが特別に許され、宿場の有力者が本陣の主人となり、名字帯刀を許されていた」。

＊本陣の宿泊

「本陣御宿帳によると記載は極めて簡略で、利用の月日、休・泊の別、休泊料、利用者のみの記載。全体的には宿泊と休憩はほぼ半々で、いずれも30回を越えていた」。

＊本陣の利用

「本陣を利用するには各本陣に対して休泊の予約を伝え、利用可能なら本陣から請書を提出する。この後、他の大名との差合を避けるために先触れを発し、家臣は大名の発駕に先立って現地に入り、宿割りを行い、関札を掲げ、玄関には定紋付きの幕を張り、提灯を灯し、本陣当主は礼装して宿はずれまで出迎える。行列の出発は午前4時頃が慣習であったため、準備の時間を考えると午前1時～2時の起床だったと考えられる」。

＊本陣の経営

「本陣の主たる収入は休泊料だが、特に定められたものはなく〝御祝儀〟と呼ぶにふさわしい性格のものだった。多く利用した大名は一～二貫文（千～二千文）で、金銭だけでなく袷羽織・帷子・反物・色紙などで支払われることも多かった。また幕府から下賜金や各種の補助があったが、建坪200坪を越える大建造物を、つねに休泊に応じられるように維持することは大変な苦労だった。〝きせるなどは50本出せば10本返ってくるのはまれである〟といわれたように、本陣備え付けの椀・皿などの汁器類から、はては屏風・布団・衣類にいたるまで持ち去られ、これらの補充に要する出費もかなりのものだった。

本陣の経営は享保の頃からしだいに苦しくなり、戊辰戦争時には利用率が若干多くなったが、明治維新以後、田代家は本陣を廃業し、伝馬所の元締役となった。郵便業務の開業とともに、その取次所も兼ねることとなり、東本陣の建物は、最初の袋井郵便局となっている」。（以上、袋井宿場公園の「本陣」についての説明板より）

＊遠江国分寺跡（国史跡）

「国分寺は今から1250年前の奈良時代（西暦741年）に、聖武天皇の命令によって日本国内60数ケ所に建てられた。仏教文化を代表する寺院です。僧寺と尼寺が一対となって建てられました。

このなかで遠江国分寺は、往時の偉容を偲ぶことのできる数少ない寺院跡のひとつです。昭和26年に全国の国分寺調査に先がけて発掘調査が行れ、昭和27年に国の特別史跡（国宝と同格）に指定されました。この結果、遠江国分寺の中心となる箇所には南より南大門、中門、金堂、講堂が一列に並び、金堂と中門を方形にめぐる廻廊の西外側に塔があることもわかりました。さらに、これらの建物をとりかこんで180M四方に築垣がめぐらされていることもわかってきましたので、昭和43年～45年にかけて整備がなされ、往時の建物、基壇などが復元されました。100分の1で作られた模型が庁舎内に展示してあります。　磐田市教育委員会文化財課」。（説明板より）

＊野面積《のづらづ》み

「浜松城の石垣は見るからに荒々しく、外観は粗雑で一見崩れやすいように思えますが、四百年の風雪に耐え、いまなお当時の面影を残しています。この石垣は野面積みといい、自然石を上下に積み合わせて積む方法で、慶長（一五九六年～一六一五年）以前はこの方法が多く用いられていました。石の大きい面を内側にして長く押し込み(牛蒡積み)、その内側に小型の栗石を一～一・五メートルほど詰め、さらに砂利を入れてあるので水はけもよく、水圧で崩れることがありません。石垣表面の隙間には詰め石をし、外観は乱雑ですが、堅固に造られています。

浜松城は、特に天守台と天守門跡付近の石垣が固く、石も大きなものが使われています。また、突角部には長方形の石材を小口と側面が交互になるように配した算木積み法を用いています。石垣の斜面は直線的で、57度～78度の傾斜をしています。以下省略」（説明板より）

⑥街道筋の概要とポイント

（浜松から舞坂、新居、白須賀、二川、吉田、御油・赤坂、藤川・岡崎・地鯉鮒）

◎地形＆ルートの概要

〝浜松城跡〟から浜名湖南端の〝舞坂〟へ。ここから船で浜名湖の対岸〝新居〟へ渡ったあと（今切の渡し）、しばらく遠州灘沿いを西に進み、潮見坂から内陸に入る。そして〝白須賀〟を経たあと静岡県から愛知県に入り、東海道本線・新幹線と共に北西方向（豊橋～岡崎）に向かう。

そして〝二川〟を経たあと〝豊橋平野〟を縦断して〝吉田〟御油〟〝赤坂〟〝藤川〟〝岡崎〟〝池鯉鮒〟を経て〝宮〟に向かう。（〝池鯉鮒〟は知立市〝吉田〟は今の豊橋市、〝宮〟は今の名古屋市）

▽街道筋の概要１（浜松～白須加）

〝浜松〟から〝舞坂〟まで約11㎞、東海道本線に沿ってしばらく国道２５７号を歩く。途中に奥州藤原秀衡とその愛妻によって１１２５年頃創建されたという御堂が二つ建っていて、ここに「二つ御堂」と題した次のような説明板が添えてあった。

•二つ御堂

「京に出向いている〝秀衡公〟が大病であることを聞いた愛妾は、京へ上る途中、ここで飛脚より秀衡公死去の知らせ（誤報）を聞き、その菩提をともらうために、北のお堂を建てたという。一方、京の〝秀衡公〟は、病気が回復し、帰国の途中ここでその話を聞き、愛妾への感謝の気持をこめて、南のお堂を建てたという」。（説明板／要約）

＊〃舞坂の松並木〃

このあと春日神社を過ぎるとすばらしい〃舞坂の松並木〃がつづく。道の両側に菰が巻かれた立派な松の木が３４０本ほどあるらしい。これが歩道と車道の間に生えていてとても風情があった。しかも松の根元に〃東海道五十三次〃の絵が描かれた石碑が添えてあったので歩きながら楽しませてくれる。この中の「舞坂」と題した碑文に〃浜名湖の歴史〃が次のように記されていた。

＊浜名湖の歴史

「東海道の陸路は舞坂で一度切れて、ここから新居宿まで海上一里半船を便りとして渡ることになる。浜名湖は、かって遠淡海（遠江）とうたわれる淡水湖であったが、明応七年（一四九八）の地震により切れて入海となった。その切れ口を今切と呼ぶ。地震による被災から復興して今切渡船の発着地となり舞坂は交通の要地となった」。（碑文要約）

〃舞坂〃入口にさしかかると、石垣らしい跡に「史跡 見付石垣」の説明板が立っていて、次のように記されていた。

「この石垣は舞坂宿の東はずれに位置している。石垣の起源の詳細は明らかでないが、宝永六年（一七〇九年）の古地図には既に存在している。見付は見張所にあたり、大名が通行の時などには、ここに六尺棒をもった番人が立ち、人馬の出入を監視するとともに、治安の維持にあたった所である。　舞阪教育委員会」。

この先に、同教育委員会の「旧東海道（往還道路）案内図」が立っていて〃舞坂〃の宿場構成が次のように画かれている。

＊〝舞坂〟の宿場構成

「旧東海道は〝史跡 見付石垣〟から〝舞坂〟宿内を東から西に真っ直ぐ〝浜名湖〟に通じていて、出口近くに〝高札場跡、本陣跡、脇本陣跡〟があって、浜名湖岸側に北から〝北雁木〟〝本雁木〟〝南雁木〟がある」。そして「東海道五十三次の舞坂宿は宿場入口の見付石垣から渡船場の雁木まで約800m、本陣・問屋場など宿場の主要施設は西町にあった」。と付記されていた。

入口「史跡 見付石垣」を過ぎると〝脇本陣〟の提灯を提げた〝舞坂宿脇本陣跡〟があって〝浜名湖〟に面する所に出ると、湖を背に「舞坂宿の渡船場、本雁木跡」の説明板が立っている。当時はここから船で〝新居〟に渡っていたのだろう。この一角に「史跡 北雁木」と題した説明板も立っていた。

・舞坂宿脇本陣跡

「脇本陣は、大名・幕府役人等が本陣で宿泊休憩できない時に利用された施設で、普段は一般の旅籠屋として使われていた。現在書院棟一棟が残されていて、旧東海道宿駅の中では唯一の脇本陣遺構として貴重な建物という」。(説明板／要約)

＊「**舞坂宿の渡船場、本雁木跡**」

「江戸時代、舞坂宿より新居宿までの交通は渡船であり舞坂側の渡船場を雁木といった。雁木とは階段状になっている船着場のことをいい本来は〝がんぎ〟と読むが舞坂では〝がんげ〟といっている。ここは東海道を旅する人が一番多く利用した本雁木跡で東西15間、南北20間の石畳が往還より海面まで坂になって敷かれていた。またここより新居へ向かう船は季節により多少変わるが、関所との関係で朝の一番方は午前4時、夕方の最終船は午後4時であった」。（舞阪町教育委員会／説明板より）

＊「**史跡 北雁木**」

「ここは浜名湖今切渡しの舞坂宿側の渡船場跡で明暦3年（1657年）から寛文元年（1661年）にかけて構築された。その後、江戸時代には災害で幾度か修復されている。両側の石垣の白い部分は昭和28年の台風で石垣が崩れたため積みなおしたもの。雁木とは階段状になっている船着場のことをいうが、地元では〝がんげ〟と昔からいっている。舞坂宿には三ヶ所の渡船場があったが、一番南側は主に荷物の積み降ろしをした渡荷場。真ん中は旅人が一番多く利用した主要渡船場で本雁木と呼ばれている。この北雁木は主に大名や幕府公用役人が利用したところで、往還から幅10間（約18ｍ）の石畳が水際まで敷きつめられている。舞阪町教育委員会」（説明板／要約）

・絵になる美しい光景

この遠州灘に架かる〝浜名大橋〟を眺めながら岸壁の堤防で昼食休憩をとった。真青な海に通じる浜名湖の開口部〝今切口〟に架かる〝浜名大橋〟ここを通る浜名バイパス、この対面の〝弁天島〟に建つ高層ビルのリゾートホテル等々〝絵になる光景〟だった。

このあと〝舞坂〟の北雁木跡から東海道本線に沿って〝弁天島〟を通り〝西浜名橋〟（国道257号）を渡って対岸の宿場〝新居〟に向かう。この〝西浜名橋〟に東海道本線、新幹線、国道1号が束ねるように通っている。並行して両側に植木が植えられた〝歩行者専用道〟が設けられている。ベンチが備えられた遊歩道のような道で、植木が途切れた部分は格好の釣り場になっていた。たぶん旧東海道だろう。

この〝西浜名橋〟を渡るとまもなく〝**新居**〟で再び国道1号に合流する。〝JR新居町駅〟を過ぎた先で旧道に戻ると右に〝新居関所址〟が見えてくる。この建物は全国でも唯一当時のままに現存する関所建築らしく、正面の〝冠木門前〟に立つと時代劇映画の関所風景を思わせるものがあった。広い敷地にあってきれいに整備され、観光スポットとして公開されていた。

・新居関所址

約100年間、幕府直轄として最高の警備体制が敷かれ、鉄砲などの武器の通行はもちろん、当関所に限って江戸へ向かう女性にも手形が必要だったという（詳細後述）。

そして「飯田武兵衛本陣跡」、付近の村々から人馬を寄せ集められた「寄馬跡」の説明板、宿場の出入口を意味する「棒鼻跡」石柱を過ぎたところで、一旦東海道本線から離れて国道1号と並行に遠州灘に沿った旧道を西に向かう。

＊潮見坂を上って内陸へ

1時間余り歩いたところで海岸沿いから離れ、急坂を上って内陸に向かう。途中に〝潮見坂〟と題した説明板が立っていて、振り返ると太平洋（遠州灘）が望める。西国から江戸へ向かう人たちにとって、最初に太平洋の大海原や富士山が現れる〝景勝地〟として紀行文などにその風景が記されているという。この坂を上り切ると〝白須加〟の集落がある。

＊〝**白須加**〟に入ると〝曲尺手《かねんて》〟〝本陣跡〟〝白須加宿の火防〟と説明板がつづく。曲尺手は大名同士が道中かち合わないようにする役割を持っていたようだ。また〝白須加〟は津波の難を恐れ潮見坂の下から坂上へ宿替えをしたが、今度は冬の西風が強く度々火災が発生。しかも大火になることが多く、この火防対応について記されていた。

•潮見坂

「潮見坂は、街道一の景勝地として数々の紀行文などにその風景が記されています。西国から江戸への道程では、初めて太平洋の大海原や富士山が見ることができる場所として古くから旅人の詩情をくすぐった地であり、今でもその眺望は変わらず、訪れる人を楽しませてくれます。浮世絵で有名な安藤広重もこの絶景には、関心を抱いたようで、遠州灘を背景にその一帯の風景を忠実に描いています」。（説明板より）

•曲尺手《かねんて》

「直角に曲げられた道のことで、軍事的な役割を持つほか、大名行列同士が道中かち合わないようにする役割も持っていた。江戸時代、格式の違う大名がすれ違うときは、格式の低い大名が駕籠から降りてあいさつするしきたりだった。しかし、主君を駕籠から降ろすことは、行列を指揮する供頭にとっては一番の失態。そこで、斥候を行列が見えない曲尺手の先に出して、行列がかち合いそうなら休憩を装い、最寄りのお寺に緊急避難をした」。（説明板／要約）

・白須加宿の火防

「津波の難を恐れ潮見坂の下から、坂上へ宿替えをしたところ、今度は冬期に西風が強く、たびたび火災が発生し、大火となることが多かった。殆どの家の屋根が〝わら葺き〟であったことも起因した。そこでこの火事をくい止める為、生活の知恵として工夫したのが火防で、人々は〝火除け地〟と呼んで大切にしていた。広さは間口3・6m、奥行8・2mで、常緑樹で火に強い槙が10本くらい植えられ、宿内に3地点6場所の火防が有った」。（説明板／要約）

☆静岡県から愛知県へ

〝白須加〟を過ぎて国道1号に合流すると県境標識「愛知県／豊橋市」が建っていた。静岡／愛知県境だろう。信号が無いため大型車がすごいスピードで走っている。右側の歩道は風圧をもろに受けるので左側歩道に渡ろうとしても信号がないので渡れない。帽子が飛ばされないよう手に持って必死に歩くこと1時間強。東海道本線に近づいてきたところで国道1号から右に分かれ、新幹線と東海道本線のガードをくぐって〝二川〟の宿場通りに入る。

＊〝**二川**〟に入ると立派な〝二川宿本陣〟の建物に目が惹かれた。「史跡 二川宿本陣」と題した説明板が立っていて「宿場の中央に大きな間口を占め、門・玄関上段の間を備えた堂々たる建物だった。再々の火災で没落したが、明治以降取り壊されていた書院棟の復原工事を行い、江戸時代の姿を再現した」とあった。

昔の木造建築の建物は優美でしかも落ち着きがあってなぜか見とれてしまう。隣に立派な門を構えた本陣資料館が並んでいたが、この他特に当時の面影を残すものを見かけなかった。（この日は豊橋駅近くの「豊鉄ターミナルホテル」に宿泊）

○地形&ルートの概要（二川〜宮）

〝二川〟を過ぎると、地形的には遠州灘から離れ、北西方向に豊橋平野から岡崎平野を縦断し〝吉田〟〝御油〟〝赤坂〟〝藤川〟〝岡崎〟〝地鮒鯉〟へと向かう。（〝吉田〟は今の豊橋〝宮〟は今の名古屋）

▽街道筋の概要2（二川〜岡崎、地鯉鮒）

〝二川〟から2時間近くひたすら歩いて豊橋市中心街に入ると「吉田城大手門跡」の標柱が立っていて、この前方に豊橋市役所の大きなビルが見える。

＊〝**吉田**〟は現在の豊橋市中心街に該当し「吉田宿問屋場跡」、「同本陣跡」標柱を確かめたあと豊橋市役所近くの豊橋公園〝吉田城跡〟を訪れた。

公園全体と隣接する市役所の敷地が旧吉田城址。ここに「吉田城略史」と題した説明板が立っていて、次のように記されている。

「吉田城は、はじめ今橋城と称し永正2年（1505）、牧野古白によって構築された。以来、東三河の要衝として今川・武田・徳川らの攻防を経て、天正18年（1590）に池田照政が入封し、

15万２千石の城地にふさわしい拡張と城下町の整備が行われたが、未完成のまま明治に至った」。（要約／詳細後述）

城郭の片隅に天守の代わりをしていたという三層の隅櫓が建っている。背後に豊川が流れ後堅固の城と言われている。海に近いためか豊川は川幅一杯に満々と流れていた。この渥美湾に注ぐ豊川（豊橋）を渡って〝吉田〟を後にした。

この後〝東海道〟は名鉄名古屋本線と国道１号に沿って〝御油〟〝赤坂〟へと向かう。この区間は国道と並行に昔ながらの道（旧東海道）が残っていて車の通行が少なくのんびり歩ける。「御油一里塚跡」の石柱を過ぎると右に曲がる道がある。この角に大きな常夜灯と「姫街道」の道標が立っていた。

〝姫街道〟は〝見附〟から浜名湖の北岸を通って〝御油〟に至る脇街道で〝新居関所〟を嫌った女性が多く利用したらしい。そして〝御油〟の「高札場跡」、「本陣跡」説明板を見て、昔ながらの家が建ち並ぶ〝御油〟に入る。

＊**〝御油〟**は江戸から35番目の宿場で、今も格子造りの昔風の家が所々に残っている。次の〝赤坂〟まで距離は１・７㎞、この間に国の天然記念物〝御油ノ松並木〟がつづく。道の両側から松の木が覆いかぶさるように生えていて、松のトンネルのような道で気分爽快。途中に「弥次喜多茶屋」というお店があった。この松並木が途切れると、次の宿場〝赤坂〟の「見附跡」説明板が立っている。

・姫街道

江戸時代に〝入り鉄砲に出女〟といって、当時恐れられていた武器鉄砲の動きや江戸屋敷に住まわせていた諸大名の奥方は人質的意義を持っていたので女人の出入を厳しく取り締っていた。そこで女人は関所を避けて裏街道を通るようになり、これを姫街道または女街道と呼んでいた。

・御油ノ松並木（天然記念物）

〝御油〟から次の〝赤坂〟の間、長さ560mにわたり約300本の松の大木がつづく。慶長9年（1604）に徳川家康の命で植樹された〝御油ノ松並木〟は国の天然記念物に指定されている。緩やかな曲線を描く道と、両側の土手に生えた松の古木が江戸時代の街道風情を今に伝えている。〝日本の名松百選〟に選ばれている。

＊**〝赤坂〟**

格子造りの昔風の家がつづき「本陣址」（標柱）を過ぎると、卯建を付けた間口の広い昔風の家があった。旅籠「大橋屋」で玄関先に「御宿所」と記した提灯を下げ、2階の卯建脇に江戸時代の女性の絵が描かれていた。説明板が立っていて、正徳6年（1716）の建築で最近まで営業を続けていたようだ。（平成27年に廃業）

そして立派な無料休憩所「御休処・よらまいかん」、年貢の徴収や訴訟などを取り扱った代官所「赤坂陣屋跡」の説明板に目を通して宿場の面影を残す〝赤坂〟をあとにした。

＊間の宿〝本宿村〟

この〝赤坂〟と次の〝藤川〟の中間に間の宿〝**本宿村**〟がある。中世以降〝法蔵寺〟の門前町として町並みが形成されたという。この旧道をたどると〝法蔵寺〟入口に「近藤勇首塚の由来」と題した次のような説明板が立っている。（要約／詳細後述）

＊近藤勇首塚の由来

「板橋で処刑された近藤勇は三鷹の竜源寺に埋葬され、首は京都三条大橋の西にさらされた。それを同志が三晩目に持ち出し、勇が生前敬慕していた和尚に埋葬を頼んだが、和尚は半年前に〝法蔵寺〟の貫主として転任されていたのでここに運ばれたという」。

〝法蔵寺〟は江戸時代東海道に接していることから参詣者も多く、かつ、幕府の庇護も厚かったため、大いに権勢をふるった寺であった。徳川家康が幼い頃ここで手習いや漢籍を学んだとされ、数々の遺品が現存しているという。徳川家ゆかりの宝物が多く残されているらしい。

＊徳川家康ゆかりの〝山中八幡宮〟

国道１号と名鉄名古屋本線が交差しながら田畑を抜ける道に入ると、〝山中八幡宮〟の朱色の鳥居が見えてくる。ここも徳川家康ゆかりの地で初陣の際に必勝祈願した神社で、三河一向一揆の際に追われた家康が境内の洞窟に身を隠し難を逃れたと伝えられている。この〝山中八幡宮〟から10分くらい行くと〝藤川〟がある。

＊〝**藤川**〟は、江戸時代の浮世絵師・歌川広重が東海道五十三次の〝藤川・〝棒鼻ノ図〟に描いて

いる宿場。入口に「藤川宿の〝曲手〟」と題した説明板が立っていて、「藤川宿の東はずれを意識的に道を曲げて付け足すことによって、街道の長さをふやし、そこに住む人を増やしたとも言われている」。とあった。そして当時の門を残す藤川宿脇本陣跡、西棒鼻跡の立札を見て〝藤川〟をあとにした。

•藤川宿の〝曲手《かんねんて》〟

「慶安元年（1648）三河代官が藤川宿の東端に約500メートルほどの街道を造り、地割りをして市場村の人々を移転させ、加宿市場村を設けたときに、その東はずれを意識的に道を曲げて付けたした。この効用は外敵から宿場町を守るためとか、道を曲げることによって、街道の長さをふやし、そこに住む人をふやしたとも言われている」。（説明板／要約）

〝藤川〟から歩いて約1時間、松並木道を抜け「大平一里塚」（国史跡）を過ぎると、黄色い〝冠木門〟が見えてくる。

＊〝岡崎〟城下町へ

〝岡崎〟の入口で「岡崎城下二十七曲がり」の記念碑が建っている。ここに岡崎城下の〝二十七曲りの始まりとねらい〟を記した碑文が刻まれていて、文末に「この歴史の道とも言うべき二十七曲りを後世に伝えるために、城下二十七曲がりの東口であった当所に記念碑を建て、道標とします。」と記されていた（要約／詳細後述）。

この曲がり角に建つ「二十七曲がり」の道標を確かめながら、岡崎宿の中心だったという岡崎市

の繁華街〝伝馬通り〟に出ると地図を添えた「二十七曲り」の説明パネルが埋め込まれていた。（詳細後述）

そして「西本陣跡」石柱、「籠田総門跡」碑を過ぎて、材木町通りから岡崎城近くに来たところで、この日は近くの「ビジネスホテル桜荘」に泊まり、翌日岡崎城を訪れた。

※岡崎城を訪れる

岡崎公園になっている城郭の中央に、昭和34年に復元されたという3層5階の天守閣が建っている。この入口に「岡崎城」続いて「家康公遺言」と題した説明板が立っている。隣に鎮座する〝龍城神社〟を過ぎると、公園の一角に昭和40年家康公３５０年祭を記念して建てたという〝徳川家康の銅像〟が建っていて、生い立ちを記した「徳川家康公銅像」と題した説明板が添えてあった。

＊岡崎城

「１５４２年12月26日、徳川家康はここ岡崎城内で誕生した。岡崎城は〝神君出生の城〟として神聖視され、本多氏、水野氏、松平氏、本多と歴代譜代大名が城主となった。石高は5万石と少なかったが、大名は岡崎城主となることを誇りにしたという。現在の天守閣は１９５９年に復元され、３層5階の鉄筋コンクリート構造となっている」。（要約／詳細後述）

• 家康公遺言

天守閣の前に「家康公遺言」碑文が建っていて〝天下は一人の天下に非ず、天下は天下の天下なり、…〟とある。本当にそう言ったかは定かでないが、良いことを言っていると思う。公園には桜の木が沢山植えてあって、この桜の上に天守閣が望める場所があった。まだつぼみも膨らんでいないが、満開に咲く頃は絵になる光景だろう。そして〝二十七曲り〟の最後の角を曲がり岡崎城下をあとにした。

＊岡崎は〝八丁味噌〟で有名

岡崎城から八丁（約870m）離れていたからこの町名になったという。老舗・味噌蔵が並ぶ〝八丁蔵通り〟を散策してから矢作川を渡った。江戸時代、この矢作橋は長さ378mの日本一の大橋だったらしい。

このあと、単調な道がつづくが、それでも、幹が上に伸びず地に這うように広がる黒松の巨木〝永安寺の雲竜の松〟大きな塚を残す〝来迎寺一里塚〟そして道の両側に菰を巻いた〝知立の松並木〟とつづく。すばらしい松並木だが、渋滞した車も同じようにつづく。この松並木を抜けると〝地鯉鮒〟に入る。（〝岡崎〟から約2時間）

＊〝地鯉鮒〟は今の知立市。この街道筋に〝知立古城址〟があった。現在児童公園になっていて、ここに大きな「知立古城址」石柱と説明板が建っていた。この少し先に知立神社があるので立ち寄った。この他、これといった宿場の面影を目にすることなく〝地鯉鮒〟をあとにした。

・八丁味噌

極力水分を少なく仕込み、熟成期間の長い八丁味噌は生産性が良くない反面、保存性に優れてい

たため、戦いに必要な三河武士の〝兵糧〟として岡崎藩に保護され、岡崎の地場産業に発展したという。（詳細後述）

・知立古城址

「知立城は、元来知立神社の神主であった永見氏の居館であった。後白河院の北面の武士として平安時代の保元・平治の乱に従軍し、29代貞英まで続いたが、永禄３年の桶狭間の戦いで落城。その後、天正年間に刈谷城主水野忠重が織田信長饗応のため約３千坪の土地を整備。寛永年間には将軍上洛用にと増築も行われたが、元禄12年の大地震により倒壊した」。（要約）

・知立神社

１１２年創建という東海道屈指の名社で、境内には重要文化財の三間二層の多宝塔がある。屋根は柿葺で塔高10ｍ、室町時代の建築で１５０９年に再建されている。

⑥［ポイントの詳細説明］（舞坂～池鯉鮒）

＊新居関所跡（国史跡）について

新居関所は慶長５年（１６００）徳川家康により創設。幕府は江戸を守るため全国に53ヶ所の関所を儲け〝入り鉄砲と出女〟に対し厳しく取り締まった。特に新居関は約１００年間、幕府直轄として最高の警備体制が敷かれ、鉄砲などの武器の通行はもちろん、当関所に限って江戸へ向う女性にも手形が必要で、不備が見つかれば通ることができなかった。関所を通過する女性を改める〝改女〟とその家族の住居〝女改之長屋〟があったという。

＊吉田城略史

「当吉田城は、はじめ今橋城と称し永正二年（一五〇五）、牧野古白によって構築された。以来、東三河の要衝として今川・武田・徳川ら戦国武将の攻防を経て、天正十八年（一五九〇）に池田照政が入封し、十五万二千石の城地にふさわしい拡張と城下町の整備が行われた。しかし照政は在城十年で播州姫路に移封され、のちに入封した大名は譜代ながら少禄のため照政によって大拡張された城地も未完成のまま明治に至った。

この城の縄張りは背後に豊川をひかえ本丸を中心に二の丸、三の丸を配置しそれで堀が同心円状にとりかこむ半円郭式の後堅固《うしろ》の城といわれるもので本丸は三、九三二平方メートル(一、一八九坪)二の丸は一五、一五四平方メートル(四、五八四坪)三の丸は五〇、一四二平方メートル(一五、一六八坪)腰郭は一八六四平方メートル（五六四坪）堀土手敷は五三、五三四平方メートル（一六、一九四坪）総面積は一二四、六二五平方メートル（三七、六九九坪）である。現在みられる遺構は照政時代の旧態を残している。※池田照政はのちに輝政　昭和五十一年　豊橋市」（説明板より）

＊近藤勇首塚の由来

「新撰組隊長近藤 勇は慶応四年（明治元年）四月二十五日三十五才で東京都板橋の刑場の露と消えました。刑後、近親者が、埋められた、勇の死体を人夫に頼んで夜中ひそかに掘り出してもらい、東京都三鷹の竜源寺に埋葬しました。また、勇の首は、処刑後、塩漬けにして、京都に送られ三条大橋の西にさらされました。それを同志が三晩目に持出し、勇が生前敬慕していた新京極裏寺町の称空義天大和尚に、埋葬を依頼することにしました。

しかし、和尚は、その半年前から、三河国法蔵寺の三十九代貫主として転任されていたので法蔵寺に運ぶことにしました。この寺は山の中にあり、大木が生い茂っていて、ひそかに埋葬するのに好適の地でした。しかし当時は世間をはばかって、石碑を土でおおい、無縁仏の様にして沓華していました。そしていつか石碑の存在も忘れられてしまいました。昭和三十三年総本山の記録等に基づいて調査した結果埋葬の由来が明らかになりました。今回、石碑をおおっていた土砂を取り除き、勇の胸像をたてて供養することにいたしたのであります。　法蔵寺　執事」（説明文より）

＊藤川宿の「曲手《かんねんて》」

「慶安元年（一六四八）に、三河代官が藤川宿の東端に、約５００メートルほどの街道を造り、地割をして市場村の人々を移転させ、加宿市場村を設けたときに、その東はずれを意識的に道を曲げて付けたしました。この効用は外敵から宿場町を守るためとか、道を曲げることによって、街道の長さをふやし、そこに住む人をふやしたとも言われている」（説明板要約）

＊岡崎城下二十七曲り

「岡崎城下を通る東海道は、その曲折の多さで知られ、通称二十七曲りと呼ばれていました。享和元年（一八〇一）当地を見聞した大田南畝も〝町数五十四町、二十七曲ありとぞ〟と、〝改元紀行〟

に書いています。

　二十七曲りは、田中吉政が城主だった時（一五九〇〜一六〇〇）城下に東海道を導き入れたことに始まり、のち本多康重が伝馬町を慶長一四年（一六〇九）創設して以後、道筋がほぼ決定したと思われます。そのねらいは城内を防衛するためのものと言われますが、これにより岡崎の城下町は東海道筋の宿場町としても繁栄することになりました。

　二十七曲りの一部は、戦災復興の道路整備などにより失われはしたものの、現在でもその跡をたどることは可能です。この歴史の道とも言うべき二十七曲りを後世に伝えるために、城下二十七曲りの東口であった当所に記念碑を建て、道標とします」。（城下入口／碑文より）

＊二十七曲り

「徳川家康が関八州の太守として駿府城から江戸に入ったのが天正18年（１５９０）８月。同年の10月には、田中吉政が岡崎城に入城して城下の整備にとりかかりました。吉政は、矢作川に初めて橋をかけ、生川の南にあった東海道を城下へ引き入れました。城下の道は、防衛の意味から屈折しているのが常で、岡崎はその典型でした。これが二十七曲りです。しかし、徳川の安定政権が続くと防衛の意味もなくなり、城下町・宿場町として栄えていきました」。（説明パネルより）

＊岡崎城

「15世紀中頃（室町時代）、西郷禅左衛門頼嗣（稠頼）が現在の岡崎城の位置にはじめて城を築き、のちに家康の祖父である松平清康が入城し本格的な岡崎城を構えた。１５４２年（天文11）12月26

日、徳川家康はここ岡崎城内で誕生した。江戸時代、岡崎城は、〝神君出生の城〟として神聖視され、本多氏（康重系統／前本多）、水野氏、松平（松井）氏、本多（忠勝系統／後本多）と、歴代譜代大名が城主となった。石高は５万石と少なかったが、大名は岡崎城主となることを誇りとしたと伝えられる。

現在の天守閣は１９５９年（昭和34年）に復元され、３層５階の鉄筋コンクリート構造となっている。２階から４階は江戸時代の岡崎を紹介する展示室で、５階は展望室となっており三河平野を一望することができる」。（説明板より）

＊徳川家康公銅像

「天文11年12月26日（１５４２）岡崎城二の丸で生まれた。幼少の頃人質として苦難の道をあるき、自立した後は全国統一をめざし、転戦を続け、慶長５年（１６００）天下分目の関ケ原の合戦に大勝して、天下をおさめるにいたった。以後持前の才能を生かし、全国統一の念願をかなえるとともに、徳川幕政３００年の基盤をも作り、元和２年４月17日（１６１６）75才でこの世を去った。この銅像は昭和40年家康公３５０年祭を記念して建てたものである」。（説明パネルより）

＊「八丁味噌」

八丁味噌は江戸時代初期より、旧東海道を挟んで向かい合った二軒の老舗が伝統製法で造り続けている豆みその銘柄で、大豆と塩のみを原料に、大きな杉桶に仕込み、天然醸造で二夏二冬以上の間熟成。味は大豆の旨味を凝縮した濃厚なコクと少々の酸味、渋味、苦味のある独特の風味が特徴という。特に矢作川、伊賀川、乙川、早川に挟まれた湿潤な気候で食品が腐敗しやすい環境にも耐えられる安定した品質製法が二軒の老舗によって確立された。

その製法により極力水分を少なく仕込み、熟成期間の長い八丁味噌は生産性が良くない反面、保存性に優れていたため、戦いに必要な三河武士の〝兵糧〟として岡崎藩に保護され、岡崎の地場産業に発展した。この二軒の老舗が旧東街道を挟んで向かい合って営業していたこともあって、街道を往来する参勤交代やお伊勢参りの旅人を通じて〝八丁味噌〟の名が広く知られるようになったという。（八丁味噌共同組合資料／要約）

⑦街道筋の概要とポイント

（地鯉鮒から鳴海、宮〝七里の渡し〟桑名、四日市、石薬師、庄野、亀山、関）

◎地形&ルートの概要（地鯉鮒～桑名）…〝宮〟は今の熱田

〝地鯉鮒〟から国境（三河/尾張）の〝境川〟を渡り、知多半島の根本部分を横断するように〝鳴海〟から〝宮〟へ、さらに〝宮〟から舟〝七里の渡し〟で伊勢湾を通って三重県〝桑名〟へと向かうが、ここでは国道1号に出て一路、徒歩で〝桑名〟に向かった。

▽街道筋の概要1（鳴海～桑名）

〝地鯉鮒〟を過ぎると、旧東海道と国道1号が撚り糸のように所々で交差・合流しながら北西方〝鳴海〟に向かうが一本道なので分かりやすい。30分ほどで刈谷市に入り、さらに1時間ひたすら歩いて〝境川〟に架かる〝境橋〟を渡って豊明市に入ると、立派な「国史跡 河野一里塚」があった。

・境橋

「慶長六年（一六〇一）、東海道に伝馬制度が設けられ、程なく尾張と三河の立ち会いで橋が架けられた。この橋は、中程より西は板橋、東は土橋で、多くの旅人の足をとどめたが、度々の洪水に流され、修復された。やがて、継ぎ橋は一続きの土橋になり、明治になって欄干つきになった」。（説明板より）

このあと名鉄名古屋本線と旧東海道、国道1号が撚り糸のように所々で交差・合流しながら〝中京競馬場前駅〟に来ると「史跡桶狭間古戦場」の石柱が建つ一画があった。詳細は次の通り。

※〝桶狭間古戦場〟を訪れる（国史跡）

この入口正面に「古戦場」と題した説明板が立っていて、次のように記されていた。

＊古戦場

「この地は永禄三年（一五六〇）五月十九日、今川義元が織田信長に襲われ戦死した所と伝えられ、田楽狭間、あるいは舘狭間と呼ばれた。今川義元・松井宗信・無名の人々の塚があり、明和八年（一七七一）七石表が建てられた。文化六年（一八〇九）には桶狭間弔古碑が建立された。また、戦死者を弔って建てられた、おばけ地蔵・徳本行者念仏碑などがある。昭和十二年十二月二十一日国指定史跡　豊明市教育委員会」。（説明板より）

この説明板を読んで中に入ると、東海道と古戦場に向かう信長進路と義元進路の相対的位置づけを画いた「桶狭間古戦場案内図」が立っていて「合戦のあらまし」と題した次のような付記が記されている。

＊桶狭間合戦のあらまし

「東軍、駿河、遠江、三河の領主今川義元（42才）東軍所属の城、沓掛、鳴海、大高

兵数二万五千　義元この地に戦死

西軍、尾張の領主織田信長（27才）西軍所属の砦、丹下、善照寺、中島、鷲津、丸根

兵数三千戦闘二時間余　信長の勝利　解説小冊子高徳院にあり」。

　この史跡公園に〝今川義元〟が戦死した場所を明示した石碑「七石表の一」、「今川治部大輔義元の墓」〝桶狭間古戦場〟の戦記を記した「弔古碑」が建っている。

《所感》桶狭間は山あいの狭い所と思っていたが…、周りに山があるわけでなく想像に反し平地だった。当時は林に囲まれた狭い道だったのかもしれない…。

　古戦場跡を過ぎると、すぐに間の宿〝有松〟がある。

＊間の宿〝有松〟

　街道沿いに海鼠壁の土蔵、格子造り、土蔵造り、隣家との境の卯達、二階には虫籠窓といった江戸時代さながらの建物が左右に建ち並んでいる。この伝統的町並みを残す間の宿〝有松〟は尾張藩の加護のもと、絞りの産地として大きく繁栄。今も有松絞りの問屋や小売の店が軒を並べ、絞りの伝統と歴史がこの町並みとともに今につづいている。（詳細後述）
《所感》この町並み景観はすばらしく〝江戸時代に迷い込んだような有松の町並み〟と言われている。途中、モルタル造りのような今風の建物は一軒も見かけなかった。この〝有松〟からつづくように〝鳴海〟入口の常夜灯が建っている。

＊〝鳴海〟の東の入口に建てられたもので、表に〝秋葉大権現〟右に〝宿中為安全〟左に〝永代常夜灯〟裏に〝文化三丙寅正月〟と刻まれている。
　ここも〝有松〟とともに絞りで知られていた宿場で、格子造り家が建ち並ぶ宿内に銭湯らしきお

店があった。入口に「桶狭間の闘いの時 信長出陣の地」、「鳴海絞り継承の地」等々染め抜かれた〝のれん〟が下がっていた。

このあと〝七里の渡し〟舟着場〝宮〟に向かう。途中、見るからに立派な〝笠寺一里塚〟があった。江戸から88里の一里塚で、枝ぶりが大きく地表に現れた根が塚をつかむように張っていた。

（名鉄「本笠寺駅」前に来たところで午後4時半を過ぎていたので、この日は熱田神宮近くの「ホテル深翠苑」に泊まって翌日、熱田神宮を訪れた）。

翌日〝熱田神宮〟に立ち寄ると〝創祀〟を記した説明パネルが据えてあった。

＊〝熱田神宮〟

熱田神宮の創祀は三種の神器の一つ〝草薙神剣〟の鎮座によりはじまり、国家鎮護の神宮として、また農業の守護神として2千年に亘り信仰されてきた歴史ある神宮で〝熱田さま〟と呼ばれ親しまれている。（詳細後述）

ここで旅の安全を祈願し、境内を30分ほど散策してから、昨日の本笠寺駅に戻って、東海道の宿〝宮〟（今の熱田）に向かった。

東海道の道標や「宿駅制度制定四百年記念碑」が建つ昔ながらの旧道がつづく。名古屋市熱田区の市街に入って国道２４７号を横断すると視界が開け、眼下に河川公園と堀川の〝名古屋港河口〟が見えてくる。笠寺駅から歩いて約1時間。河川公園に下りると「七里の渡し舟着場跡」の説明板が立っていて、次のように記されている。

＊七里の渡し舟着場跡

「江戸時代、東海道の宿駅であった熱田は〝宮〟とも呼ばれ、桑名までの海路〝七里の渡し〟の舟着場としても栄えていた。寛永2年（1625）に建てられた常夜灯は航行する舟の貴重な目標であったが現在は復元されて往時の名残りをとどめている。

安藤広重による〝東海道五十三次〟の中にも、宮の舟着場風景が描かれており、当時の舟の発着の様子を知ることができる。　名古屋市」

この〝七里の渡し舟着場跡〟には航行する舟の目標となった〝熱田湊常夜灯〟と正確な時刻を知らせる〝時の鐘〟が建っている。遠くの船に知らせるためいずれも大型タイプ。歴史を語る場所としてきれいに整備された公園だった。

・熱田湊常夜灯

この地は宮（熱田）の神戸の浜から、桑名までの海上七里の航路の船つき場跡である。常夜灯は寛永2年（1625）の熱田須賀浦太子堂の隣地に建立したが風害で破損、その後、出火で焼失し再建されたが荒廃したため、昭和30年に現位置に復元されたという。

・時の鐘

延宝4年（1676）尾張藩主光友の命により熱田蔵福寺に時の鐘が設置された。正確な時刻を知らせるこの時の鐘は熱田に住む人びとや東海道を旅する人びとにとって重要な役割を果たしていた。昭和20年の戦災で鐘楼は焼失したが、鐘は損傷も受けずに今も蔵福寺に残っている。熱田の古い文化を偲ぶ市民の声が高まり往時の宮の宿を想い起こす…かくして、…の公園に建設したものである。（説明パネルより／解読不明部分あり）

舟着場に面したところに、脇本陣格の旅籠屋「丹羽家住宅」と、当時は「魚半」という料亭（今は三菱重工所有の〝熱田荘〟）二つの建物が並んでいる。いずれも町家形式を継承していて旧宿場〝宮〟の景観をしのばせる遺構の一つになっている。また、当時すでに魚問屋があり、織田信長の居城・清須に日々魚介類を運んだという〝熱田魚市場跡〟を過ぎて〝宮〟をあとにした。

〝宮〟は昭和34年9月26日死者1881人の惨害をもたらした〝伊勢湾台風〟に襲われたところ。ここに「伊勢湾台風」と題した説明板と惨害をもたらした高潮被害の〝浸水位標識〟が立っていた。（詳細後述）

このあと当時は〝宮〟から「七里の渡し舟」で次の宿場〝桑名〟に渡っていたが、この旅では国道1号に出て一路、徒歩で〝桑名〟に向かう。

※「七里の渡し」を歩く（宮～桑名）

◎地形&ルートの概要

地形的には〝宮〟～〝桑名〟間に、堀川、中川運河、庄内川、新川、日光川、木曽川、揖斐川といった大小河川が伊勢湾に注ぐ、この水郷地帯を横断するコース。最初は〝宮〟から国道1号に出て〝桑名〟に向かうつもりだったが、交通量が多く歩き難いため、途中から国道と並行する県道〝東海通り〃を次のように歩いた。

①堀川から中川運河（東海橋）を渡り、名古屋競馬場を過ぎて庄内川（明徳橋）、さらに光川（日光大橋）を渡ると次は橋が架かってない木曽川。やむなく国道1号に戻った。

②国道左側に水田のように水が満ちた溜池が一杯見えてくる。この辺は鯉の産地（弥富町）で溜池は鯉の養殖池のようだった。

③弥富駅前を過ぎて木曽川に来ると橋の手前に老舗風の御酒所「井桁屋」というお店があった。この店前に小さい「東海道」の標柱が建っていた。え！　昔も陸路があったの？と一瞬不思議に思いながら木曽川（尾張大橋）を渡って、

☆愛知県から三重県（長島町）に入る！

④木曽川に架かる尾張大橋は歩道が分離されていて歩きやすい。10分ちょっとで渡りきったが、木曽川はさすが大きい。河口に近いこともあって、きれいな水が満々と流れていた。渡りきったところに「東海道」と刻まれた大きなコンクリートの道標が建っていた。

⑤長島町は木曽川と長良川・揖斐川に挟まれた中州にあって、この中州を30分近く歩くと、今度は長良川・揖斐川に架かる〃伊勢大橋〃を渡る。いずれも大きい川で、水量が多く川幅一杯に水が流れている。この長良川と揖斐川二つの川は、堤というか河原の中州で仕切られているだけ。この少し下流で合流し揖斐川として伊勢湾に注いでいる。この二つの大河に架かる〃伊勢大橋〃を渡るのに18分ほど要したので、橋の長さは2㎞近くあるだろう。

＊長良川河口堰について

ここで目にしたのが、当時話題になっていた〝長良川河口堰〟だった。この河口堰は今渡った伊勢大橋のわずか下流にあり、揖斐川に合流する手前で長良川の全域を堰き止めるように設けられている。この堰を制御する部分が十数個並んでいて宇宙人の頭のように見える。何のための堰なのか、勉強不足でよく分からない…。

この長良川と揖斐川の二つの川に架かる〝伊勢大橋〟を渡り、揖斐川に沿って下流に向かうと〝七里の渡し〟の船着場〝桑名〟がある。

＊〝桑名〟の入口傍に〝船津屋〟と〝山月〟二つの料理旅館が並んでいる。この境界部分に「左大塚本陣跡　右脇本陣・駿河屋跡」と題したパネルが添えてあって、次のように記されている。

「大塚本陣は桑名宿で最大かつ最高の格式をもった本陣で裏庭から直接乗船できた。建物は変っているが、明治時代から料理旅館〝船津屋〟として営業。

脇本陣（本陣に準じる宿）は桑名宿に4軒あったが、そのうち最も格式の高いのが〝駿河屋〟であった。建物は変っているが、現在は料理旅館〝山月〟の一部となっている」。

＊七里の渡し跡〝桑名〟

この先に「東海道五十三次 七里の渡し跡」の説明板が立っていて、次のように記されていた。

「桑名宿の舟着場は伊勢国の東の入口にあたるため、伊勢神宮の〝一の鳥居〟が天明年間（一七八一～一七八九）に建てられた。舟着場付近は桑名宿の中心であり舟着場の西側には舟番所、高札場、脇本陣駿河屋、大塚本陣が並んでいた。舟着場の南側には舟会所、人馬問屋や丹羽本陣があった」。
(説明板／要約)

そして揖斐川沿岸に出ると、大きな鳥居が建つ〝桑名〟の舟着場〝七里の渡し跡〟がある。ここに「史跡　七里の渡し」と題し「この七里の渡しは室町時代から栄え、慶長六年東海道五十三次の制度が定まると〝宮〟(熱田)からの海上七里が本往還とされ、またのちに脇往還として〝宮〟から佐屋を経てくる道筋も認められた。鳥居は〝伊勢神宮一の鳥居〟で天明以来建てられている」。という。
(文中の「佐屋」は弥富町近くの町)

桑名の舟着場〝七里の渡し跡〟は広々とした揖斐川河口に面していて、左方向遠くに〝長良川河口堰〟が見えた。この一帯は公園として整備中だった。

《所感》今回〝七里の渡し〟区間は陸路(脇往還)を歩いたが、多くの大小河川を渡るので、当時はとても厳しかったのではと思う。(この日は桑名駅近くのビジネスホテル「セントラルホテル」に泊まる)

＊〝桑名〟の街道筋

〝七里の渡し跡〟から〝桑名〟の街道筋(遊歩道)に戻り〝渡船〟を手配をする〝舟会所跡〟、人足や馬を手配する〝問屋場跡〟を過ぎると、春日神社の〝青銅鳥居〟の横に〝しるべいし〟が建っていた。人の大勢集まるところで見られるもので、別名〝迷い子石〟とも言われている。そして左に〝堀〟が現れると、この後方に〝桑名城城壁〟の一部という石垣が見えてくる。〝揖斐川〟に面する川口樋門から南大手橋に至る約５００ｍが現存するらしい。さらに〝東海道五十三次〟をモチーフに造られた〝歴史を語る公園〟、旅人を監視していたという〝京町見附跡・吉津屋見附跡〟を過ぎると〝桑名〟の町並みが現れてくる。

•しるべいし

別名〝迷い子石〟ともいわれ、人の大勢集まるところに建っていて、自分の子どもが迷子になると子どもの特徴などを紙に書いて左面〝たずぬるかた〟に貼り、子どもに心当たりのある人が居場所などを書いて右面〝おしへるかた〟に貼ったという。東京浅草観音の〝しるべいし〟は有名だったらしい。

•歴史を語る公園

〝桑名〟は東海道42番目の宿駅であり、桑名藩の城下町であり、また、木曽3川の河川交通を担う港町でもあった。その上、桑名は、熱田宮宿に次いで東海道中第2位の宿数を誇り、一の鳥居を擁する伊勢路の玄関口として賑わいをみせていた。このような史実に着目し、江戸の日本橋から京都の三条大橋に至る東海道五十三次をモチーフにして造られたのがこの公園である。(説明板/要約)

＊ **〝桑名〟の町並み**

〝桑名〟の町に入ると所々玄関先に大きな〝釣鐘〟を置いた家がある。〝桑名〟は鋳物の町として青銅の鳥居や釣鐘が町のシンボルになっているからだろう。また、連子格子の家など古い町並みが残っていて〝馬つなぎ輪〟を残す家もあった。そして時代劇映画で見かける高い梯子の上に釣鐘を吊るした〝火の見櫓〟を過ぎると、まもなく員弁川にぶつかる。当時は木橋が架かっていたらしいが、少し下流・国道1号の町屋橋を渡って〝桑名〟をあとにした。

・〝桑名〟は鋳物の町

〝桑名〟の鋳物は徳川家康の家臣・本多忠勝が桑名藩主となり、鉄砲の製造を始めたのが起源といわれ、この他に灯篭、梵鐘、農具や鍋などが作られた。特に天然産の砂を使って造形する生型法は低コスト・大量生産に優れていたため、鋳物は〝桑名〟の地場産業として確固たる地位を築いていった。特に隣村の小向（現在の朝日町）で発見された砂が、この生産法に適した鋳物砂であったことも、鋳物が躍進する原動力になっている。

◎地形&ルートの概要（桑名～関）

地形的には〝桑名〟を過ぎると伊勢平野が伊勢湾沿いに桑名市から伊勢市まで延びていて、三重県北部は滋賀県との県境に鈴鹿山脈が南北に延びている。

一方、東海道は〝桑名〟からJR関西本線と近鉄名古屋線に挟まれるように伊勢湾に沿って南下し、四日市の〝日永の追分〟で伊勢街道と分かれて国道1号に沿うように南西方向（内陸）に向きを変え鈴鹿市〝石薬師〟を過ぎると関西本線と〝鈴鹿川〟が近づいてくる。これらを束ねるように〝庄野・亀山・関〟を経たところで、大きく北西に向きを変え〝坂下〟を経たあと〈鈴鹿峠〉に向かう。一方、関西本線は〝関〟を経て大坂に向かう。この〝桑名～関〟には〝旧東海道〟が多く残っている。

▽街道筋の概要2（桑名～関）

〝桑名〟をあとに、国道1号の〝町屋橋〟を渡って旧道に戻ると、馴染みのロゴタイプの工場名が見えてくる。〝東芝三重工場〟だった。仕事で訪れたことがあったが工場前が旧東海道だったとは…。そして鋳物の生産に適した〝鋳物砂〟が産出されたという朝日町を過ぎると、のどかな旧東海道がつづく。

＊**〝四日市〟**に着くと老舗「笹井屋」のお店に「名物 なが餅」の看板が出ていたので味見に一つ買って歩きながら味わってみた。こういう旅をしていると、歩きながら食べることにあまり抵抗を感じなくなっていた。

ほかに史跡らしいものを見ることなく近鉄四日市駅前の大通りを横切り、近鉄内部線に沿って40分くらい歩くと、一旦国道1号に合流し、すぐに旧道に戻る。この三角点が東海道と伊勢街道の分岐点〝日永の追分〟で、ここに大きな〝神宮遙拝鳥居〟と道標「右京大坂・左いせ参宮道」、大きな常夜灯が建っている。

伊勢街道はこのまま南下するが、東海道は少し西方向に向きを変え、なおも近鉄内部線に沿って道標「右京大坂」に向かう。

そして民家が途切れ旧東海道らしいのどかな道を歩いて急坂にさしかかると「史蹟 杖衝坂《つえつきざか》」と刻まれた立派な石碑が建っていて「杖衝坂《つえつきざか》と血縁」と題した説明板が添えてあった。

この坂を登り切ると「血塚社」と題した鳥居と「日本武尊御血塚」碑が建っていた。そして進行方向・右下方に国道1号を走る車が見えてくると、まもなく国道1号に合流する。

・杖衝坂と血塚

「杖突坂とも書き、東海道の中でも急坂な所で、日本武尊《やまとたける》が東征の帰途、大変疲れられ〝其地よりやや少しいでますにいたく疲れませるによりて、御杖をつかして、鞘に歩みましき、故其地を杖衝坂といふ〟（古事記）とあり、その名が称されるようになり、加えて、芭蕉の句〝徒歩ならば杖つき坂を落馬かな〟により、その名が世に知られることになった。また、坂を上がりきった所には、尊の足の出血を封じたとの所伝から血塚の祠もある」。（説明板より）

このあと国道1号と交差・合流しながら〝石薬師、庄野、亀山〟へと向かう。地形的には〝石薬師〟を過ぎると関西本線と鈴鹿川が近づいてきて、これらを束ねるように〝関〟を経て〈鈴鹿峠〉に向かう。（関西本線は〝関〟で分かれ大坂へ）

＊〝**石薬師**〟（鈴鹿市）に着くと格子造りの昔風の間口の広い家〝小沢本陣跡〟や〝歌学者・佐佐木信綱の生家と資料館〟、地名の由来となる〝石薬師寺〟とつづく。

そして関西本線を横断し、鈴鹿川沿いの広々とした農道を抜けて一旦国道1号に合流した後、旧道に戻ると〝東海道　庄野宿〟の石柱と説明板が立っていた。

＊〝**庄野**〟は、説明板によると「幕府の直轄領であった。また安藤広重の描く〝庄野白雨〟は、彼の作品の中でも傑作中の傑作といわれ、世界的にも高い評価を得ている」という。

宿内に入ると、鎖で囲われた由緒ありげな立派な屋敷があったので近づくと〝旧小林家住宅〟とあり、庄野宿資料館として開放されていた。資料館前に大きな〝庄野白雨〟の絵があって、絵の下に〝鈴鹿市。坂にかかって、にわかの夕立　はげしくゆれる竹薮が、三層に表現されて躍動する〟。と書き添えてあった。そして本陣跡（石柱）、高札場跡（説明板）を見て〝庄野〟をあとにした。

そして鈴鹿川の支流・安楽川を渡ると視界が広がり、前方北側に鈴鹿山脈に連なる山々が見える。この澄み渡った青空に広がるのどかな風景はとても気持ちがいい。そして和田一里塚跡を過ぎると〝亀山〟に入る。

＊**〝亀山〟**の宿場入口に〝屋号札〟の説明板が立っていて、ここに「歴史的な町のたたずまいを復活しようと〝宿場の賑わい復活プロジェクト〟を立ち上げ、屋号を記した木札を作り該当する家に掲げることからはじめました」。といった内容が記されていた。

商店街に入ると、アーケードの柱にお店の屋号札が取り付けてあって、この中に〝椿屋脇本陣跡〟や〝樋口本陣跡〟があった。そして駅の北側高台にある亀山城跡に立ち寄ったあと、街道筋に戻ると、昔風の白壁造りの大きな屋敷があった。中に「侍屋敷遺構・加藤家長屋門及び土蔵」の説明板が立っていて〝この長屋門は亀山藩主石川家の家老職加藤家の正門〟とあった。

•亀山城跡は、当初3層の天守閣があったが、幕命により解体され、ここに多門櫓が築かれている。天守台南面の高石垣は、堅固・優美さを備え、４００余年の風雪に耐えているという。白壁の櫓・門・土塀などを連ねる景観を蝶の群れが舞う姿にたとえられて〝粉蝶城〟とも呼ばれている。天守台はそれほど高くないが、亀山市街に高い建物がないのでかなり遠くまで見渡せた。（詳細後述）

このあと、ＪＲ関西線を横断し単調な旧道を40分くらい歩いて東名阪自動車道のガードをくぐるが、この両壁に東海道五十三次の大きな絵画が何枚も貼ってあった。近くの宿場風景を描いた〝広重〟の絵で、昔の東海道を歩いているという実感が湧いてくる。

このガードを抜けると左に鈴鹿川が流れていて〝関〟近くに来たとき「関の小萬のもたれ松」と題した次のような説明板が立っていた。

「江戸も中頃、九州久留米藩士牧藤左衛門の妻は良人の仇を討とうと志し、旅を続けて関宿山田屋に止宿、一女小萬を生んだ後病没した。小萬は母の遺言により、成長して三年程亀山城下で武術を修業し、天明三年（一七八三）見事、仇敵軍太夫を討つことができた。

この場所には、当時亀山通いの小萬が若者のたわむれを避けるために、姿をかくしてもたれたと伝えられる松があったところから〝小萬のもたれ松〟とよばれるようになった。

関の小萬の亀山通い　月に雪駄が二十五足（鈴鹿馬子唄）

平成六年二月吉日　　関町教育委員会」（説明板より）

そして伊勢別街道との分岐点〝東の追分〟の大きな鳥居が見えてくると、ここから〝関〟の町並みがつづく。

＊〝**関**〟が歴史に登場するのは7世紀この地に〝鈴鹿関〟が設けられたのが初めで、これが地名の由来になっている。鈴鹿峠を控えた東海道の重要な宿駅として、また伊勢別街道や大和街道の分岐点として江戸時代を通じて繁栄した。鳥居は伊勢神宮の〝式年遷宮〟の際、古い鳥居を移築するの

が慣わしになっているという。

〝関〟は、旧東海道の宿場町の中で唯一歴史的な町並みを残していることから、昭和59年に国の〝伝統的建造物群保存地区〟に選定されている。この範囲は、東西追分の間約1・8㎞に及び、江戸時代から明治時代にかけて建てられた古い町屋が200軒あまりが残っている。このように大切に保存されてきた歴史的な建物が建ち並ぶ関宿の町並景観はすばらしい。(詳細後述)

最後に、女性の身でありながら父の仇討ちを成し遂げて有名になった〝関の小万〟の生家「会津屋」を訪れたあと〝鈴鹿の馬子唄小万〟に唄われたという〝地蔵院〟に来たところで、この日は津駅近くの「津グリーンホテル」に泊まった。

・会津屋は、卯建・連子格子造りの大きな家。「街道そば」の看板を出していて、玄関口の上に「会津屋　森元氏宅」と題した次のような説明板が取り付けてあった。

「会津屋は鶴屋・玉屋とともに関宿で有数の大旅篭であった。明和から天明にかけて会津屋の前身山田屋で育った小万が女の身で亡父の仇を討った烈女〝関の小万の物語〟は有名である。関町教育委員会」。(説明板より)

⑦［**ポイントの詳細説明**］（鳴海～関）

＊伝統的町並みを残す間の宿〝有松〟

有松は尾張藩の加護のもと、絞りの産地として大きく繁栄した町で、絞問屋の代表的建物として主屋は塗籠造《ぬりごめづくり》で卯達を設け、倉は土蔵造で腰に海鼠壁を用い防火対策を行っている「服部家住宅（井桁屋）」（町屋建築の遺構）、そして絞問屋の伝統的形態を踏襲し特に主屋は塗籠造の「竹田家住宅（笹加）」や、主屋の一階は格子窓、二階は塗籠壁、隣家との境に卯達があり塗籠造の最も古い一つという「小塚家住宅（山形屋）」がある。いずれも有松らしい家並みの景観上から、貴重な建物として県や市の指定有形文化財になっている。

＊熱田神宮の創祀

「御祭神　熱田大神

相殿　天照大神　素戔嗚尊　日本武尊　宮簀姫命　建稲種命

熱田神宮は、三種の神器の一つであります『草薙神剣』の御鎮座により始まります。第12代景行天皇の御代、日本武尊は神剣を氷上の里（現緑区大高町）に留めおかれたまま能褒野《のぼの》（現三重県亀山市）でなくなられました。尊のお妃である乎止與命《おとよのみこと》（尾張国造）の姫宮簀媛命《みやずひめのみこと》は、社地をこの熱田の地にお定めになり、神剣を奉斎せられました。

爾来伊勢《じらいいせ》の神宮につぐ格別に尊いお社として朝野の深い崇敬をあつめ、延喜式名神大社・勅祭社《ちょくさいしゃ》に列っせられ、国家鎮護の神宮として特別のお取扱いをうける一方、『熱田さま』とよばれ親しまれてきました。殊に地味豊かな当地方の地理的な特性は、農業の守護神としての信仰をも生むに至りました。このことは、今日行われる当神宮の祭典・神事の多くが農業と深いつながりを持っていることでもあきらかであります。２千年に亘る篤い信仰の歴史を物語るものとして、皇室を初め庶民に至る多くの崇拝者からの堅納品４千余点が宝物館に収蔵されております。現在、当宮の境内外には本宮・別宮１社・摂社12社・末社31社の45社があり、そのうち当境内には本宮・別宮・摂社８社・末社18社が鎮座しています」。（境内の説明パネルより）

＊伊勢湾台風

「昭和34年９月26日午後６時過ぎに紀伊半島南端に上陸し、直径７００キロに及ぶ地域を暴風雨に巻き込みながら、名古屋の西方30キロ地点を通過し、26日夜半富山湾へ抜けた。その中心気圧は、上陸時９３０ヘクトパスカル、名古屋市内においては最低気圧９５８・５ヘクトパスカル、瞬間最大風速は、午後９時25分に４５・７メートルという驚異的な数値を記録した。

この台風は、名古屋市西方をかすめるという名古屋地方にとって最悪のコースをたどったため、伊勢湾沿岸一帯にかつてない高潮が生じ、満潮時に近い午後９時35分、名古屋港における最高潮位は５・３１メートルと、海岸堤防を50センチも上回る名古屋港検潮始まって以来の記録となった。

そのうえ前日から降り続いた雨は、台風の中心が近づくにつれ、時間雨量40～60ミリの豪雨となり、河川は刻々と増水し、それらが強風にあおられ、低気圧に吸い上げられた高潮と重なって、一時に海岸堤防及び河口付近の河川堤防を寸断、市南部地区一帯を濁流の渦に巻き込んだ。特に名古屋港周辺の貯木場からあふれ出た28万立方メートルに及ぶ無数の巨木が、人命、家屋の被害を更に大きくした。このため、名古屋市と当時の守山市及び有松・大高の両町を含む死者が１、８８１人と言語に絶する惨害をもたらし、当熱田区内においては３名の尊い人命が失われた。

この浸水位標識は、伊勢湾台風の惨禍を永く記録にとどめるため、被災30年に当たり設置された。なお、この標識の浸水位は、被災当時のこの付近一帯の最大浸水位を本標識の足下からの高さに置き換えて表示している」。（説明板／要約）

＊亀山城跡

「亀山城は、天正十八年（一五九〇）岡本良勝によって築城されて以来、歴代藩主により城郭も整えられた。当初は三層の天守閣があったが、寛永九年（一六三二）に幕命により解体され、天保年間（一六四四～四七）天守台に多門櫓が築かれた。天守台南面の高石垣は、直高十四・五メートルもあり、野面石（自然石）を牛蒡《ごぼう》積《づ》みとした中くぼみの扇形勾配で、堅固・優美さを備えており、四百余年の風雪に今も耐えている。白壁の櫓・門・土塀などを連ねる景観を蝶の群れが舞う姿にたとえられて〝粉蝶城《こちょうじょう》〟とも呼ばれた。亀山は東海道の要衝であるので、江戸時代前半には幾度も城主が交替したが、延享元年（一七四四）六万石で石川総慶《ふさよし》が入封後は、明治まで十一代百二十余年、石川家が続いた。明治以降、城郭の大半が破却され、現在は天守台・多門櫓・外堀・土塁の一部が残るのみであるが、多門櫓は県下で唯一現存する城郭建造物として、昭和二十八年三重県史跡に指定された。亀山市教育委員会」（説明板より）

＊関宿の町並景観

カラー舗装された〝関〟の宿場町に入ると昔風の格子造りの家が建ち並んでいる。この入口「岩間家」の説明板に、「屋号を白木屋といい、主に東追分で稼ぐ人足や車夫の常宿であった。人力車が登場するようになって常に2～30台は客待していた。岩間家は200年以上経ており、むくり屋根が特徴である。伊勢参りの賑わいや明治天皇の御東幸など東追分の移り変わりを見守ってきた家である」。と記されていた。

一歩宿内に入ると一階・二階ともきれいな連子格子の家がつづく。そして「浅原家」の説明札を付けた家に「屋号を江戸屋と称し、米屋・材木屋などを営む。家の正面は塗籠《ぬりごめ》の中二階、連子格子、明治以降についた店棚、馬つなぎの輪などがあり江戸期の面影を最もよく残す建物といえる。障子の下張りに万延の文字があったところからそれ以前の建築年代と察せられる。関町教育委員会」。とあった。

このあと「雲林院家」の説明札を付けた家に「同家は昔〝かいうん楼〟と称し隣の松鶴楼と並んで芸妓置店《げいぎおきや》であった。街道筋の宿場ではたいていの旅籠は飯盛女と呼ばれる遊女を置き、また専門の遊郭も多かった。〝かいうん楼〟はその代表的なもので表の立繁格子《たてしげこうし》やべにがらぬりのかもいや柱にその面影を残している」という。

この向かいに「御馳走場」と題した説明板が立っていて、ここに「中心部の中町には宿場の中心的施設が集中し、比較的規模の大きい派手なデザインの町屋が今も多く残っています。ここは〝御馳走場〟と呼ばれ、身分の高い武家やごち相場大名行列の一行を宿役人が出迎えたり、見送ったりした所です」とあった。そして、年季が入った土蔵造りの家〝伊藤家〟休憩所らしい「百六里庭」「伊藤本陣阯」碑が建つ松井家とつづく。

・むくり屋根

公家屋敷や数奇屋建築などでよく見られる、日本の伝統的な建築様式の一つ。軒へ近づくほど勾配が急になるので雨水のキレがよく、屋根がお辞儀をしているような優しい印象のシルエット。

・御馳走場

〝馳走〟の二文字は本来〝走り回る〟の意味。これが〝もてなす〟〝世話をみる〟の意味に転じたらしく、大名行列は〝御馳走場〟で出迎えを受け、隊列を整え「下に、下に」の掛け声に合わせて宿泊する本陣まで整然と行列したという。

⑧街道筋の概要とポイント

（関から坂下〈鈴鹿峠〉、土山、水口、石部、草津）

◎地形&ルートの概要（関～草津）

〝関〟を後に国道1号に合流するも、すぐに〝東海道自然歩道〟に入って北西方向に向かう。そして〝坂下〟から鈴鹿山脈の南端に位置する〈鈴鹿峠〉を越え、三重県から滋賀県・甲賀市に入って国道1号と所々で交差・合流しながら〝土山〟を経たあと西方向に少し向きを変え野洲川沿いを〝水口〟〝石部〟を経て草津線～東海道本線と共に南下し〝草津〟で中山道と合流する。そして琵琶湖南端の〝瀬田唐橋〟を渡り、国道1号と共に琵琶湖沿いを北上し〝大津〟を経たあと、京阪京津線に沿って西へ〝京都〟に向かう。

▽街道筋の概要3（関～〈鈴鹿峠〉～水口）

3月4日、朝から雪がちらついていた。今日は〝関〟から一本道だが〝水口〟まで途中泊まる宿がなく、しかも関西本線から離れていくので〝関〟から〝水口〟まで約27㎞、この雪の鈴鹿峠越えコースを一日で歩くしかなかった。東海道を歩く最大の難所かもしれないとの思いでホテルを出発した。

関駅に戻るとすでに路面が雪で白くなっていた。こちらのほうが寒いのだろう。昨日の続きを歩くため〝関〟宿内を通って戻ったが、今日は白い雪が〝関〟の美しい町並みに風情を添えていた。

昨日のつづき、伊賀から奈良に通じる〝大和街道〟との分岐点〝関・西の追分〟から、緩やかなカーブを繰り返す国道1号に合流し〈鈴鹿峠〉に向かう。筆捨山の道標を過ぎた先で旧道に入り、人影ない小さな〝沓掛集落〟を通り過ぎると、右に入る小路の行く先に〝鈴鹿馬子唄会館〟があった。

・筆捨山

全山に怪石、奇岩が多く松、楓、つつじが繁茂していて、狩野法眼元信という画家があまりにも山の変化が激しいため描くことができず、筆を捨てて嘆いたのでこの名がついたという。(説明板より)

＊**〝坂下〟**に向かうにつれ雪の降り方が激しくなってきた。〈鈴鹿峠〉を越えられるか不安を抱きながらも「松屋本陣跡・大竹屋本陣跡・梅屋本陣跡」の石柱を確認しながら急ぎ足で〝坂下〟の集落を通り過ぎた。今も〝馬つなぎ環〟を残す連子格子の家が残っているらしいが、雪が吹き付ける天候の中で確かめる余裕も無かった。

※雪の〈鈴鹿峠〉を歩く

〝坂下〟から15分ほど歩いて「片山神社」の石柱が建つ〝参道入口〟を過ぎ、直も足跡無い真っ白な山道の雪を踏みしめ進むと、5分ほどで鳥居が建つ〝片山神社〟に着いた。ここで旅の安全を祈願し、〈鈴鹿峠〉に通じる山道に入ると、登り口に「鈴鹿国定公園 東海自然歩道案内図」が、続いて「鈴鹿峠」と題した説明板が立っていた。これを見て先に進むと視界が開け、下方遠くに山間を抜ける国道を走るトラックが小さく見えた。

・鈴鹿峠

鈴鹿峠（３７８ｍ）を越える初めての官道は〝阿須波道〞と呼ばれ、平安時代の仁和2年（８８６年）に開通。山賊に関する伝承が多く伝わっており、箱根峠に並ぶ東海道の難所であったという。（詳細後述）

☆三重県から滋賀県へ

そして〝東海自然歩道〞の標柱が立つ杉の木立の中を進むと県境石柱「左 三重県 伊勢の国／右 滋賀県 近江の国」が建っていた。この辺りが鈴鹿峠の頂上（標高３７８ｍ）だろう。ここを過ぎるとパッと視界が開ける。鈴鹿峠の登り口から15分ほどで頂上に着いた。もう少し厳しいと想像していただけに意外だった。片山神社が標高３００ｍほどなので標高差はそれほどなかった。

＊〈鈴鹿峠〉頂上

〝景色が一変！〞道の両側に茶畑が広がり視界が一気に開ける。このなだらかな平地を下っていくと大きな〝石灯籠〞が建っている。〝万人講常夜燈〞で、江戸時代に金比羅参りの講中が道中の安全を祈願して建立したもので、重さ38ｔ、高さ５・44ｍの自然石で造った常夜灯だという。（詳細後述）

近くに「鈴鹿峠（旧東海道）」と題した説明板が据えてあって「昔はこのあたりに山賊が横行したもので、近くにある鏡岩は、山賊が峠を越える旅人の姿をその大岩に写して襲ったものだと伝えられている。この峠の近くに山賊を退治したという坂上田村麻呂を祀る田村神社がある」。といった内容だった。

降りしきる雪を避けようと休憩所らしい建物に入ったところトイレだった。軒下に座るところがあったのでリュックを下ろし、とにかく腰掛けた。雪が激しく横なぐりに降ってくるので軒下では防げなかったが、他に腰掛ける場所が無くやむなくここで昼食休憩を取り、鋭気を養って出発した。

吹雪模様の中、右下に国道1号が見えてくる。峠道の積雪は10㎝ほど、国道に合流すると歩道は解けかかった水っぽい雪なので、歩き難くしかも靴が濡れて中に水が浸み込んでくる。峠を下り始めて1時間。右手に鈴鹿峠に現れる山賊を退治したという〝坂上田村麻呂〟を祀った田村神社があった。対面の「かにが坂飴」の店を過ぎると、すぐに〝土山宿〟の詳細な地図パネルが立っていた。

＊〝**土山**〟のカラー舗装された道に入ると、金属製の標示パネル「歴史の道東海道〝土山宿〟」が立っていて、ここに二人の旅人姿を浮彫りした可愛い絵が描かれていた。

源頼朝が幕府を鎌倉に開いたことで、従来の京都中心の交通路は京都と鎌倉を結ぶ東西路線が一層重要視されるようになり、武士の往来のみならず商人・庶民の通行も以前に増して盛んになった。また、滋賀県甲賀市にある〝土山〟は伊勢神宮へと続く伊勢街道が通っていて、江戸時代にお伊勢参りが流行するといっそう賑わったと言われている。

宿内には土蔵造りの趣ある製茶屋と民芸茶房のお店が並んでいた。雪がチラチラ降っていたが途中から雪が激しく、大粒の牡丹雪となって降ってきた。宿場当時の面影を色濃く残す旧宿場〝土山〟

の町並みに牡丹雪が舞う。まさに時代劇に出てきそうな光景だった。そして「大黒屋本陣跡」「問屋場跡」「高札場跡」の石柱が建つ神社前を通って〝土山〟をあとにした。

次の〝水口〟まで距離約10㎞。地形的には〝土山〟から西北西に少し向きを変え、〝野洲川〟に沿って下っていく。（野洲川は鈴鹿山系に水源を発し琵琶湖に注ぐ）

2時間近くひたすら歩いて「水口宿」と記された大きなモニュメントを見て宿場町に入ると「東海道水口宿」と題した説明板が立っていて、次のような内容が記されていた。

＊〝水口〟（平成16年合併で甲賀市となる）

「水口は道によって開け、道によって発展した。この地は古くから東国へあるいは伊勢への道が通り、室町時代には伊勢参宮の将軍家が休泊する宿村として開け、秀吉が水口岡山城を築かせて町の基ができた。徳川時代の交通体系の整備で宿駅に指定され甲賀郡の中心としての地位を築いてきた」。（説明板／要約）

そして、当時の駄賃や人足賃銭等の定を模した札が掲げられた「高札場跡」「水口宿本陣跡」、この跡地に建つ「明治天皇聖蹟」碑、所々に残る土蔵造りの家や「桔梗屋文七」「一味屋」など老舗らしき店の前を通り、人馬の継ぎ立てを差配したという「問屋場跡」碑文を過ぎると、商店街 駐車場の一角に〝曳山〟のモデルが据え付けてあった。この台座前に「曳山の由来」と題した説明パネルが添えてあって、次のような内容が記されていた。

・曳山の由来

〝水口〟に伝わる〝曳山祭〟は、ここに住む町衆の力で創り出されたもので、近世のまち水口の象徴といえるらしい。この曳山は〝二層露天式人形屋台〟という構造で、屋上に〝ダシ〟と呼ばれる作り物をのせ町内を巡行して〝ダシ〟の出来栄えを競うもので、巡行見物の一つの楽しみとなっている。（詳細後述）

（この日は近くの「ビジネス旅館古城」に泊まった）

翌朝、窓から外を見ると、家々の屋根は真っ白。雪は止み雲の間からわずかに陽がさす雪景色がとても美しかった。昨日の街道筋から商店街を抜けると、再び連子格子や土蔵造りの昔風の家が所々に見られ、宿場時代の面影がよく残っていた。そして宿場の外れに来ると、樹木で囲われた一画に〝水口城跡〟の説明板が立っていた。

・水口城跡

三代将軍家光が京都に上洛する際に築かれた将軍家専用の宿館で、のちに［石見国］から加藤明友が入り水口藩が成立。以後、明治維新までその居城になった。矢倉を模した〝水口城資料館〟が設置されているという。（説明板／要約）

▽街道筋の概要４（水口～草津）

〝水口〟を過ぎると田園地帯の中を真っすぐ一直線に延びる舗装道がつづく。所々に松並木が残る旧東海道らしい道で道脇に「北脇縄手と松並木」と題した碑文が建っていた。この縄手を過ぎると、南西からJR草津線と草津線に沿って流れる〝仙川〟が近づいてきて、この先で野洲川に合流し、旧東海道は仙川が合流した野洲川を渡る。この地が道中の難所に数えられた〝東海道横田渡〟で、このあと野洲川に沿って国道1号、JR草津線、東海道が所々で交差しながら〝石部〟に向かう。〝石部〟近くで少し曲がりくねるが、それ以外は一本道で分かりやすい。

•北脇縄手と松並木

「東海道が、一直線にのびるこの辺りは、江戸時代〝北脇縄手〟と呼ばれた。縄手（畷）とは田の中の道のことで、東海道の整備にともない曲りくねっていた旧伊勢大路を廃し、見通しの良い道路としたことにちなむと考えられる。

江戸時代、東海道の両側は土手になり松並木があった。街道は近隣の村々に掃除場所が割り当てられ、美しさが保たれていた。旅人は松の木陰に涼を取り、旅の疲れを休めたといわれている」。（碑文より）

そして〝野洲川〟に突き当たると〝東海道横田渡跡〟がある。正面に〝冠木門〟左横に大きな〝横田橋常夜燈〟が建っていて、ここに「東海道横田渡」と題した説明板が立っていた。

•横田橋常夜燈

「旧東海道筋にあたるこの地は、往年、諸国より江戸参勤交代をはじめ、夜中に及ぶ往来が頻繁で、渡渉中方向を誤り事故を起し、あるいは増水のため危険が多く、4隻の船で旅客を扱ったが交通は困難していた。文化初年より村人が義金を募り文政5年（1822）近在の石工にこの灯籠を造らせ燈台の役目をなさしめた。以来、東海道を往来する者も迷うことがなくなった。この燈篭は、高さ１０・５ｍ、笠石２・７ｍ四方で、周りは７・３ｍの玉垣を築いており本郡石造品では最大のものとされ、江戸後期に創られたものながら交通工芸、民族的に価値あるものとして町の文化財に指定された」（説明板／要約）

＊東海道横田渡

「鈴鹿山脈に源を発する野洲川は、このあたりで〝横田川〟とも呼ばれていた。江戸時代に入り東海道が整備され、当初は〝東海道十三渡し〟の一つとして重視され、軍事的な意味からも幕府の管轄下に置かれた。そのため、他の〝渡〟と同じく通年の架橋は許されず、地元の泉村に〝渡〟の公役を命じ、賃銭を徴収してその維持に当たらせた。

３月から９月の間は４隻の船による〝船渡し〟とし、10月から翌2月までの間は、流路の部分に〝土橋〟を架けて通行させたという。野洲川と支流の杣川が合流する当地は、水流も激しく、また流れの中には巨石も顔を見せ、道中の難所に数えられた」。（説明板／要約）

国道に架かる横田橋を渡って旧道に戻り、なおもＪＲ草津線に沿って西北西に向かって2時間ほど歩くと次の宿場〝石部〟に着く。

＊〝石部〟

京から江戸へ向かう旅人が最初に泊まった場所として〝京立ち石部泊り〟といわれていたらしい。この宿場入口に無料休憩所「いしべ宿駅」があったので入ってみると、誰も人がいなく当時の着物、タンス、火鉢、徳利などが展示してあって、土間の奥に〃かまど〃があった。この土間に腰掛けて昼食休憩を取った。この近くに「明治天皇聖蹟」碑、「石部本陣跡」石碑、「石部宿小島本陣跡」説明板が立っていた。

〃石部〃をあとに1時間くらい歩くと、立派な黒い瓦屋根の家がつづく。所々に昔風の家が残る間の宿〃**六地蔵**〃で、木造建築の家に庭木の緑が映える町並みはとてもきれいだった。日本独特の落ち着いた町の美しさだろう。この一角に「史跡 旧和中散本舗」の石碑が建つ広壮な屋敷「旧和中散本舗」があった。なおも昔風の家が続く旧道を1時間ほど歩くと、整備された「九代将軍足利義尚公鈎の陣所ゆかりの地」碑が建つ一角があった。この台座に「鈎の陣のいわれ」と題した碑文が刻まれていた。

•旧和中散本舗（重要文化財）

近くに来た家康がにわかに腹痛を起こし、この薬で助けられたことから腹の中を和らげる薬という意味で〃和中散〃と名付けられたようで、江戸時代から第二次世界大戦中まで〃和中散〃は大いに売れたという。

•鈎の陣のいわれ

「室町幕府は応仁の乱後勢力が衰え社会は乱れた。近江守護職佐々木高頼は、社寺領等を領地とした。幕府の返還勧告に応じない佐々木氏を討伐のため時の将軍足利義尚は長享元年十月近江へ出陣、鈎に滞陣した。滞陣二年病を得、延徳元年三月二十五歳の若さで当地で陣没した。本陣跡は西約三百米の永正寺の一帯である。平成三年十一月 建之」（碑文より）。

※中山道との合流点 〝草津〟へ

◎地形＆ルートの概要

〝石部〟をあとに野洲川から離れＪＲ草津線に沿って西方向 〝草津〟に向かうと、いつの間にか草津川沿いを歩いていた。高い土手に登ると草津市街のビルが見える。河原はブッシュばかりで、水がどこを流れているか分からない。〝周りの住宅地より川底が高いのでは？〟と思いながら東海道新幹線のガードを潜って草津川橋を渡ると、まもなく右手に 〝草津川隧道〟の入口が見えてくる。

＊〝草津〟は 〝中山道との合流点〟

正面に 〝草津宿高札場〟があって３枚の札が架かっている。ここで東海道は左に折れるが、この角に 〝追分道標〟の大きな常夜灯が建っている。

この道標の側面に 〝左 中仙道美のぢ〟 〝右 東海道いせみち〟と刻まれていて、柱の上に銅製の立派な 〝大燈籠〟が据えてある。この傍に「市指定文化財 道標 〝右東海道いせみち〟 〝左中仙道美のじ〟 一基〟」と題した追分道標の碑文が添えてあった。

• 追分道標の碑文（要約）

「ここは東海道と中仙道との分岐点。トンネルができるまではこの上の川を越せば中仙道へ、右へ曲がれば東海道伊勢路へ行けた。しかしこの地は草津宿の中心地で、追分とも言われ旅人にとっては大切な目安。多くの旅人が道に迷わぬよう、また旅の安全を祈って文化13年（1816）江戸大阪をはじめ、全国の問屋筋の人々の寄進によって建立されたもので高さは4・45ｍ。宿場の名残りの少ない中にあって、常夜燈だけは今もかっての草津宿の名残りをとどめている」。（詳細後述）

＊〝草津川隧道〟について

〝草津〟の宿場内に入ると「草津川ずい道（トンネル）の由来」と題した説明パネルが立っていて、ここに〝草津川が天井川であったことから出水に悩み、通行にも不便をきたしていたことから、草津川にトンネルを掘って人馬・通行の便を図ろうと、草津川隧道を明治19年に完成した〟といった内容が記されていた。（詳細後述）

＊草津宿本陣（国史跡）

〝草津〟の中心街に向かうと、立派な〝草津宿本陣〟がある。全国に残る本陣遺構の中でもひときわ大きな規模を有し、面積4700㎡余りある敷地内には、かっての本陣の姿を彷彿させる表門・住居台所・湯殿・御除ケ門など数々の建造物が現存し、江戸時代の姿をほぼとどめており、また関札・大福帳・調度品ほか貴重な資料も数多く保管されているという。（詳細後述）

このあと、脇本陣の看板を掲げた〝食事処〟〝草津宿街道交流館〟とつづく。そして商店街のアーケードが切れる手前にあった清酒〝道灌〟の太田酒造前に〝草津政所跡〟の立札が立っていて〝太田家は江戸幕府の命をうけ草津問屋場を預かり、また隠し目付を勤めるなど当宿場の権限をまかされていたので政所とよばれていた〟と記されていた。

アーケードが切れると、奈良時代（七六七年）に創建されたという〝立木神社〟があった。東海道に面して鎮座し、古くから交通安全厄除けの神社として信仰を集めているという。（この日は草津駅近くの「ビジネスホテルアサヒ」に泊まる）

⑧［**ポイントの詳細説明**］（坂下～草津）

＊鈴鹿峠（坂下～）

「鈴鹿峠（３７８ｍ）を越える初めての官道は〝阿須波道《あすはみち》〟と呼ばれ、平安時代の仁和２年（８８６年）に開通した。八町二十七曲といわれるほど、急な曲がり道の連続するこの険しい峠道は、平安時代の今昔物語集に水銀商人が盗賊に襲われた際、飼っていた蜂の大群を呪文をとなえて呼び寄せ、山賊を撃退したという話や、坂上田村麻呂が立烏帽子《たてえぼし》という山賊を捕らえたという話など山賊に関する伝承が多く伝わっており、箱根峠に並ぶ東海道の難所であった。また鈴鹿峠は、平安時代の歌人西行法師に〝鈴鹿山 浮き世をよそにふり捨てて いかになりゆく わが身ならむる〟と詠まれている。江戸時代の俳人、松尾芭蕉は鈴鹿峠について〝ほっしんの 初に越ゆる 鈴鹿山〟の句を残している。

鈴鹿国定公園　環境省・三重県」。（説明板より）

＊万人講常夜燈（鈴鹿峠）

「万人講常夜燈は、江戸時代に金毘羅参りの講中が道中の安全を祈願して建立したものである。重さ三十八t、高さ五m四十四㎝の自然石の常夜灯で、地元山中村をはじめ、坂下宿や甲賀谷の人々の奉仕によって出来上がったと伝えられている。もともとは東海道沿いに立っていたが、鈴鹿トンネルの工事のために現在の位置に移設された。東海道の難所であった鈴鹿峠に立つ常夜灯は、近江国側の目印として旅人たちの心を慰めたことであろう。平成十四年三月　土山町教育委員会」。（説明板より）

＊〝土山〟の町並み（土山）

宿場に入ると、土蔵造りの趣ある「大原製茶場」、民芸茶房「うかい屋」のお店が並んでいて、連子格子造り家も所々に残っていた。これらの家の前に立つ「二階屋脇本陣跡」碑、「東海道伝馬館」石柱、「問屋場跡」碑を過ぎると、間口の広いきれいな土蔵造りの家が3軒つづく。「かしき屋」「大内屋」の屋号札が付いていたが、3軒目は最も立派な「土山宿本陣跡」で、土山喜左衛門が初代として勤め、屋内には今も諸大名の宿泊を記した宿帳など当時使用されていたものが数多く残っているという。文末に〝本陣は、明治維新で大名の保護を失い、明治3年宿駅制度の廃止に伴いなくなった〟と記されていた。

＊曳山の由来（水口）

「江戸時代、ここ水口は東海道の宿場町であり、また加藤氏二万五千石の城下町として地域の政治、経済、文化の中心として発展しましたが、曳山祭はこの町に住む町衆の力によって創り出されたものであり、近世のまち水口の象徴であるといえましょう。曳山の登場は享保二十年（一七二五）のことで、このとき九基の曳山が巡行し藩邸にもぐりこんで賑わいました。その後一町ごとに曳山が建造されるようになり、その数三十基余りに達したといわれています。当地の曳山は〝二層露天式人形屋台〟という構造をもち、複雑な木組み、精緻な彫刻、華やかな幕を飾りつけるとともに、屋上に〝ダシ〟と呼ばれる作り物をのせて町内を巡行します。その構造上、組み上がったままで各町内に建てられている〝山蔵〟に収納されています。〝ダシ〟は毎回趣向を変えてその出来栄えを競うものであり、巡行見物の一つの楽しみとなっています」。（説明パネルより）

＊北脇縄手と松並木（石部）

「東海道が一直線にのびるこの辺りは、江戸時代〝北脇縄手〟と呼ばれた。縄手（畷）とは田の中の道のことで、東海道の整備にともない曲りくねっていた旧伊勢大路を廃し、見通しの良い道路としたことにちなむと考えられる。江戸時代、東海道の両側は土手になり松並木があった。街道は近隣の村々に掃除場所が割り当てられ、美しさが保たれていた。旅人は松の木陰に涼を取り、旅の疲れを休めたといわれている」。（碑文より）

＊足利義尚《あしかがよしひさ》（石部）

足利義尚は室町幕府9代将軍。8代足利義政の子。母は日野富子。叔父足利義視《よしみ》の家督相続後に誕生したため継嗣《けいし》争いが起こり、これが応仁・文明の乱の発端となった。文明5年（1473）母日野富子が後見となって9歳で将軍就任するが政務は義政がとった。

当時近江国は台頭する六角氏勢力に掌握され、山門領や幕府近習・奉公衆などの所有する荘園への押領ははなはだしく、幕府の権門《けんもん》体制を揺るがすものといっても過言ではなかった。長享元年（1487）みずから六角征伐の軍を指揮、この鉤《まがり》に陣所を設営。ところが元来義尚は病弱なうえアルコール中毒であり、暗愚《あんぐ》にまかせ連日遊興にふけったため25歳の若さで鉤の陣中に没した。

＊追分道標の碑文（草津）

「ここはかつての日本五街道の最幹線で東海道と中仙道との分岐点である。トンネルのできるまではこの上の川を越せば中仙道へ、右へ曲がれば東海道伊勢路へ行けた。しかしこの地は草津宿のほぼ中心地で、この付近は追分とも言われ、高札場もあって旅人にとっては大切な目安でもあった。多くの旅人が道に迷わぬよう、また旅の安全を祈って文化十三年（一八一六）江戸大阪をはじめ、全国の問屋筋の人々の寄進によって建立されたもので高さは一丈四尺七寸（四・四五メートル）で火袋以上は、たびたびの風害によって取り替えられたが、宿場の名残りの少ない中にあって、常夜燈だけは今もかつての草津宿の名残りをとどめている。

昭和四十八年十月十五日指定　草津市教育委員会　昭和五十一年贈　草津ライオンズクラブ」

＊草津川ずい道（トンネル）の由来（草津）

「草津川トンネルは草津川が天井川であったことから出水に悩みまた通行にも不便をきたしていたことから、従来の堤防を登り川越のルートから草津川にずい道を掘って、人馬・通行の便を図ろうと計画し、ときの大路村戸長長谷庄五郎は明治17年（１８８４）８月24日付で中山道筋草津川ずい道開削新築事業起工の儀願書を県令（知事）中井弘あてに提出した。これが容れられて明治18年12月４日総工事費７３６８円14銭９厘を以て着工された。翌明治19年３月20日の突貫工事で完成した。

構造はアーチ式煉瓦両側石積みで長さ43・６米幅４・５米のずい道が造られた。同年３月22日より旅人通行の事、車は３月25日より、馬車荷車は４月５日より従来左方斜めに堤防にのぼって川を渡り大路井村側で右方へ下った。

中仙道の川越は廃止され、車馬の通行はきわめて容易になった。以下省略」。（説明板より）

＊草津宿本陣（国史跡）

「草津宿本陣は、寛永十二年（一六三五）に定まった、江戸幕府による参勤交代の制度を背景に、東海道・中山道を上下する諸大名・役人・公家・門跡等の休泊所として草津宿に開設された施設で、明治三年（一八七〇）宿駅制度の廃止までの二百数十年年間、その機能を果たしてきました。史跡草津宿本陣は、全国に残る本陣遺構の中でも、ひときわ大きな規模を有しており、延四七二六平方メートルにのぼる敷地内にはかつての本陣の姿を彷彿とさせる数々の建築物が残され、関札・大福帳・調度品ほか、貴重な資料も数多く保管されているなど、近世交通史上、極めて貴重な文化遺産であります。以下省略」。（説明板より）

⑨街道筋の概要とポイント（草津から大津、京都・三条大橋へ）

〝草津〟から東海道本線、国道1号と共に南西方向に下って琵琶湖南端を沿うように瀬田川に架かる〝瀬田の唐橋〟を渡って北西方向に向きを変え〝大津〟を経たあと北の〝逢坂山〟南の〝音羽山〟に挟まれた山間を縫うように通じる国道1号と〝京阪京津線〟に沿って南に下っていく。追分駅を過ぎて東海道本線〝山科駅〟前を通った後、なおも〝京阪京津線〟に沿って京都中心街に向かう。

〝草津〟から〝京都・三条大橋〟まで約26㎞。〝大津〟から京都に入るところ以外は旧道だが所々で右折・左折するところがある。

▽街道筋の概要5（草津〜大津〜京都・三条大橋〟へ）

昨日の続き〝立木神社〟前から東海道本線と国道1号の間に挟まれた旧道を琵琶湖南端を沿うように〝瀬田唐橋〟に向かうと、途中に〝野路萩の玉川〟跡があった。また、東海道の道筋を示す歴史ガイドパネルが立っているところがあって。この一つに〝西行屋敷跡〟があった。

・野路萩《のじはぎ》の玉川

野路は平安朝から鎌倉時代にかけて東海道の宿駅として栄え、源平争乱の時代は数多くの武将の宿陣となり時には戦火に包まれ若い命が消え去った地とも伝えられている。かつては伏流水が清らかな泉となって湧き、萩があたり一面に咲くその優美な景勝をめでて多くの歌詞が詠まれたという。（説明板／要約）

・西行屋敷跡

西行法師は、鳥羽上皇の院御所を警固する北面の武士だったが23歳のとき出家し、諸国行脚を重ね、仏道修行と歌道に精進した平安末期の代表的歌人だが、一時この近江の地に住んでいたという伝承があるという。（説明板／要約）

そして官幣大社〝建部神社〟を過ぎると、袂に常夜灯が建っている橋がある。瀬田川に架かる〝瀬田唐橋〟で、京の宇治橋、山崎橋とともに〝天下三名橋〟といわれ、古くから軍事・交通の要衝だったという。欄干に擬宝珠の飾りが付いている。

下を流れる瀬田川は流れが緩やかで広い川幅一杯に水が満ち、両岸には屋形船やレジャーボートがたくさん繋がっていた。

＊瀬田唐橋

「日本三名橋の一つで近江八景〝瀬田の夕照〟で名高い名橋。古くは、瀬田橋・瀬田の長橋とも呼ばれ、日本書記にも登場する。現在の状態は、織田信長により現在の状況（大橋・小橋）に整備された。〝唐橋を制するものは天下を制す〟とまでいわれるほど、京都へ通じる軍事・交通の要衝であることから幾度となく戦乱の舞台となった。現在の橋は昭和54年に架け替えられたが、緩やかな反りや旧橋の擬宝珠など往時の姿をとどめている。

〝いそがばまわれ〟の語源となったエピソードでも有名」。（滋賀・びわ湖観光情報より）

この瀬田川は、琵琶湖に注いでいると思って渡ったが、地形図で追ってみると、琵琶湖の最南端から南に下り〝宇治川〟の上流に通じていて、このあと京都市内を流れる〝桂川〟と合流し〝淀川〟となって大阪湾に注いでいた。

＊琵琶湖畔〝なぎさ公園〟で一休み

瀬田唐橋を渡ると右折し琵琶湖に沿って北に向かう。「膳所城勢多口総門跡」(石柱)、膳所城の犬走り門を移築したという若宮八幡神社を過ぎ、湖畔に近づくと〝なぎさ公園〟があったので一休みした。湖畔はとてもきれいに整備されていて、のどかな光景を楽しみゆっくり休憩してから街道筋に戻った。

・なぎさ公園

地形的には琵琶湖の南端部分で、右に〝近江大橋〟そして対岸に〝帰帆南橋〟〝矢橋帆島〟〝帰帆北橋〟と徐々に小さくなって見える。左はるか遠くは海のように広く何も見えない。遠浅の海のように砂浜が広がる岸辺に、赤い帽子に色とりどりの服を着た子ども達が遊んでいた。保護者が付いていたので保育園児だろう。

湖畔から街道筋に戻ると、入口に石柱「史跡義仲寺境内」が建つ〝義仲寺〟があった。ここに「義仲寺境内」と題した説明板が立っていて、「この寺名は源義仲を葬った塚があるところからきています」。と記されていた。そして立派な県庁通りを横切ると、道脇に「此附近露國皇太子遭難之地」碑がひっそりと建っている。来日中のロシア皇太子が襲われた事件で日本では〝大津事件〟として扱われている。

・義仲寺境内

「室町時代末に佐々木六角氏が建立したと伝えられ、門を入ると松尾芭蕉の墓と並んで木曽義仲の供養塔が建っていて〝木曽殿と背中合わせの寒さかな〟という芭蕉門人又玄の句のほか、芭蕉の辞世の句〝旅に病んで夢は枯野をかけめぐる〟など多くの句碑がある。また、巴御前を弔うために祭ったといわれる巴地蔵堂もあります。」といった内容が記されていた。

・大津事件

明治24年（１８９１）ロシア皇太子ニコライ親王が日本に来遊で4月に長崎に寄港、5月11日に琵琶湖を遊覧したロシア皇太子は、大津にて警護にあたっていた沿道警戒中の巡査津田三蔵に斬りつけられて負傷した。（詳細後述）

＊〝大津〟

そして大津市の中心街・国道１６１号にぶつかったところで左折し南方向に下っていく。ここは東海道と北国街道の分岐点で〝札の辻〟の石柱が建っている。右折すると琵琶湖西岸に沿って北に向かう。この〝札の辻〟周辺が〝大津〟の中心地だろう。きれいな四両連結の電車が目の前を走ってゆく。エー、こんな長い電車が路面を走るのと驚きながら、JR大津駅近くの西側を南に下っていく。

○地形的ポイント

〝大津〟は京都府との県境に近く、北の比叡山（848m）から南は音羽山（593m）、千頭山（602m）といった山々が連なっていて、JR湖西線は〝長等山トンネル〟、東海道本線は〝逢坂山トンネル〟、新幹線は〝音羽山トンネル〟を通っている。東海道は〝国道161号〟で〝逢坂山〟を経て京都市に向かう。

▽街道筋の詳細（**大津〜京都三条大橋**）

右に国道161号、左に京阪電鉄京津線の線路の間に挟まれた歩道区間を抜けると〝逢坂山〟の緩やかな上り坂にさしかかる。蝉丸神社上社の朱の鳥居を過ぎて大きく右に曲がりきると〝逢坂常夜灯〟の横に大きな〝逢坂山関址〟の石碑が建っている。

この逢坂山を上り切ると、いつの間にか国道1号に変わる。そして陸橋標示「大津市追分町」で左折し旧道∧35∨に入って西に進み、分岐点標示「右京都・左宇治」で右に入ると「京都市」の道路標識が建っている。

このあとJR山科駅前、京阪山科駅を通って道なりに進み、途中から狭い路地に入って日岡の小さな丘を上ると〝木食遺蹟・梅香庵址〟（亀ノ水不動）がある。ここは〝大文字山〟の麓を抜ける小さな峠で、緩やかな坂を下りていくと前方に〝京都市街〟が見えてくる。そして〝平安神宮〟の朱の鳥居が見える〝神宮道〟を横切り〝三条通り〟（県道∧37∨）を京都中心街に向かうと「直進・三条大橋」の大きな道路標示が出ている。

・亀ノ水不動
石穴に祀られた亀の口から水が石水鉢水に流れ落ちている。これは木食正禅養阿上人が元文３年（１７３８）東海道日ノ岡峠に梅香庵を営み、この井戸水で牛馬の渇きを癒し、道往く旅人に湯茶を接待したという。この道は旧東海道の古道のようだった。

※東海道の終点〝京都・三条大橋〟に到着！
東海道を歩いて３ヵ月弱、22日目の午後2時半過ぎに〝**京都・三条大橋**〟に着いた。この橋の手前に「高山彦九郎 皇居望拝之像」が建っていて、台座に「高山彦九郎 皇居望拝之像」と題した説明パネルが貼り付けてあった。ここに次のように記されている。
「江戸時代、ここ三条大橋は東海道五十三次の起終点にあたり、往時の都の出入口であった。今ここにある銅像は、高山彦九郎正之（一七四七年〜一七九三年）の姿を写したものである。高山彦九郎は、群馬県の出身である。十八歳の時以来、前後五回、この銅像の姿のように、京都御所に向かって拝礼した。
その姿は
〝大御門《おおみかど》その方《かた》向きて橋の上に
頂根《うなね》突きけむ真心たふと
橘 曙覧《あけみ》〟
と和歌に詠まれた。

明治維新を成就した勤皇の志士達は、彦九三郎を心の鑑と仰いだといわれる。後、明治の中頃の俚謡《りよう》、サノサ節には、
〃人は武士　気概は高山彦九郎　京の三条の橋の上　遥かに皇居を伏し拝み落つる涙は鴨の水〃　と謡いつがれた。
京都市観光部振興課
高山彦彦九郎大人顕彰会寄贈」

＊踏破の喜びをかみ締める

こうして東海道の終点〃京都・三条大橋〃に到着し、この入口に建つ「高山彦九郎 皇居望拝之像」の説明パネルを読んで〃京都・三条大橋〃を渡った。

鴨川に架かる三条大橋の欄干や擬宝珠が往時の面影と歴史を感じさせてくれる。しかし、人通りが多くゆっくり留まって喜びをかみ締める雰囲気になかったので、橋を行ったり来たりと何回も往復することで三条大橋に到達した実感と東海道踏破の喜びをかみ締めた。この〃三条大橋〃を渡ると、対岸の一角に〃弥次さん喜多さん〃像が建っている。

※京都市内散策（3月6〜7日）

事前に予約していたホテルでチェックインを済ませ、荷物を預けてからこの日は本能寺、紫式部邸宅址、京都御苑、二条城、二条陣屋を訪れ、翌日は大垣駅で途中下車し大垣城に立ち寄ってから帰宅する予定でいた。

＊本能寺

まず三条大橋近くの〝本能寺〟を訪れた。石柱「大本山 本能寺御池門」が建つ入口から入ると正面に大きな〝本能寺本堂〟がある。本能寺「由緒沿革」によると「史上有名な〝本能寺ノ変〟は天正十年六月二日、一代の英雄信長も光秀の不意襲撃を受け、当山の大伽藍と共に一辺の煙りと化した。時の本能寺は四條油小路にあり、秀吉の代寺領換地となり現在地に移転、信長の第三子信孝の願いにより、当山内に信長公廟所をまつる」とあった。（詳細後述）

この少し先に「信長公廟」と題した説明板が立っていて「広大な寺域で周囲に堀と土塁、その内部に七堂伽藍や多くの子院や厩舎を備えるという城郭構えになっていて、信長が常宿するにふさわしい都で随一の大寺院であった」と記されていた。この一画に〝本能寺変戦没者合祀墓〟があって、戦没者名と大きな宝篋印塔が建っていた。（詳細後述）

＊紫式部邸宅址（廬山寺）

京都市役所前を真っすぐ北に向かうと御所の横に〝廬山寺〟がある。〝紫式部〟はこの地で育ち、結婚生活を送り〝源氏物語〟を執筆している。この〝廬山寺〟は平安時代初期（天慶年中）に創建、廬山天台講寺とも称されている。

＊京都御苑

〝石薬師御門〟から〝京都御苑〟に入ったが、広々とした苑内を歩いているだけで荘厳な雰囲気が漂い、なにか日本の歴史の重みが伝わってくる。〝東京遷都〟まで皇居として使われた〝京都御所〟

を一回りし、あと徳川幕府が〝後水尾天王〟の中宮のために建てた〝大宮御所〟、徳川幕府が二条城の行幸御殿を移して造った〝仙洞御所〟を巡り、藤原鎌足を祖とする〝九条家の屋敷跡〟を通って堺町御門から京都御苑をあとにした。修学旅行で訪れているはずだが記憶のかけらも残っていなかった。

この日は京都御苑を訪れたあと〝三条大橋〟近くの「ホテルアルファ京都」に泊まった。夕食はホテルのレストラン。まずビールで祝杯し東海道踏破の喜びをもう一度じっくりかみ締めた。そして翌日〝二条城〟を訪れた。

京都御苑の南側丸太町通りを西に少し行くと〝二条城〟がある。京都観光のメッカといわれるだけあって午前9時前だったが、すでに入城門周りは修学旅行生で一杯だった。

＊二条城の概要

慶長8年（１６０３）、徳川家康が、天皇の住む京都御所の守護と将軍上洛の際の宿泊所とするため築城したもので、将軍不在時の二条城は、江戸から派遣された武士、二条在番によって守られていた。慶応3年（１８６７）に15代将軍慶喜が二の丸御殿の大広間で〝大政奉還〟の意思を表明したことは日本史上有名。（詳細後述）

このあと二条城の南方にある〝二条陣屋〟を訪れた。

＊二条陣屋（重要文化財 小川邸住宅）

寛文10年（１６７０）頃に創建されたもので、当家屋は、二条城や京都所司代に伺候する諸大名の陣屋として、また奉行所の公事宿としても利用されたので、ただの住宅ではなく忍者屋敷のように武者隠し、落とし階段など、隠れ場所や逃げ道が幾つもある特殊な構造・設備が施されているという。建築様式は数奇屋造りで極めて繊細、優美であり、建築学的価値も非常に高いとされている。

（説明板要約）

門内をちょっと覗くとこれらを思わせる土蔵造りの建物が伺えた。表門に表札が架かっているので今は民家のようだった。そして東本願寺に立ち寄ったあと、京都駅から東海道本線で大垣駅に向かった。

※大垣城を訪れる

大垣城は大垣市の中央、駅の南側を歩いて10分くらいのところにある。この城は牛屋川を天然の外濠に取り入れた要害堅固な平城で、天文４年（１５３５）宮川安定によって創建されたと伝えられている。その後城郭が増築され、天正16年（１５８８）豊臣秀吉が４層４階建の天守閣を完成させた。慶長５年（１６００）〝関ヶ原合戦〟では、西軍の本拠となり壮絶な攻防戦が繰り広げられている。

４層４階の天守閣は大きくて立派な容姿を誇っていて別名を巨鹿城《きょろくじょう》・麋城《びじょう》とも呼ばれ、その優美な容姿を４００年余り誇っていたが、昭和20年の戦災で焼失、その後、外観を昔そのままの容姿で復元されている。

天守閣の4階に上って大垣市内を見渡したが平地に建っているため遠くまでは望めなかった。大垣城跡を含む城郭は大垣公園になっている。

こうして東海道五十三次492kmの「みちの旅」を終え帰路についた。（完）

⑨［**ポイントの詳細説明**］（大津～京都&大垣城）

＊大津事件

明治24年（1891）ロシア皇太子ニコライ親王（ニコライ二世）が日本に来遊で4月に長崎に寄港、その後日本を縦断し5月末離日する予定だった。ところが5月11日に琵琶湖を遊覧したロシア皇太子は、大津にて警護にあたっていた沿道警戒中の巡査津田三蔵に斬りつけられて負傷。明治日本が直面した未曾有の政治的危機として事態処理に際し、裁判官、政府高官、天皇側近、天皇自身を含めた皇族が積極的に関わり、天皇自らが謝意を表明したことがロシア側に高く評価され、被害者の皇太子ニコライが事件に対して冷静に対処したこともあって、良好であった日露関係が悪化するという事態に陥らなかった。この事件によって、予定を早めて東京に立ち寄らず離日することになった。

＊高山彦九郎（1747～93）

上野国（現群馬県）出身の尊王家。諸国を歴遊し勤王を説いたが、筑後国（現福岡市）久留米で自殺した。蒲生君平、林子平とともに寛政の三奇人と称された。京都に遊説した時、三条大橋からはるかに御所を伏し拝み、皇室の哀微を嘆いたという逸話がある。その逸話に基づき、昭和3年三条大橋東詰に銅像が建設されたが、昭和19年に金属供出のため撤去された。現在の銅像は昭和36年に再建されたものである。この石標は昭和19年の銅像撤去にあたり、その遺跡を示すために建設されたものである。

＊本能寺〝由緒沿革〟

「當山の宗名は〝法華宗〟くわしくは〝妙法連華経宗〟という。宗祖日蓮大聖人の滅後百三十三年開基日隆聖人が法華宗の正義を再興せんが為、応永二十二年（一四一五）布教の根本道場として創建された。

史上有名な〝本能寺ノ変〟は天正十年六月二日、一代の英雄信長も光秀の不意襲撃を受け、当山の大伽藍と共に一辺の煙りと化した。時の本能寺は四條油小路に在り、秀吉の代寺領換地となり現在地に移転、信長の第三子信孝の願いにより、当山内に信長公廟所をまつる。現本堂は創建以来の第七建立、建築様式は鎌倉室町時代の粋を集め、およそ十ヶ年の歳月を費して昭和三年に完成、大正、昭和期に於ける我が国の代表的木造寺院建築といわれる。　大本山　本能寺」。（由緒沿革より）

＊信長公廟

「信長が光秀の謀反により無念の自刃をとげたのは天正十年（一五八二）六月二日早朝のことだった本能寺の変である。そのころの当寺は四条西洞院にあり四町四面の広大な寺域、周圍に堀と土塁、その内部に七堂伽藍や多くの子院や厩舎を備えるという城郭構えになっていて、信長が常宿するにふさわしい都で随一の大寺院であった。この大伽藍が烏有に帰し、光秀の天下もわずか十数日で終ったあと、信長の三男信孝は信長らの燼骨収集の作業をすすめ、本能寺の変から一箇月後の七月三日早くも本能寺を父信長の墓所と定めたこの信長の墓はこのとき信孝が建立したものである。此の御廟には、武将の魂とされる信長所持の太刀が納められている。當山識」。(説明板より)

＊二条城の概要

「二条城は1603年(慶長8年)、江戸幕府初代将軍徳川家康が、天皇の住む京都御所の守護と将軍上洛の際の宿泊所とするため築城したものです。将軍不在時の二条城は、江戸から派遣された武士、二条在番によってまもられていました。3代将軍家光の時代、後水尾天皇行幸のために城内は大規模な改修が行われ、二の丸御殿にも苅野探幽の障壁画などが数多く加えられました。壮麗な城に、天皇を迎えることで、江戸幕府の支配が安定したものであることを世にしらしめたものです。

慶応3年(1867)には15代将軍慶喜が二の丸御殿の大広間で〝大政奉還〟の意思を表明したことは日本史上あまりにも有名です。

二の丸御殿、二の丸庭園、唐門など、約400年の時を経た今も絢爛たる桃山文化の遺構を見ることができます。平成6年(1994)、ユネスコ世界遺産に登録された二条城は、徳川家の栄枯盛衰と日本の長い歴史を見つめてきた貴重な歴史遺産と言えます」。

(「世界遺産　元離宮二条城」より)

＊関ヶ原合戦（大垣城）

慶長5年（1600）関ヶ原合戦では石田三成は大垣城に入城して豊臣方西軍の本拠とし、ここから北西5㎞くらい離れた中山道沿い〝赤坂岡山〟に本陣を構えた東軍徳川方と壮絶な攻防戦が繰り広げられた。東軍徳川方の策戦におびき出され、遂に大垣城に兵7千5百人を残して関ヶ原に移動、両軍が関ヶ原の原野で一大決戦となった。関ヶ原本戦後も大垣城の攻防戦は3日3夜続き、城内に裏切りが出たため遂に落城。この戦いを契機に大垣城は〝戦いの城〟から〝行政の城〟に生まれ変わった。

東海道を歩いて（感想）

平成14年12月16日に日本橋を出発し、東海道492kmを22日間かけて、翌年3月6日に無事、京都・三条大橋に到着した。甲州街道、中山道と歩いてきたので要領も分かり予定通り歩けた。

◎さすがに東海道

東海道といえば国道1号のイメージが強かった。しかし、こうして歩いてみると旧東海道の標示が随所に出ていてほとんど迷わず歩けた。また思っていたより往時の街道の面影がよく残っている。歴史を語る史跡も多々残っていて〝さすがに東海道〟だと思った。

特に〝蒲原〟〝有松〟〝関〟〝土山〟には宿場時代の建物が数多く残っていて往時の面影を色濃く今に残している。特に〝江戸時代に迷い込んだような有松の町並み〟〝宿場時代の民家が続く関の町並み〟はすばらしいと思った。今も日本にこんな町があったの？と驚き、旧街道の情緒や旧家の風情を楽しみ、日本の木造建築の美しさを改めて知った気がする。

また街道筋には小田原城、（駿府城址）、掛川城、浜松城、吉田城、岡崎城、名古屋城、亀山城（多門櫓）といった多くの城がある。これらを見て歩くと戦国時代の国盗り物語（小説）をもう一度読んでみたくなった。

東海道は主要幹線道路としてよく整備されていて、今も往時の松並木が随所に残っている。特に〝舞坂〟の手前に３４０本続く〝旧東海道松並木〟〝御油～赤坂〟１・７km続く〝御油の松並木〟〝地鯉鮒〟手前の〝知立の松並木〟も見事で、歩いていても気持ちが良い。

◎ハイキングコースを楽しむ

東海道は海岸沿いの街道といわれるが、箱根峠をはじめ薩埵峠、宇津ノ谷峠、金谷峠～小夜の中山峠、鈴鹿峠など海岸線から離れた小さな峠越えがいろいろ含まれている。

これらはいずれもハイキングコースになっていて、特に箱根湯本から箱根峠を越え三島に至るコースは箱根旧街道（28km）のハイキングコースとして親しまれている。

また峠越えの道に多く見られる石畳道は大雨による路面の流失や崩壊を防ぎ、夏草やシダ類などの繁茂を抑えて道筋を確保するために施されているが、箱根旧街道の随所に残る石畳、そして金谷峠の〝金谷坂の石畳〟（延長４３０ｍ）は往時を偲ぶことができる数少ない一つと言われている。

◎川が多い東海道

〝川渡り〟を嫌った女性が中山道を多く利用したという。なるほど東海道は川が多い。今回渡った主な川に多摩川（舟）、鶴見川（橋）、帷子川（橋）、相模川（橋?・）、酒匂川（徒）、富士川（舟）、興津川（徒）、安倍川（徒）、大井川（徒）、天竜川（舟）、豊川（橋）、矢作川（橋）、堀川＊、庄内川＊、新川＊、日光川＊、木曽川＊、長良川＊、揖斐川＊、員弁川（橋）、野洲川（舟・橋）、草津川（橋）、瀬田川（橋）、そして京都の鴨川（三条大橋）がある。当時はさらに浜名湖の〝今切りの渡し（舟）〟が加わる。

右記文中の＊印は川渡りでなく〝海路七里の舟渡し〟に含まれる。この〝七里の渡し〟は室町時代から栄えていたようで、水量の多い木曽川、長良川、揖斐川の大河を渡る陸路を避け、伊勢湾に注ぐ7つの川渡りを含めた〝海路七里の舟渡し〟を本往還にしたのだろう。

文中の（徒）は川越人夫による徒歩渡り、（舟）は舟渡りを意味するが、江戸時代は川を利用し通行人を厳しく取り締まっていたようだ。

富士川、大井川、天竜川は川幅が広くて橋は長いが、名だたる急流だけあって水が流れる部分はそれほど広くない。一方、木曽川、長良川、揖斐川は橋が長くてしかも川幅いっぱいに水が満々と流れている。中学校の地理で川のことを学んでいるが、どこを流れているかは漠然としていた。今回、自分の足でこれらの川を渡っているので初めて知ったと言えるかもしれない。

◎ローカル線になった東海道本線

今回、ＪＲ東海道本線のほか名鉄名古屋本線、近鉄名古屋線、近鉄内部線、ＪＲ関西本線、ＪＲ紀勢本線を利用した。久しぶりに東海道本線に乗ったが、新幹線を使わずに名古屋まで行こうとすると結構苦労する。かつては直通の特急や急行があった。これらがブツブツ切りになって、今は熱海、静岡、浜松、豊橋で乗り換えせねばならない。しかも接続が極めて悪い上に、特急・急行がなく各駅停車に乗るしかない。時間がかかりすぎる時は新幹線（こだま）を利用せざるを得ない…。豊橋から快速が出ているのは、同路線を並行して走る名鉄名古屋本線と競合しているからだろう。かつての主要幹線・東海道本線もローカル線に変わってしまった。新幹線が通るようになって大都市は便利になったが、地元の人達にとっては不便になったのではないだろうか？

※東海道の道筋について

・参考文献『歩く旅　東海道を歩く　山と渓谷社』

・地形図（国土地理院　１／５万）

東京（東北・東南・西南部）、横浜、藤沢、平塚、小田原、平塚、沼津、吉原、清水、静岡、家山、掛川、磐田、浜松、豊橋、御油、岡崎、安城、知立、安城、名古屋南部、桑名、四日市、亀山、水口、近江八幡　京都（東南・東北・西南）（完）

第2章【鎌倉街道】

【鎌倉街道】のポイント（目次）

＊鎌倉街道の概要

鎌倉街道は徳川幕府が定めた江戸五街道のように、一つの定められた道があるわけではなかった。鎌倉幕府は有力御家人や豪族を諸国の守護、郷の地頭に任命し、一旦、鎌倉に異変が起こると、これら諸国の武者たちは手勢と共に武装して鎌倉に駆けつけた。これが〝いざ鎌倉〟この武者たちの駆け抜けた道が〝鎌倉街道〟だという。その後、奈良・平安時代の古官道を根幹に主要道を鎌倉往還といい上道（武蔵〜上州路）、中道（奥州道中）、下道（陸奥・上総《かずさ》）に分けて呼んでいる。

今回は鎌倉往還の上道（かみのみち）を高崎まで歩いた。この道は源頼朝が建久3年（１１８２）鎌倉に幕府を開いてから、天正18年（１５９０）後北条氏が滅びるまでの約４００年間、主要な道路としての役割を果してきた。

幕府成立とともに整備された中世の道といわれ〝武蔵武士〟を代表する畠山重忠をはじめ、新田義貞等名将たちが栄枯盛衰の物語を刻みつけた道でもある。道程は鎌倉から瀬谷、町田、所沢、武蔵国府（府中）を経て入間川、花園、児玉、高崎に至る158㎞。この鎌倉街道という名称は江戸時代になってからで、古くは信濃街道、奥州道、大道などと呼ばれていた。

◎地形&ルートの概要

〝鎌倉街道は〟地形的には三浦半島近くの〝鎌倉〟から所沢までほぼ北に向かう。そして関東平野の北西端に沿って緩やかなカーブを描いて〝高崎〟に至る単純なコースといえよう。

具体的には〝鎌倉・鶴岡八幡宮〟から西に進み化粧坂《けわいざか》から源氏山公園を経て〝北条氏常盤亭《ときわてい》跡〟を左周りに北西方向（藤沢市）へ。〝境川〟に出合ったところで境川に沿って北に向かう。そして厚木飛行場の東側を通って、町田駅近くで横浜線を横断して〝境川〟と分かれ、なおも北に向かう。町田市中心街を抜けて多摩丘陵を越え、多摩市ニュータウンの中心街を抜けて多摩川（関戸橋）を渡る。

そして〝府中〟の中心街を通って西武国分寺線から西武新宿線沿いを進み〝所沢〟で北西方向に向きを変え西武新宿線の狭山市駅近くで入間川を渡り、日高市・鶴ヶ島市から鳩山・嵐山・寄居・児玉の各町を経て神流川《かんながわ》を渡って藤岡市へ。さらに鏑川を渡ったあと烏川に沿って高崎市に至る。

（注）境川は武蔵／相模国境を流れる川で源流は相模原・町田・八王子の3市にまたがる草戸山。尚、このコースは文献『中世の道・鎌倉街道の探求』北倉庄一著（テレコム・トリビューン社）を参考

にした。

＊起点・鎌倉〝鶴岡八幡宮〟を出発

鎌倉駅前の広い道路に出て左に曲がると、正面に〝鶴岡八幡宮〟の赤い鳥居が見える。この鳥居から参道の桜並木を抜けると〝鶴岡八幡宮〟がある。ここに「鶴岡八幡宮」と題した次のような説明板が備えてある。

＊鶴岡八幡宮

「治承4年（1180）源頼朝が源氏再興の旗を挙げ、父祖由縁の地鎌倉に入ると、まず由比郷の八幡宮を遥拝し〝祖宗を崇めんが為〟現在地に奉遷し、京に於ける内裏に相当する位置に据えて諸整備に努めた。建久2年（1191）大火により諸堂舎の多くが失われたが、頼朝は直ちに再建に着手し大臣山《だいじんやま》の中腹に社殿を造営して上下両宮の現在の結構に整えた。以来、武家の守護神として北条・足利・後北条・徳川各氏も社領等の寄進、社殿の修造を行い篤く尊崇した」。（要約）

①街道筋の概要とポイント（鎌倉から瀬谷、町田へ）

＊鎌倉〝化粧坂〟を登って〝源氏山公園〟へ

〝鶴岡八幡宮〟で旅の安全を祈願してから、近代美術館の横を通って裏道の旧鎌倉街道に入ると一変して静かな住宅地に変わる。〝寿福寺〟を過ぎると大きな石が顔を出す山道にさしかかる。この登り口に〝化粧坂〟の碑文が建っている。昔、こんな道を馬で駆け上ったの？と想像しながら進むとまもなく頂上〝源氏山公園〟に着く。

広く開けた公園で真ん中に大きな〝源頼朝の坐像〟が建っている。そして〝北条氏常磐亭跡〟の遠く北側を巻くように西に向かう。

南側丘陵地に鎌倉時代の武家屋敷跡といわれる〝北条氏常磐亭跡〟（名勝天然記念物）がある。この遠く北側を巻くように西に向かう。この辺一帯はハイキングコースになっていて、登った反対側の道を下って〝山の上通り〟に出ると、藤沢方面の街や富士山が望める。

このあと、上町屋の〝天満宮〟を過ぎて柏尾川を渡るが、この辺は旧街道がなくなっていて分かりにくい。迷いながらも武田薬品工場の横を通って〝村岡城址公園〟に来ると城址碑文が建っていたが文字が薄くてよく読めなかった。

この先〝源頼朝〟が奉斎したという〝柄沢神社〟の脇に旧街道を思わせる石仏が並んでいた。途中で道が途切れるが、狭いところを通って旧街道に戻ると「鎌倉街道西の道」と題した説明板が立っていて〝新田軍の鎌倉幕府攻略〟の様子が次のように記されていた。

＊鎌倉街道西の道
「鎌倉街道西の道とも上の道とも言われるこの道は、鎌倉と地方を結ぶ重要街道の一つで、新田軍が鎌倉攻略に進撃したのはこの道と伝えられ、歴史ある古道である。

元弘三年（一三三三）五月八日新田義貞は上州新田庄の生品神社の境内で鎌倉幕府討伐のため挙兵した。はじめはその数わずか百五十騎だったが呼応するものが激増し、小手指原（所沢）、分倍河原（府中市）で幕府の大軍を撃破、さらに村岡（藤沢市）、洲崎（大船）で大勝し、鎌倉の包囲網に成功した。新田軍はついに稲村ヶ崎、極楽寺、化粧坂、巨袋、亀ヶ谷の各方面から鎌倉市中に突入し北条高時ら一族門葉八百七十余人が東勝寺で岳火の中に自刃、鎌倉幕府は滅亡した。ときに五月二十二日、源頼朝が鎌倉入りしてから百五十三年目のことである。平成二年十月吉日　大正地区歴史散歩の会、十周年記念建碑」。

＊〝瀬谷〞へ

この「鎌倉街道西の道」の説明板を読んだあと、のどかな旧道らしい道を歩いていると、珍しく昔風の建物があった。ここに「美濃口春鴻関係一括　二十三件（非公開）」と題した説明板が立っていて「江戸時代中期の相模を代表する俳人・美濃口春鴻の関係の資料が保存されている。春鴻は相模俳壇の長老として鴫立庵を後見しました。…」といった内容が記されていた。

現在地は、藤沢市から横浜市に入って新湘南バイパスを横断し〝境川〞沿い東側の道を北に向かっている。本興寺を過ぎて江戸時代、街道筋に商家が建ち並んでいたという柳明《やなみょう》地区を過ぎると、5

kmほど左（西側）に〝厚木飛行場〟があった。この南北に延びる滑走路の東側を〝境川〟に沿って北（原町田）に向かう。

そして相模鉄道〝瀬谷駅〟近くのガードを潜る左手前に延期式内社〝深見神社〟が、この少し先に明治40年創業という〝瀬谷銀行跡〟があった。

・深見神社

延喜式神明帳に相模国十三座の社と定められた古社で、「相模国十三座之内深見神社」の碑が建っている。この延期式内社は全国では３１３２社あるが、この制度の目的は天皇家の安泰と国の隆盛・五穀豊穣を祈願するというものであり、当時の国の中枢である天皇家と直接結びつくものであったという。（説明パネル／要約）

・瀬谷銀行跡

「明治40年代後半の頃は、養蚕業が隆盛をきわめ各所に製糸工場が設立され、養蚕業の最盛期でした。このような経済の好況を反映して、瀬谷銀行は明治40年（１９０７年）に創業され、30年にわたり地域金融事業の中心となり、実業界・政界に大きな影響を与えるとともに地域の発展に寄与しました。頭取小島家は代々政五郎を名乗り、江戸中期から中瀬谷村村役を務め、更に明治・大正・昭和の初期まで村行政に功績を残しました。　平成10年３月　瀬谷区役所」。

☆神奈川県／東京都の境界…？

そして東名高速道路に続いて国道２４６号、国道16号を横断し、境川に沿ってなおも北に向かう。町田駅手前でＪＲ横浜線を横断すると〝町田市中心街〟に入る。えっ、どうして〝境川〟を渡らずに東京都町田市に入るの…？

＊東京都町田市と神奈川県相模原市の間に〝境川〟が流れている。この川は古来より武蔵国と相模国の境界とされ、武蔵国が東京都、相模国が神奈川県になっても、その境目は引き継がれた。しかし、蛇行している川に沿って引かれていた都県境が、河川の改修工事で川の流れが真っすぐになっても、〝都県境だけ蛇行したまま残っているためという。この飛地になっている箇所が80カ所ほどあるらしい。

＊〝町田〟の入口近く〝菅原道真〟を祭った〝町田天満宮〟に立ち寄ると「天満宮の由来」と題した説明板に次のように記されていた。

＊天満宮の由来

「祭神は菅原道真公で平安時代初期に学問の名家に生まれ、文章、詩歌に優れた才能を示し、政治家としては右大臣にまでなった。立身出世をした人で学問、文化の神様として仰がれている。縁日は毎月25日とされているのは、菅公の誕生と他界の日がその日にあたるため。神紋の梅は菅公が好み愛された花。境内に牛の像があるのは菅公が丑年生まれで牛を大切にしたから。筆塚に使い古した筆を納める風習は菅公が書道の神としてあがめられているため」。（要約）

＊井出の沢古戦場

町田天満宮からＪＲ横浜線〝町田駅〟北口に出て小田急小田原線を横断し〝町田〟の中心街を抜けてなおも北に向かうと菅原神社がある。この境内の自然石に〝史蹟 井出の澤〟と刻まれた碑が建っていて、側に東京都指定旧跡「井出の沢古戦場」と題した次のような説明板が添えてあった。

「南北朝時代に発生した中先代の乱の古戦場。元弘３年（１３３３）に始まった後醍醐天皇による建武の新政は、武家を軽んじたため各地で武家の不満が高まり、かつて鎌倉幕府の執権を務めた北条氏の得宗である高時の子時行が反乱りの兵を挙げた。これが中先代の乱で、時行の軍は足利勢を破り鎌倉を占領したが、わずか20日余りで足利尊氏・直義の軍に鎮定された」。（説明板要約）

※〝鎌倉街道上道〟古道跡を歩く

義運寺を過ぎたあと、鎌倉街道（県道＜18＞）の〝今井谷戸〟交差点を右折すると小さな山（標高１２８ｍ）を通る〝鎌倉街道上道〟の古道が残っている。この古道入口近くに、新田義貞が鎌倉攻めの軍を進める途中、ここに井戸を掘ってこの水を軍馬に与えたと語り伝えられる〝鎌倉井戸跡〟と「七国山鎌倉街道の碑」と刻まれた標石があって、ここに「鎌倉井戸」及び「七国山」と題した説明が添えてあった。

歩いたのは一月末、落ち葉を踏み滲め明るい長閑なハイキングコースを20分ほど歩いて山を下り〝鶴見川〟を渡ると、このあと〝多摩丘陵地〟を越える道がつづくが、途中で途切れ、道を探しながら野津田公園の脇を通って、街道筋にある小野神社にたどり着くと、「小野神社の由来」と題した説明パネルが立っていて、次のように記されていた。

＊小野神社の由来

「小野路は鎌倉みちの宿駅として鎌倉と武蔵の国府の置かれた府中に通づる要衝の地にある。宿の入口にある小野神社は小野篁(たかむら)の七代の孫小野孝泰が武蔵の国司として天禄年間(九七二)頃赴任し、小野路のこの地に小野篁の霊を祀ったことに由来する。

小野篁は、平安時代前期の人で和漢に優れた学者で、学問の神様であり菅原道真の先輩にあたる。篁の孫小野道風は、平安時代を代表する書家で三蹟として有名である」。(以下省略)とあった。

このあと再び古道らしい道を辿って小さな丘陵地を超え、恵泉女学院大学のところで多摩ニュータウンの南端〝貝取大通り〟に出た。

義運寺の先から〝鎌倉古道〟を辿って多摩丘陵を越えたが、この道は史跡を巡る1時間半弱のすばらしいウォーキングコースだった。

①［**ポイントの詳細説明**］

＊神奈川県／東京都の境界？

東京都町田市と神奈川県相模原市の間に〝境川〟が流れている。この川は古来より武蔵国と相模国の境界とされ、武蔵国が東京都、相模国が神奈川県になっても、その境目は引き継がれた。しかし、蛇行している川に沿って引かれていた都県境が、河川の改修工事で川の流れが真っすぐになっても、都県境だけ蛇行したまま残っているためという。この飛地になっている箇所が80カ所ほどあるらしい。

＊菅原道真を祭った町田天満宮

町田市の中心街に着いたところで菅原道真を祭った町田天満宮に立ち寄った。「天満宮の由来」と題して次のように記されている。「祭神は菅原道真公（菅公）で平安時代初期に学問の名家に生まれ、文章、詩歌に優れた才能を示し、政治家としては右大臣にまでなりました。

大変に教養があり、立身出世をした人で学問、文化の神様として仰がれています。（受験生が学業成就を祈願し目的達成を祈ります。）縁日は毎月二十五日とされていますが、菅公の誕生と他界の日がその日にあたるためです。神紋は梅で菅公が好み愛された花です。境内にはよく牛の像がありますが菅公が丑年生まれで牛を大切にしたと伝えられます。亦筆塚に使い古した筆を納める風習のあることは菅公が書道の神としてあがめられているためです。このように伝統のある天満宮は昭和六十二年三月金森・西田の氏子と金森三丁目崇敬者の協力のもとに修復造営が行われ齋主の願意を遠く後世にまで伝承するものであります。拝詞

昭和六十二年三月大吉　天満宮総代」

＊鎌倉井戸

「鎌倉時代に掘られたものと言われ、新田義貞が鎌倉攻めの軍を進める途中、ここに井戸を掘り、この水を軍馬に与えたと語り伝えられている。井戸の深さは約四メートルあり、表土の部分は永い年月の間に崩れ落ちているが、地表から約一・五メートル下のローム層の部分には、下方に直径七〇センチメートル程の円筒形の井戸が原型のまま保存されている。この層から、汗のように滲み出た水が溜まるものと考えられる」。（説明板より）

＊七国山

「ここ七国山は町田市のほぼ中心部にあり海抜百二十米の山頂から七つの国（相模、甲斐駿河など）が見えたことからこの山の名がついた。山には南北に鎌倉古道が面影を残し又鎌倉井戸の遺構もある。山全域はクヌギ、コナラが主体の雑木林でスギ、ヒノキも混じる又多種類の山野草も自生する。この優れた環境を保全するため山頂部（七国山自然苑）は町田市が周囲10ヘクタールは東京都が緑地保全地域に指定し共に美しく優れた環境の山の保全に努めている。然し心無き人による不用品投棄や来山者のゴミ類の捨て帰りはこの七国山の環境破壊ともなります。皆様の理解とご協力をお願いいたします。七国山自然を考える会　町田かたかごの森を守る会」。（説明板より）

②街道筋の概要とポイント

（町田から関戸、府中、分倍河原、国分寺、東村山、所沢、日高、鳩山〈笛吹峠〉、嵐山、寄居、児玉、藤岡、高崎）

◎地形＆ルートの概要

このあと北に向かって多摩ニュータウンの真ん中を通り抜けたあと、多摩市を流れる〝乞田川〟に沿って北北東へ。そして多摩川に合流する手前で〝関戸橋〟を渡る。

〝鎌倉街道〟はこのあとＪＲ武蔵野線に沿って北に向かう。北府中、西国分寺を経たあとＪＲ武蔵野線は地下に潜るため〝西武国分寺線〟の東側１㎞程離れた道を北に向かう。

途中〝玉川上水〟を渡り、ブリヂストン東京工場を迂回したあと小平市、東村山市へと〝西武国分寺線〟から〝西武新宿線〟に沿って北に向かい所沢市に入ったところで〝西武新宿線〟に沿って北西方向に向かう。そして狭山市〝航空自衛隊入間基地〟東脇を通って西武新宿線〝狭山市駅〟近くで〝入間川〟を渡り、関東平野の北西端、日高市・鶴ヶ島市を経て〝鳩山〟から〈笛吹峠〉を越え、東武東上線の嵐山駅近くを横断したあと市野川に沿って北西に向かう。関越自動車が東側に並行して走っている。

そして〝寄居〟で荒川を渡り、川沿いを少し歩いた後、国道１４０号と秩父鉄道を横断し、北西方向に左カーブしながら八高線（用土駅手前近く）を横断する。

この後、国道２５４号と所々で交差・合流しながら八高線の〝児玉〟駅近くを通って八高線沿いの田園地帯を抜けて神流川にぶつかると最寄の藤武橋を渡り埼玉県から群馬県に入る。

なおも北西方向に向かって藤岡市の南郊外を抜け、鮎川を渡って上信越自動車道と国道２４５号を横断して北に向かうと鏑川《かぶらがわ》にぶつかる。近くの鏑川橋を渡り、続いて烏川《からすがわ》（一本松橋）を渡って烏川沿いを北に向かうと終点〝高崎〟の城下町に到着する。

※鎌倉時代の遺跡が残る関戸・分倍河原

▽街道筋の概要①（関戸から府中、分倍河原、国分寺）

鎌倉〝鶴岡八幡宮〟で旅の安全を祈願してから、多摩ニュータウンを通り抜けて〝**関戸**〟に着くと「都史蹟 霞ノ関南木戸柵跡」碑が建っていて、次のような説明パネルが添えてあった。

＊霞ノ関南木戸柵跡

「鎌倉時代の建暦三年（一二一三）に鎌倉街道が設けられた木柵の関で、街道沿いに設置された監視所の跡と考えられる。なお、中世の関所跡として既に地名にも関戸と称せられ歴史上貴重な史跡である。柵跡地は熊野神社境内参道に平行し、地表下三〇—四五センチのところに、およそ四五センチの間隔に丸柱（直径二五センチ）の痕跡十六があり、道路の東側にも六、七ヶ所丸柱の跡が認められる。　平成五年三月三一日　建設　東京都教育委員会」

そして「この付近は、鎌倉時代の建暦三（一二一三）年、鎌倉街道に置かれた関所跡で、熊野神社参道に沿って関所南側の木戸と柵跡が発見された。数少ない中世の関所跡として貴重である」との説明パネルに続いて「関戸古戦場跡」の標柱がひっそりと建っていた。このように〝関戸〟の地名が今もしっかり残っていた。

＊〝分倍河原古戦場跡〟へ

そして〝大栗川〟〝多摩川（関戸橋）〟を渡って中央自動車道を潜ると「分倍河原古戦場」の大きな碑が建っている。ここに「分倍河原古戦場」と題した次のような説明板が添えてあった。

「元弘3年（1333）5月、新田義貞は執権北条高時を鎌倉に攻めるため、上野、武蔵、越後の兵を率いて上野国新田庄から一路南下し、小手指ヶ原で北条方の副将長崎高重、桜田貞国を破り、さらに、久米川の戦いで優勢に立った。北条方は分倍に陣を敷き、北条泰家を総帥として新田勢を迎撃。新田勢は敗れて所沢方面に逃れたが、新田勢に三浦義勝をはじめ相模の豪族が協力し分倍の北条勢を急襲。これを破って一路鎌倉を攻め22日に鎌倉幕府は滅亡した」。（要約／詳細後述）

このあと、近くの〝分倍河原駅〟に立ち寄ると〝新田義貞〟が刀を振りかざした大きな「新田義貞公之像」が建っていて、碑文冒頭に「この像は新田義貞と北条泰家の軍勢が鎌倉幕府の興亡をかけて火花を散らした分倍河原合戦を題材に、武士の情熱と夢をモチーフとして制作したものである」と記されていた。

そして街道筋に戻ってＪＲ南武線を渡ると〝義経〟ゆかりの〝高安寺〟があった。

＊〝義経〟ゆかりの〝高安寺〟

当山略縁起によると「往古の頃、田原藤太秀郷公の館跡といわれ、その後に見性寺が建立されたと伝えられている。しかし後に〝足利尊氏〟が将軍となるやこの寺を改め〝安国利生〟の祈願所として龍門山高安護国禅寺を再建した。これは尊氏が全国に建立した安国寺の一つで、武蔵国のそれが当山である」。と記されていた。

ここに「見性寺と呼ばれた頃の事。義経は兄頼朝の怒りにふれ〝腰越〟まで来たが、鎌倉入りは許されなかった。やむなく京都へ帰る途中、暫く見性寺に足どめし、弁慶等と赦免祈願のため〝大般若経〟を写したという。その時裏山から清水を汲み取ったので〝弁慶硯の井〟の遺跡がある」。と付記されていた。

※鎮護国家を祈願して創建された史蹟〝武蔵国分寺跡〟

このあと〝府中街道（県道＜17＞）〟に合流し〝東芝府中工場〟を過ぎると、右手少し離れたところに「史蹟 武蔵国分寺跡」碑が建つ広い跡地があった。このすぐ北に〝武蔵国国分寺〟があり、〝府中街道〟を挟んだ反対側に、きれいに整備された〝国分寺市立歴史公園〟があった。ここに「史跡 武蔵国分尼寺跡」碑が建っていて、各々説明板が添えてあった。個々詳細は次の通り。

＊武蔵国分寺跡（国史跡）

「天平13年（741）の聖武天皇の詔《みことのり》により、鎮護国家を祈願して創建された武蔵国分寺は発掘調査によって東西720m、南北550mの寺地と、寺地中央北寄りの僧寺寺域（360～420㎡）および寺地南西隅の尼寺寺域（推定160㎡）が明らかになり、諸国国分寺中有数の規模であることが判った」。（説明パネル／要約・詳細後述）

＊武蔵国国分寺

江戸時代の建築様式をとどめているという〝国分寺楼門〟をくぐると国分寺本堂、木造薬師如来坐像（重要文化財）が安置されている〝国分寺薬師堂〟、宝暦年間（1751～63）に建立された〝仁王門〟とつづく。

＊武蔵国分尼寺跡（国史跡）

「奈良時代中頃、聖武天皇の詔《みことのり》により鎮護国家を祈願する官立寺院として国分寺（僧寺）とあわせて国分尼寺が国ごとに建立された。尼寺の正式名称は〝法華滅罪之寺〟と定められた。よるところの〝法華経〟は女人成仏を説いており、尼寺の成立には女人救済を願う光明皇后の意向が大きく働いたものとも考えられている。武蔵国では国府（現府中市）の近くで、国分寺崖線を背にして南面する当地が好処として選ばれ、東山道（武蔵路）の西に尼寺、東に僧寺が配置された。以下省略」。（詳細後述）

▽街道筋の概要②（国分寺～所沢）

〝国分寺〟の〝市立歴史公園〟をあとに、わずかに残る〝鎌倉街道〟の〝切り通し〟の道を通ってＪＲ中央本線（西国分寺駅）を横断し、旧鎌倉街道の小路に戻ると街道脇に〝恋ヶ窪用水〟が流れている。そして〝玉川上水〟に架かる〝鎌倉橋〟を渡り〝西武国分寺線〟に並行するように北に向かう。小平市で青梅街道を横断し〝ブリヂストン東京工場〟を迂回すると東村山市の〝九道の辻〟に出る。

ここに〝九道の辻〟〝野火止用水〟及び〝新田義貞〟が鎌倉攻めの際、この〝九道の辻〟にさしかかり、どれが鎌倉への道なのか迷ったので一本の桜の木を植えさせて道しるべにしたという〝迷いの桜〟の説明板が立っていて〝野火止用水〟の放流口があった。

＊個々詳細は次の通り。

・恋ヶ窪用水

「武蔵野は古くから水に乏しく、飲み水・水田用水の確保に苦労していたが、玉川上水が承応3年（１６５３）に完成。その後、国分寺村分水、小川村分水（現小平市内）が引かれ、わずかながら水の恩恵に浴するようになった。この恋ヶ窪用水は水田用に分水した国分寺村分水の一部で、約３００年にわたって用水の役割を果たしてきました」。

今も幅１ｍの用水路に水が流れている。（説明板／要約）

・九道の辻

「ここ九道の辻は、旧鎌倉街道のほぼ中間で、鎌倉へ72㎞、前橋へ72㎞の地点にあった。そして鎌倉街道、大山街道、奥州街道、秩父道、江戸道など9本の道が、この地に分岐していたことから九道の辻という名がついたもので、この辻の付近は、野火止用水が開通されるまで、広漠たる原野の中にあったといわれる。明治以降の交通機関の発達にともなう道路の改変は、この辻にも例外なく、往時の九道の辻の姿は今は全く消え失せてしまった」。(要約)

・野火止用水

「玉川上水から水を引き、新座市野火止まで約30キロに及ぶ用水路を明暦元年(1655)に完成、大和田、志木地方の稲田を潤し、移り住む人が増加したという。松平伊豆守が造ったので伊豆殿掘ともいわれている。この辻付近は、野火止用水が開通されるまで広漠たる原野の中にあったといわれている」。(詳細後述)

・迷いの桜

「大正の頃に枯れてしまったが、昭和55年に苗木を植え、後の世に、迷いの桜の名を伝えようとするものです」。と記されていた。

▽〝九道の辻〟を後に、西武国分寺線に沿って北に向かう。東村山駅(西武新宿線)を過ぎ、〝八坂神社〟の先で左の狭い路地に入ると、〝旧蹟鎌倉古道址〟と手書きの標柱が立っていて、そのまま進むと〝元弘の板碑〟を保存しているという〝徳蔵寺〟があった。

〝**所沢**〟に入ると、所々に〝旧鎌倉街道〟の石柱が建っていて、中心街近くの新光寺〟に立ち寄ると「源頼朝が那須野に鷹狩り行く途中ここで昼食をとった。また〝新田義貞〟が鎌倉攻めの途上必勝を祈願した」。等々、鎌倉街道にまつわる歴史が記されていた。

〝所沢市中心街〟を過ぎて〝西武新宿線〟に沿って北西方向〝狭山市〟に向かうと〝入曽駅〟を過ぎた先に古代の井戸〝七曲井〟があった。個々詳細は次の通り。

・元弘の板碑（重要文化財）

「元弘３年（１３３３）５月８日、上州（群馬県）生品神社において討幕の兵を挙げた新田義貞は、鎌倉街道に沿って進み小手指原で最初の合戦をし、続いて久米川の戦い、分倍河原の合戦、相洲村岡の合戦、21日稲村ヶ崎の合戦に勝利をし、５月22日遂に鎌倉の北条氏を滅亡させた。徳蔵寺板碑保存館に安置されている〝元弘の碑〟は、小島法師が著したといわれる〝太平記〟の記述を裏づけるように、合戦の場所と新田の将士、討死者名が刻まれていて、戦史を実証している板碑として有名だという」。（碑文要約／原文後述）

・七曲井（ななまがりのい）

「この井戸は、下におりる道が、上部では階段状をなし、中央部ではイナズマ型に曲がり、底近くでは回り道になっている。井筒部は、玉石で周囲を組んだ中に松材で井桁《いげた》が組まれている。このようなすり鉢状の形は、武蔵野台地に残る数少ない漏斗状井戸（マイマイズ井戸）の典型といえるらしい」。（狭山市／説明板より）

◎地形&ルートの概要（所沢～狭山、日高、鶴ヶ島、～鳩山へ）

このあと〝航空自衛隊入間基地〟の東側を沿うように〝西武新宿線〟と共に北西に向かう。狭山市駅構内を通って〝西武新宿線〟を横断。続いて〝国道16号〟を渡り〝入間川〟を渡って〝狭山市〟をあとに北北西方向に〝日高市〟から〝鶴ヶ島市〟を経て〝鳩山町〟へと向かう。

地形的には〝狭山市〟をあとに〝秩父山地〟が迫る〝関東平野〟の北西部分の外れ辺りで東西に走る〝川越線〟を渡った辺りから、おおよそ〝JR八高線〟沿いに〝高崎市〟に向かう。

入間川を渡って狭山市郊外を抜けると紐で繋げられた牛が15頭ほど日向ぼっこをしている牛舎を眺めながら長閑な郊外を抜けて〝圏央道〟のガードを潜ると「鎌倉街道上道碑」と刻まれた大きな標石が建っていた。この後ろに〝鎌倉街道〟の全体ルートが記された「鎌倉街道上道」と題した日高市教育委員会の大きな説明板が添えてあって、次のような内容が記されていた。

＊鎌倉街道上道

「かつて、新田義貞の軍が菅谷から市内女影を通って入間川を越え、小手指原などで鎌倉方と戦ったが、この上道を進軍したとされている。また、北条時行が信濃に挙兵し、鎌倉を足利勢から奪回するため市内〝女影ケ原の戦い〟で勝利し、多摩町田に軍を進めたのもこの鎌倉街道上道」。とあった。（詳細後述）

そして霞野神社の脇に立つ「女影ケ原古戦場の記」の説明板と碑が建っているのを確かめた後、JR川越線を横断し元飛行場跡という大規模な茶畑（女影新田～駒寺野新田）を通って北に向かう。

日高市から鶴ヶ島市に入ると、「鎌倉街道（上道）」と題した鶴ヶ島教育委員会の説明板が立っていて次のように記されていた。
「鎌倉幕府成立とともに整備したと伝えられる鎌倉街道は、武蔵武士を代表する畠山重忠をはじめ、多くの武将達の栄枯盛衰の物語を伝える道として知られている。ここの南北に掘割り状になっている所は、鎌倉街道上道と伝えられる古道の跡で、市内にはこの他、鎌倉街道と呼ばれるいくつかの枝道が通っている。なお、鎌倉街道という名称は江戸時代になってから使われはじめたと考えられており、古くは信濃街道、奥州道、大道などと呼ばれていた。（鎌倉街道上道経路図省略）
　平成五年三月三十一日　鶴ヶ島市教育委員会」。

　そして鎌倉街道の東武越生線〝西大家駅〟がある小さな集落を過ぎると、見通しの良い草原が広がる道がつづく。そして高麗川を渡ると、このあと〝毛呂山町〟中心街から7㎞程東に離れた北北西の小路を〝鳩山町〟に向かう。途中、最近作られた新しい「歴史の道　鎌倉街道上道」の案内板が立っていて、そのまま小路を進むと雑木林の一角に経典の偈文《げもん》等が刻まれた〝延慶板碑〟が建っていた。
　そして越辺川《おっぺかわ》を渡って立派な県道＜41＞に合流すると円正寺入口に〝雲板《うんばん》〟の説明パネルが立っていた。そしてバス停〝今宿〟を過ぎるとまもなく「鳩 山 町」と記されたアーケードタイプの町名標識の下を潜って〝**鳩山**〟に入る。少し行くとコンクリート板に埋め込まれた「鎌倉街道（上道）

のみちすじ」と題した説明板が立っていて現在地〝鳩山〟から〈笛吹峠〉を越え〝嵐山〟〝寄居〟〝児玉〟へと北西方向に向かう略図が描かれていた。

＊個々詳細は次の通り。

・延慶板碑

延慶3年（１３１０）建立のもので延慶板碑と呼ばれている。形状は板状に加工した石材の頭部が尖った山形で、塔身部に種子や被供養者名、供養年月日、供養内容などが刻まれている。種子とは仏像の姿を表す代わりに梵字（サンスクリット語）を組み合わせて定められた象徴文字を表すもので、仏像と同じように崇拝の対象になっている。卒塔婆は略して塔婆ともいい、故人を供養する仏塔を意味している。一般的にはお墓の後ろに立てる塔の形をした縦長の木片のことをいっている。

・雲板

禅宗とともに鎌倉時代に中国より伝来した仏法具で、青銅や鉄でつくられ（鋳造品）、主に禅宗寺院の庫裏・食堂などに懸けて食事の合図などに打ち鳴らされた。（説明板／要約）

◎地形&ルートの概要（鳩山～〈笛吹峠〉～嵐山～寄居～児玉へ）

〝鳩山〟から〝笛吹通り〟のカラー舗装道を進み、15分ほどで〈笛吹峠〉（標高80ｍ）に着くと〈笛吹峠〉の説明パネルが立っていて、次のような内容が記されている。

「この峠を南北に貫く道が旧鎌倉街道で、かつて、数多くの武士団等行き来した所であった。正平

7年（1352）閏2月、新田義貞の3男、義宗等が宗長親王を奉じて、武蔵野の小手指が原で足利尊氏と戦ったが、最終的に結末がついたのがこの峠の地であった。新田義宗等は越後に落ちて行き、足利尊氏はこれ以後関東を完全に制圧していった」。（要約／詳細後述）

〈笛吹峠〉をあとに明光寺を過ぎて〝嵐山〟に向かうと、途中に「縁切り橋」と題した説明板が立っていて、次のような内容が記されていた。

「征夷大将軍坂上田村麻呂が、軍勢を引き連れてこの地に滞在、岩殿の悪龍退治の準備に忙殺されていた時に、将軍の奥方が京都から心配のあまり尋ねてきたという。しかし、坂上田村麻呂は〝上の命令で征夷大将軍として派遣されている我に、妻女が訪ねるとは何事だ逢わぬぞ〟と大声でどなった。この時のやりとりが記されていて、それからこの橋は縁切橋といわれ、この地の人は縁起をかついで今でも新郎新婦を通さぬことにしているそうである」。

そして大蔵館跡を過ぎて都幾川《ときがわ》を渡り、東武東上線〝武蔵嵐山駅〟を過ぎて**〝嵐山〟**に入るが、この先〝寄居〟への道筋が不明なため、最寄の県道〈296〉を1時間半近く歩いて**〝寄居〟**に着いて木造地蔵菩薩立像が安置されている地蔵堂近くに来たところで、農家の人に道を尋ねて目印としていたお寺〝普光寺〟になんとか辿り着いた。立派な門構えの神社で、入口に「普光寺・鎌倉街道」と題した説明板が立っていて次のような内容が記されていた。

＊普光寺・鎌倉街道

「当山は天台宗に属し、当町内五十数寺中最古の寺である。境内東端に鎌倉街道の遺構が現存するこの街道は〝上の道〟と称され、上州信州を結ぶ要衝で境内を通ったため、旧来の道巾で遺されている。これを北行すれば荒川に至るこの坂を山王坂と称し、その昔伝教大師が開かれた比叡山に倣い、山王権現を祀った名残である。荒川の渡しを〝山王の渡し〟と称し大沢半左衛門が関守をしていたので〝半左の渡し〟とも称される。南岸西の字名を半左瀬東を山王と称されている」。（説明板/要約）

この寺の横に「史跡〝鎌倉街道〟上道」の手書き標柱が建っていたので、先に進んでみると紐で通せんぼされていたが、迂回しこの延長線を辿っていくと〝鎌倉街道上道〟の説明パネルが立っていた。道幅5ｍくらいの掘割状の古道らしい道が通じていたのでそのまま進むと「鎌倉街道上道」の標柱が立っていて、10分ほどで荒川に通じる舗装道に出た。

この部分は鎌倉街道の遺跡が現存する〝掘り割状の古道〟の一部分で、反対側から入る人のためなのか、途中にも〝鎌倉街道上道〟と題した同じ説明板が据え付けてあった。（詳細後述②）

▽この後、荒川の〝山王の渡し跡〟に出るので、上流の〝花園橋〟を渡り、川沿いの畦道を上流に向かって1時間近く歩いて〝お茶々が井戸〟のところで畦道から県道＜175＞に出て〝秩父鉄道〟さらに〝八高線〟を渡って〝国道254号〟に合流する。そして〝天神川〟を渡ったあと旧道に戻って美里町〝広木集落〟に着くと、岩石で囲まれた井戸、史蹟〝曝井〟（さらし井）があった。このあと〝みか神社〟を過ぎて小山川を渡り国道254号に沿うように北西方向〝**児玉**〟の中心街に向かう。

＊個々詳細は次の通り。
・お茶々が井戸
「この井戸は通称〝於茶々が井戸〟という。ここ鎌倉街道端に位置し、鎌倉時代旅の人々が休息する茶店が一軒あって〝於茶々〟という美人の娘がいてお茶の接待をしたので〝於茶々が井戸〟といったと言い伝えられている。しかし古文書によれば、この茶店には〝ちょう〟という、客あしらいの上手な美しい娘がいて、街道筋で大変評判となり繁盛したので、〝お茶屋の井戸〟と呼ばれたとの記録もある。（町田家蔵書）
　井戸はあまり深くはないが、どんな干天でも枯渇したことがないといわれ、この水を汲みほすと雨を招くということで、干害に苦しむ年には雨乞いのために、村人が総出で、水を出したものであったという。花園町教育委員会」（説明パネルより）
・史蹟〝曝井〟（さらし井）
「さらし井は、大字広木の粉木川の端に岩石で囲まれた井戸。往古、織布《しょくふ》を洗いさらすために使用した湧水で、ここでさらされた布は、多く調庸布《ちょうようふ》として朝廷に献納されたと伝えられる。美里町教育委員会」（説明板・要約／詳細後述）
☆埼玉／群馬県境〝神流川〟を渡る
　そして〝児玉駅〟近くを通って八高線を横断し、堀川（雀の宮橋）を渡ったあと八高線に沿って田園地帯を抜けて〝神流川〟に突き当たったところで、最寄といっても４㎞ほど下流の〝藤武橋《とうぶはし》〟

を渡って埼玉県（本庄市）から群馬県（藤岡市）に入った。そして〝神流川〟の対岸近くに戻ると〝葵八幡の板碑〟が左右に2基建っていて、説明板に次のように記されていた。

「向かって右が〝應長元年六月〟紀年銘と判読できる阿弥陀三尊種子像の板碑。向かって左が阿弥陀一尊立画像の板碑である。これら阿弥陀仏の尊像は蓮弁の台座の上にあり、大日如来のように光背を有している。二基は同時代の一三〇〇年代初頭のものと位置付けられる。なお、板碑の素材は鮎川産の緑色片岩である。藤岡市教育委員会」。（説明板より）

　このあと藤岡市南西側の農村を北西方向（高崎市へ）に突っ切っていく。所々で旧街道が途切れるが、街道筋に戻ると道祖神や道標、馬頭尊等が建っているので有難い。道祖神は道路の悪霊を防いで旅人を守護する神、馬頭尊は馬の守護神。


　そして〝鮎川〟を渡ると石仏が並ぶ一角に、浅間山大爆発の模様とその被害状況を記した〝千部供養塔〟が建っていて、次のような説明板が添えてあった。

「碑文は天明三年七月（一七八三年）の浅間山大爆発の模様とその被害状況（各地の降灰量や凶作による諸物価の高騰など）を刻んだ供養塔で、当時の記録として貴重な金石文である。なお、碑は大爆発から九年後の寛政四年三月（一七九二）、旗本松平忠左衛門の代官で当地の斎藤八十衛門雅朝《さいとうやそえもんまさとも》の建てたものである」。（詳細後述）

　そして上信越自動車道のガードをくぐると、街道脇の小高い丘に〝白石稲荷山古墳〟があった。前方後円墳で5世紀前半に造られた東日本を代表する古墳の一つだという。この少し先に三段築成の前方後円墳〝七興山古墳〟があった。こちらは６世紀前半のものらしい。いずれも国指定史跡だった。

そして鏑川《かぶらがわ》を渡って高崎市に入り、高崎商科大学の前を通って烏川《からすがわ》を渡ると鎌倉時代の歌人・藤原定家を祭神とする定家神社がある。そして佐野の船橋歌碑（万葉歌碑）等を過ぎて琴平神社に来ると、国道17号、新幹線、上越電鉄が交わる公園の一角に「鎌倉街道記念碑」が建っていた。

※鎌倉街道の終点〝高崎〟に到着！

この〝鎌倉街道記念碑〟に次のように記されていた。このあと〝高埼城址〟を訪れた。

＊鎌倉街道記念碑〟

「源頼朝が征夷大将軍に任ぜられて、鎌倉での幕府政治が始まると、関東各地から鎌倉への道がしだいに開かれていった。はじめ、この道は〝鎌倉往還〟と呼ばれていたが、のち江戸時代になって〝鎌倉街道〟と呼ばれるようになった。高崎からから鎌倉への道は、藤岡、児玉、寄居、今市を経て笛吹峠を越え、入間川を渡り、所沢、久米川、国分寺市恋ヶ窪、府中、多摩市関戸、町田、横浜市瀬谷、藤沢市渡内を経て化粧坂から鎌倉入りするものであった。この道は、建久三年（一一九三）頼朝の入間野の狩や、元弘三年（一三三三）新田義貞鎌倉攻めの進路にもなった。

高崎の古名〝和田〟時代の絵図によると、和田城の北に金井宿、南に馬上宿と興禅寺があった。鎌倉街道は出水や大火により、また時代によりたびたび変化したようであるが、馬上宿から興禅寺を廻り今の若松町、愛宕神社脇を経て竜見町、下和田、新後閑のこの地を通り一つは佐野、倉賀野方面へ、一つは烏川を渡って根小屋、山名方面へ向い、それぞれ藤岡に至ったと推定されている。新らしい都市計画事業が起されるたびに、古い地名や、地割りや、道路などが消えていく中にあって〝いざ鎌倉〟への道が、この地に現存、生き続けていることは貴重である。撰文 田島桂男」。（碑文より）

＊高崎城址（跡地は城址公園になっている）

高崎市中心街の高崎駅前通りを渡ると官庁街の一角に〝高崎城址〟がある。この高崎城は、慶長3年（1598）、徳川家康の命を受けた箕輪城主・井伊直政によって築城。郭内だけでも5万坪を越える広大な城郭だった。現在、城下町の面影を残す東門、乾櫓、お堀が残っている。武器や食料の収蔵庫で、ここから敵に矢や鉄砲を射かれたという乾櫓は県内に現存する唯一の城郭建築と言われている。東門前に「高崎城東門の由来」と題した説明板が立っていて次のように記されている。

＊高崎城東門の由来

「高崎城十六の城門中、本丸門（萑門）刎橋門《はねばしもん》、東門は平屋門であった。そのうちくぐり戸がついていたのは東門だけで通用門として使われていた。この門は寛政十年正月（一七九八年）と天保十四年十二月（一八四三年）の二度、火災により焼失し、現在のように建て直されたものと考えられる。くぐり戸は乗篭が通れるようになっている。門は築城当初のものよりかなり低くなっており、乗馬のままでは通れなくなっている。この門は明治のはじめ、当時名主であった梅山大作氏方の門となっていた。

高崎和田ライオンズクラブは、創立十周年記念事業としてこれを梅山氏よりゆずりうけ復元移築し、昭和五十五年二月、市に寄贈したものである。昭和五十五年三月　高崎市教育委員会」。

②［ポイントの詳細説明］

＊霞ノ関南木戸柵跡（東京都教育委員会／説明板より）

「鎌倉時代の建暦三年（一二一三）に鎌倉街道が設けられた木柵の関で、街道沿いに設置された監視所の跡と考えられる。なお、中世の関所跡として既に地名にも関戸と称せられ歴史上貴重な史跡である。柵跡地は熊野神社境内参道に平行し、地表下三〇～四五センチのところに、およそ四五センチの間隔に九柱（直径二五センチ）の痕跡十六があり、道路の東側にも六、七ヶ所丸柱の跡が認められる」。

＊分倍河原古戦場

「文永（一二七四）、弘安（一二八一）の役を経験した頃、北条執権政治は根底からゆるぎ御家人救済の方法として徳政令を発布したが、これがかえって政権破滅の速度を早めた。元弘三年（一三三三）五月、新田義貞は執権北条高時を鎌倉に攻めるため、上野、武蔵、越後の兵を率いて上野国新田庄から一路南下し、所沢地方の小手指ヶ原で北条方の副将長崎高重、桜田貞国を破り（五月十一日）、さらに、久米川の戦で優勢に立った。北条方は分倍に陣を敷き、北条泰家を総帥として新田勢を迎撃した。新田勢は破れて所沢方面に逃れたが、この時、武蔵国分寺は新田勢のために焼失させられたという。その夜（五月十五日）、新田勢に三浦義勝をはじめ相模の豪族が多く協力し、十六日未明再び分倍の北条勢を急襲し、これを破って一路鎌倉を攻め二十二日に鎌倉幕府は滅亡した。　平成十年三月　建設　東京都教育委員会」。（説明パネルより）

＊武蔵国分寺跡（国史跡）

「天平十三年（七四一）の聖武天皇の詔（みことのり）により、鎮護国家を祈願して創建された武蔵国分寺は昭和三十一年以来の発掘調査によって東西七二〇メートル、南北（中軸線上）五五〇メートルの寺地と、寺地中央北寄りの僧寺寺域（推定三六〇〜四二〇メートル四方）および寺地南西隅の尼寺域（推定一六〇メートル四方）が明らかになり、諸国国分寺中有数の規模であることが判りました。さらに、この中で寺地・寺域は数回の変遷があることが確認されています。

また、僧寺では諸国国分寺中最大規模の金堂をはじめ講堂・七重塔・鐘楼・東僧坊・中門・塀・北方建物、尼寺では金堂（推定）・尼坊・中門（推定）などが調査されています。

武蔵国の文化興隆の中心施設であった国分寺の終末は不明ですが、元弘三年（一三三三）の分倍河原の合戦で焼失したと伝えられています。

史跡指定地域約十万平方メートルは、現在、史跡公園の整備に向けて土地の公有化を進めていま

す。 平成八年一月 国分寺市教育委員会」（説明パネルより）

＊武蔵国分尼寺跡（国史跡）

「奈良時代中頃、聖武天皇の詔により鎮護国家を祈願する官立寺院として国分寺（僧寺）とあわせて国分尼寺が国ごとに建立された。尼寺の正式名称は〝法華滅罪之寺〟と定められた。よるところの〝法華経〟は女人成仏を説いており、尼寺の成立には女人救済を願う光明皇后の意向が大きく働いたものとも考えられている。武蔵国では国府（現府中市）の近くで、国分寺崖線を背にして南面する当地が好処として選ばれ、東山道（武蔵路）の西に尼寺、東に僧寺が配置された。

尼寺は東西約150m、南北160m以上の範囲を素掘溝で区画した中に、南大門（未確認）・中門・金堂・講堂（未確認）・尼坊を中軸線上に並べ、中門から両翼に延びた掘立柱塀と素掘溝が金堂背後の東西に想定される鐘楼（未確認）・経蔵（未確認）と講堂背後の尼坊までをも囲んで閉じ、中枢部区画を構成する。僧寺も同様な配置であり、武蔵国分二寺の大きな特徴となっている。

北方崖線上には、伝鎌倉街道の切り通しが残る。街道に東面して設けられた中世寺院跡（伝祥応寺跡）は、かつて尼寺伽藍の想定地でもあった。その東側の武蔵野線との間に中世の塚があり、こちらも以前、国分寺に関連する土塔とされていた」。（説明パネルより）

＊野火止用水

「野火止用水は、別名伊豆殿堀ともいう。承応2年（1653）老中松平伊豆守信綱が、玉川上水開さくの功績による加禄行賞を辞退し、玉川上水の水一升枡口の水量で自己の領地内に引き入れる許可を得てつくられたものである。

市内中島町の西端を取入口として九道の辻を通り、埼玉県新座市野火止に至っている。この用水の一部は、松平伊豆守の菩提寺の林泉の美をなし、本流は新座市を経て更に新河岸川の樋を渡り、大和田、志木地方3・27平方キロメートルの稲田を潤している。

松平伊豆守はこの用水開さくの許可を得て、家臣安松金右衛門に金3千両を与えこの工事を命じ、明暦元年（1655）行程約30キロを2年間を要して完成したのである。この用水は、玉川上水のように西から東に勾配を取って一直線に切り落したものでなく、武蔵野を斜めに東北に向きをとっているため起伏が多く、その深度も一定せず、浅いところは水喰土の名に残るように流水が土にみな吸い取られ野火止に達するまで3年間も要したといわれる。

この用水が開通した明暦のころは、この野火止用水沿いには50数戸の農民が居住しているに過ぎなかったが、その後移り住むものが増加し、明治初期には1，500戸がこの用水を飲料水にしていたという。小平市教育委員会　小平郷土研究会」

＊元弘の板碑（重要文化財）

「元弘3年（1333）5月8日、上州（群馬県）生品神社において討幕の兵を挙げた新田義貞は、鎌倉街道に沿って進み、5月11日小手指原で最初の合戦をし、12日久米川の戦（徳蔵寺北約200m）の久米川古戦場、東京都旧跡指定)、15日第一次（府中）分倍河原の合戦、16日第二次分倍河原の合戦、18日相洲村岡（神奈川県藤沢市）の合戦、12日稲村ヶ崎の合戦に勝利をし、5月22日遂に鎌倉の北条氏を滅亡させた。

徳蔵寺板碑保存館に安置されている元弘の碑には、小島法師が著したといわれる〝太平記〟…（１３７０年頃加筆完成）の記述を裏付けるように、15日と18日の合戦の場所と新田の将士、斎藤氏３人の討死者名が刻まれていて、戦史を実証している板碑として有名である。中世、戦いには陣僧が加わり、戦死者の回向、時には軍使の役目もした。陣僧は、時宗の僧が多かったようで、死者の菩提を弔うため、仏事供養を託されていた。

この碑は、時宗の僧〝玖阿弥陀仏〟が勧進をし〝遍阿弥陀仏〟が銘文を書いている。〝玖阿弥陀仏〟は鎌倉街道に面した久米（所沢市）の長久寺を開山したといわれる〝玖阿〟と同名である。この碑は、もと狭山丘陵東端の八国山中腹の永春庵にあったが庵が徳蔵寺に移されたとき共に移された。材質は、緑泥片岩。高さ１４７㎝、幅44㎝。種子は不明、上部に梵字で光明真言が刻まれている」。

＊鎌倉街道上道①

「鎌倉街道は、中世武蔵武士団が、鎌倉へと馳せ参じた道である。その代表的なものが〝上道〟〝中道〟〝下道〟である。この呼び名は、大和盆地に古く南北に通じる幹線道路があり、それに倣ったものといわれている。鎌倉からの上道は、藤沢、町田、府中、所沢へと向い、狭山市で入間川を渡って、日高に入り、市内大谷沢から中沢、高萩、女影、別所、旭ヶ丘、駒寺野新田の道筋をたどり、坂戸市の西大家に抜け、毛呂山、鳩山、児玉、藤岡、高崎に続いていた。

かつて、新田義貞の軍が菅谷から市内女影を通って入間川を越え、小手指原などで鎌倉方と戦ったが、この上道を進軍したとされている。また、北条時行が信濃に挙兵し、鎌倉を足利勢から奪回するため市内〝女影ケ原の戦い〟で勝利し、多摩町田に軍を進めたのもこの鎌倉街道上道。〝高麗原の戦い〟など足利尊氏対新田義典・義宗の〝武蔵野合戦〟更には足利基氏対芳賀禅可入道が戦った〝苔林野の合戦〟もこの鎌倉街道をたどる戦いであった。これらは、言わば鎌倉街道をめぐる上の合戦として有名で、太平記に伝えられている。

時代とともに、鎌倉街道上道を伝える関東各地の道筋もさま変わりし、往時の面影を伝える個所も少なくなり、幻の道になりつつある。それぞれの地で幹線道路となり道幅も広がり、舗装もされ、法敷きも整備され、交通量も多くなっている。この碑の前の上道も、立派に道路整備され市道として役目を果たすようになった。より便利になるのは、時代の趨勢でもあるが、この地の古老は、彼らが少年の頃まだ十分古道の名残りを留めていた上道を偲んで、今でもこの道を鎌倉街道と呼んでいる。(鎌倉街道の道筋図省略)

平成三年十一月七日　日高市教育委員会」(説明板①/要約)

＊笛吹峠

「笛吹峠は、嵐山町と鳩山村の境にある峠である。峠を起点として坂東十番の岩殿観音から同九番の慈光寺観音へ続く東西の道は、巡礼街道と呼ばれ、この峠を南北に貫く道が旧鎌倉街道で、かって、数多くの武士団等が行き来した所であった。

正平七年（一三五二年）閏二月、新田義貞の三男、義宗等が宗良親王を奉じて武蔵野の小手指が原で足利尊氏と戦ったが、最終的に結末がついたのがこの峠の地であった。新田義宗等は越後に落ちて行き、足利尊氏はこれ以後関東を完全に制圧していった。

〝笛吹峠〟の名称については、この敗退の陣営で、折からの月明かりに宗良親王が笛を吹かれたことから命名されたという伝承がある。

なお、この付近は、遠く奈良時代に窯業の中心として栄え、武蔵国分寺瓦の大部分がこの付近で焼かれ、その古窯跡が虫草山をはじめ須江・大橋・泉井などの山間部に多くみられる。笛吹峠からは、はるか北方に上州の山々、西方に秩父連山、南方に広い関東平野が遠望され、風光明媚な歴史の地である。埼玉県」（説明板より）

＊鎌倉街道上道②

「鎌倉街道とは、〝いざ鎌倉！〟と御家人達が馬を飛ばす（走らせる）ために約八〇〇年前に整備した道路（官道）と伝えられます。この上道は畠山重忠をはじめとする有力御家人が多い北武蔵に向かう主要な道筋で、沿道には多くの史跡が残されています。この付近は、道幅が四～六mの掘割状となり、坂を下り始めると幅一〇mを超す切り通しとなります。往時の姿をよく残していて、急坂を行き来するため道がやや蛇行しています。北に坂を下ると荒川のなかに渡河地点となる川越岩が望めます。古くから交通の要衝にあたり、人や物資の交流の道であったと思われます」。（説明パネル②より）

＊史蹟〝曝井〟（さらし井）

「さらし井は、大字広木の粉木川《ねりぎ》の端に岩石で囲まれた井戸である。往古、織布を洗いさらすために使用した湧水で、ここでさらされた布は、多く調庸布として朝廷に献納されたと伝えられる。万葉集巻九に恋歌〝三栗の中にめぐれる曝井の絶えず通わんそこに妻もが〟とある。

ここは、いかなる旱魃《かんばつ》にもかれることなく、千数百年の昔から湧水がさらさらと流れ、当時の婦人達の共同作業場でもあり、又、恋歌にもあるように悩みを訴え愛を語る社交の場でもあったことがうかがえます。

ここより、西二〇〇m先に妻である真足女《またりめ》が夫を思慕し詠んだ万葉歌碑があります。当時を思いうかべながら観光ルートの一つとしてごゆっくりと散策を楽しんで下さい。美里町観光協会」。（説明パネルより）

＊浅間山大爆発について

天明3年（1783）7月8日に浅間山が大音響とともに大爆発。火口から噴き出した溶岩が大量の土石を巻き込んで雪崩のように押し出され、泥流が麓の村を埋め尽くし、焼灰が関東一円に降り注ぎ、この〝焼砂〟が西は信州追分・軽井沢から、東は高崎・前橋まで大量に降り、田畑が荒地と化し、食を失う土民が多く、荒廃した田畑の復旧が農村の大きな課題になった。この噴火で収まらず東北地方では冷害のダメージが大きく〝天明の飢饉〟の大惨事を招いている。「近世の飢饉」吉川弘文館より）

鎌倉街道を歩いて

◎鶴岡八幡宮で旅の安全を祈願！

鶴岡八幡宮で旅の安全を祈願してから、旧鎌倉街道に入って寿福寺を過ぎると大きな石が埋まった山道（化粧坂）にさしかかる。当時、こんな道を馬で駆け上ったの？と思って登っていくと頂上・源氏山公園に着く。広く開けた公園で真ん中に大きな源頼朝の坐像が建っている。この辺一帯がハイキングコースになっていて、登った反対側の道を下りて「山の上通り」に出ると、藤沢方面の街や富士山が望める。このように鎌倉街道の歩きはじめは、他の街道と何か違う。

◎鎌倉街道に残る二つの古道

一つは、町田市中心街を抜けて多摩丘陵にさしかかるところで七国山（標高１２８ｍほどの小さな山）を越える。ここは〝鎌倉街道上道〟の古道部分で入口近くに〝鎌倉井戸跡〟と〝七国山 鎌倉街道の碑〟が建っている。（歩行時間は50分程度のコース）

もう一つは、寄居町から荒川を渡る手前、普光寺に「境内東端に旧来の道幅で鎌倉街道の遺跡が現存する。上州信州を結ぶ要衝で境内を通ったため、旧来の道巾で遺されている」と記されていたので辿ってみると、鎌倉街道の遺蹟が現存する道幅５ｍくらいの〝掘割状の古道〟が残っていた。（歩行時間10分程度の部分）

◎鎌倉街道でよく見かける〝板碑〟

本文に〝延慶板碑〟を記載しているが、他の街道では〝板碑〟を見かけなかった気がする。「広辞苑」に〝鎌倉・室町時代に死者追善、生前の逆修供養のために建立。特に関東に多く、秩父青石で作ったもの青石塔婆という〟とあるので、江戸時代に整備された街道では見かけなかったのだろう。

◎鎌倉街道を誇りに思う〝町の人達

古い昔の道にしては「旧鎌倉街道」の道標や説明板を多く見かけたのは驚きだった。特に「旧鎌倉街道散歩」と題したパネルを多摩市から府中市にかけて見かけ、埼玉県に入ると「鎌倉街道(上道)のみちすじ」、「歴史の道　鎌倉街道」と題した大きな説明パネル、さらに「鎌倉街道上道碑」に添えた「鎌倉街道上道」の説明板、等々。町の人達にとって〝鎌倉街道を誇りに思っている〟その心を察するものがあった。

◎鎌倉街道の道筋について

道筋については、参考文献「中世の道・鎌倉街道の探索」を参考にさせてもらった。昔の街道なので、現在の「国土地理院の地図」では辿れない部分が20%くらいあったかと思う。こういう場合は、方向的に見合う最寄の道を歩いて、残っている旧街道が現れたところで戻るという歩き方をした。

• 地形図（国土地理院　1／5万）鎌倉、戸塚、藤沢、座間、原町田、武蔵府中、立川所沢、川越南部、飯能、越生、武蔵小川、三ヶ尻、寄居、本庄、藤岡、高崎（17枚）

第3章【甲州街道】

【甲州街道】のポイント（目次）

第3章【甲州街道】

＊甲州街道の概要

甲州街道は慶長初年に開かれた五街道の一つで、西国大名の東征から江戸城を守る軍事的性格を持っていたようだが、世情が安定してくるとその性格は薄れ、参勤交代で利用する大名は信濃の高遠藩などわずか三藩にすぎなかった。江戸中期には江戸から富士山信仰のための道として親しまれたという。また、この甲州街道は江戸時代、五街道の一つであったが、他の街道に比べて道筋の整備がよくなされていなかったようだ…。

街道の名称について、当初〝甲州海道〟が公称だったが、徳川家康の〝伝馬定書〟によって海の無い国は〝海道〟ではなく〝道中〟と呼ぶべきとして〝甲州道中〟が正式名称となった。（本文では一般公称の「甲州街道」を使用している）宿場町の構成は次の通り。

①甲州街道は**東京都**（日本橋、内藤新宿、高井戸、国領、布田、石原、府中、日野、八王子、②駒木野〈小仏峠〉、**神奈川県**（小原、与瀬、吉野、関野、上野原、鶴川、野田尻、犬目、鳥沢、猿橋、駒橋、大月、花咲、初狩、白野、阿弥陀海道、黒野田〈笹子峠〉、駒飼、③鶴瀬、勝沼、栗原、石和、甲府、韮崎、台ヶ原、教来石、**長野県**（蔦木《つたき》、金沢、下諏訪）に至る距離約210㎞の道のり。国道20号（略称▽20）

※甲州街道の起点・江戸〝日本橋〟に立つ

平成14年4月1日、この日の朝はよく晴れていた。先月までJR青梅線の拝島駅から朝7時の電車に乗り、立川経由で川崎駅まで通っていた。今日はいつもより30分遅く、拝島駅から中央線直通の東京行きに乗って東京駅の〝八重洲口〟正面に出た。

今日から新年度がスタートするので年度初めの朝礼を行う会社が多いのだろう。オフィスに急ぎ足で向かう人達、新調した背広の初々しい新入社員とおぼしき若い人達とすれ違いながら〝八重洲通り〟を通って〝中央通り〟と交わる交差点を左折すると〝日本橋〟が見えてくる。日本橋が架けられたのは徳川家康が幕府を開いた慶長8年という。（詳細後述）

＊「日本を見て歩くウォーキングの旅」第一歩を踏み出す

こうして午前9時に甲州街道の基点〝日本橋〟に立った。当時の〝日本橋〟は商いの中心地で、橋上は常に大変な賑わいを見せていたようだが、現在は〝首都高速〟が真上に走っていて往時の面影を思い浮かべることができない。この姿は近代化の流れが過去の歴史に覆いかぶさる象徴的景観かもしれない。この〝日本橋〟の袂に〝日本橋〟と題した説明パネル、橋の欄干に付いている〝擬宝珠〟そして〝日本橋魚市場発祥の地〟と刻まれた石柱や〝東京市道路元標〟などを写真に収め〝日本を見て歩くウォーキングの旅〟の第一歩を感慨を込めて踏み出した。

①街道筋の概要とポイント

（日本橋から内藤新宿、高井戸、国領、布田、石原、府中、日野、八王子、駒木野へ）

〝甲州街道〟の起点は東海道と同じ〝日本橋〟この〝中央通り〟を〝京橋方面〟に進み〝永代通り〟と交わる〝日本橋交差点〟を右折し〝一石橋〟を渡ると〝皇居外苑〟の美しい光景が見えてくる。ここに「一石橋迷子しらせ石標」と題した説明パネルが立っている。

＊〝皇居外苑〟の美しい光景

オフィスビルが建ち並ぶビジネス街からお堀の水と緑の樹木や芝生が広がる〝皇居外苑〟の美しい光景に一変する。しばらく〝皇居〟の周りを歩くが、広い遊歩道で景色も良くとても快適な道。ジョギングしている外国人らしい人達ともすれ違う。近くのホテルに泊まっている人達だろう。

この〝江戸城跡・皇居一帯〟は、歴史ある遺跡（場所）として今に引き継がれた東京の最も象徴的な場所だろう。就職活動で東京に来たとき最初に訪れた場所だった。この〝皇居前広場〟の芝生に寝転がって見た空が、金沢では見たことがない〝雲一つない真っ青な空〟だった。こうして東京に来た感激に浸っていたのを懐かしく思い出す。

この〝皇居〟を右回りに景色の良い〝皇居桜田濠〟沿いをしばらく歩くと、左に〝国会議事堂〟の尖った屋根が見えてくる。この辺も東京ならではの光景だろう。〝日比谷通り〟から〝晴海通り〟へ、そして〝国会議事堂〟の前辺りから内堀通り（国道20号）を進むと〝国会図書館〟や〝国立劇場〟が見えてくる。一方、反対側には〝皇居〟及び〝皇居東御苑〟が広がっていて、北の丸側には

〝東京国立近代美術館〟や〝靖国神社〟がある。

こうして〝皇居〟の周りを半分くらい回ると、右手に〝半蔵門〟が見えてくる。この門は〝服部半蔵〟率いる〝伊賀・甲賀衆〟に護られていたので〝半蔵門〟と呼ばれるようになったという。この〝半蔵門〟を囲む緑の樹木・濠・橋、これに土手一面に咲き誇る〝菜の花〟の黄色が映えてとてもきれいだった。中国から訪れた新婚旅行らしい若いカップルがいたので〝半蔵門〟を背景に記念写真を撮ってあげた。私も旅姿の写真を撮ってもらった。

＊〝内藤新宿〟へ

そして〝半蔵門〟から皇居の外に出て国道20号を辿って〝天龍寺の時の鐘〟がある〝内藤新宿〟（現在の東京新宿区）に向かうと〝新宿御苑〟手前に「四谷大木戸跡」碑がひっそり建っていて、近くに「玉川上水水番所跡」「水道碑記」「四谷大木戸跡碑」三項目を記した説明パネルと高さ４ｍほどの大きな「水道碑記」が建っていた。この少し先〝新宿四丁目交差点〟近くに〝天龍寺〟があったので、この辺が江戸を出発して最初の宿〝内藤新宿〟中心地なのだろう。

＊個々詳細は次の通り（日本橋～内藤新宿）

・一石橋（いちこくはし）

「かつての江戸城外堀と日本橋川との出会いに位置する橋として今日に到る都市の歴史を見つめてきた存在です。江戸時代には、一石橋を含めて橋上から日本橋・江戸橋・常磐橋、呉服橋、鍛冶橋、銭瓶橋《ぜにかめはし》、道三橋の８橋を願望する八見橋の異名を取りました」。

（東京都中央区ホームページより）

・一石橋迷子しらせ石標

「江戸時代も後半に入る頃、この辺から日本橋にかけては盛り場で迷子も多かったらしい。迷子がでた場合、町内が責任をもって保護することになっていたので、付近の有力者が世話人となり、安政4年（1854）建立したという」。（説明パネル要約／詳細後述）

・靖国神社（元別格官幣社）

明治維新およびそれ以後に戦争など国事に殉じた者250余万の霊を合祀。1879年（明治12年）招魂社を改称。招魂社は明治維新前後から国家のために殉職した人の霊を祀る神社。（広辞苑より）ここに国歌に読まれる〝さざれ石〟がある。（詳細後述）

・天龍寺の時の鐘

「天龍寺の鐘は、内藤新宿に時刻を告げた〝時の鐘〟で、内藤新宿で夜通し遊興する人々を追い出す合図であり〝追出しの鐘〟として親しまれ、また江戸の時の鐘のうち、ここだけが府外であり、武士も登城する際時間がかかったことなどから30分早く時刻を告げたという。なお〝上野寛永寺〟〝市ヶ谷八幡〟とともに江戸の三名鐘と呼ばれた」。

・玉川上水水番所跡（史跡）

玉川上水は、多摩川の羽村の堰で取水し、四谷大木戸までは開渠で、四谷大木戸から江戸市中へは石樋・木樋といった水道菅を地下に埋設して通水した。水番所には、水番人一名が置かれ、水門

を調節して水量を管理したほか、ごみの除去を行い水質を保持するための高札が立っていたという。（詳細後述）

・水道碑記（すいどうひのいしぶみ）

玉川上水開削の由来を記した記念碑。（詳細後述）

・四谷大木戸跡碑

昭和34年11月地下鉄丸の内線の工事で出土した玉川上水の石樋を利用して造られた記念碑。（詳細後述）

▽〝内藤新宿〟をあとに〝京王線〟と共に西に向かうが、頭上（国道20号）の上に首都高（高速4号線）が走っていて景観もなにもないが、車道と歩道の間に街路樹があるので少しは排気ガスを防いでくれるかも、と思いながら。交通渋滞情報で知られる〝山手通り〟との交差点〝初台〟〝環七通り〟との交差点〝大原〟を過ぎて〝井の頭線〟を越えた先で京王線の〝上北沢駅〟が左手に見えてきたので、この近くが日本橋から3番目〝**高井戸**〟なら、近くに〝下高井戸の一里塚跡〟があるはず、と注意して歩いていると「甲州道中一里塚跡」と題した説明パネルが立っていて、次のような内容が記されていた。

＊甲州道中一里塚跡

「甲州街道を利用する諸大名は信州高嶋藩、同高遠藩、同飯田藩の三藩で、甲府には、江戸幕府の〝甲府勤番〟があって、幕府諸役人の往来もあった。この前方、高速道路下に日本橋から数えて4里目（約

16キロ）を示す一里塚があった。当時の旅人はこの一里塚を見て、道程を知り、駄賃などの支払いをした。塚は五間（約九メートル）四方、高さ一丈（約三メートル）を基準として土を盛りあげて築き、榎が植えてあった」。（説明板／要約）

＊新選組局長〝近藤勇〟生誕地〝石原〟へ

そして京王線の駅名に宿場名を残す〝**国領**〟〝**布田**〟駅の手前で甲州街道は国道20号から分岐した旧甲州街道（県道〈229〉）に入る。そして西調布駅近く〝**石原**〟に来ると〝西光寺〟入口に新選組局長〝近藤 勇〟の立派な坐像が据えてあった。

ここに「新選組局長　近藤 勇」と題した説明板が添えてあって、次のような内容が記されていた。「嘉永元年天然理心流近藤周助に入門、翌2年近藤家の養子となり、文久元年天然理心流宗家4代目を襲名。文久3年幕府が組織した浪士隊に応募、将軍上洛の警護のため京都に行き会津藩お預かり新選組を結成、局長として洛中の治安の維持にあたる。幕府と朝廷から恩賞を受けた池田屋事件での活躍はあまりにも有名。慶応3年将軍徳川慶喜は大政を奉還。翌4年の鳥羽伏見の戦いに破れ、その年3月、甲陽鎮撫隊を編成し、甲州街道を甲府に向けて出陣。途中、故郷上石原の若宮八幡宮で戦勝を祈願し西光寺境内で休息。ふるさとへ錦を飾ることはできたが、戦況利あらず勝沼の柏尾山の戦いに敗れ慶応4年4月下総流山（千葉県流山市）で大久保大和として西軍に出頭、同月25日江戸板橋で刑死、時に僅か35歳波瀾万丈の生涯を閉じた」。（要約／詳細後述）

▽街道筋の概要（石原～日野・八王子～駒木野）

〝石原〟をあとに旧甲州街道（県道〈229〉）を辿って〝東京競馬場〟を過ぎ〝**府中**〟中心街を通って〝京王線・府中駅〟〝大国魂神社〟を過ぎると〝鎌倉街道〟と交差する。この交差点に〝府中高札場〟の説明板が立っている。〝大国魂神社御旅所〟の柵内にあって「屋根を有する札懸けで、これに6枚ぐらいの高札が掛けられていた」と記されていた。

かつて〝東芝府中工場〟に20年近く勤めていたが、こうした〝高札場跡〟や〝府中〟が室町時代から軍事的に重要な地点だった。ということを初めて知った。このあと国道20号に合流し〝武蔵国〟の守り神として祀られている〝大國魂神社〟の前を通って、かつて〝武蔵国府〟だった〝府中〟を後にした。

そして菅原道真を祭った国立市の〝谷保天満宮〟を過ぎると歩道脇に「清水の茶屋跡」「元上谷保村の常夜燈」「五智如来」といった国立市教育委員会の説明パネルがつづく。これらを読んで〝多摩川（日野橋）を渡ると、まもなく新選組副長〝土方歳三〟の生まれ故郷〝**日野**〟に入る。

＊個々詳細は次の通り（内藤新宿～日野）

•大国魂神社

大国魂大神《おおくにたまのおおかみ》を〝武蔵国の守り神〟としてお祀りした神社で、この大神は出雲の大国主神《おおくにぬしのかみ》と同神で、大昔武蔵国を開かれて、人々に衣食住の道を教えられ、俗に福神又は縁結び、厄除け・厄払いの神として著名な神様です。（ホームページより）

•谷保天満宮
菅原道真の３男・道武が父を祀る廊として建てたらしく亀戸天神社・湯島天満宮と合わせ関東三大天神と呼ばれているという。

•清水の茶屋跡
「その昔、天神坂下に立場茶屋がありました。このあたりは、谷保随一の湧水地で、夏ともなると、そばやそうめんを清水にさらして、炎天下の甲州街道を旅する人びとをもてなしたといいます」。（要約）

•元上谷保村の常夜燈
「常夜燈は、江戸時代に村を火難から守るために、火伏せの神を祀った秋葉神社の常夜燈を各村の油屋近辺に建てたもので、秋葉燈とも呼ばれています。この常夜燈は西暦１７９４年に建てられたもので、上谷保村の油屋の東隣に置かれていたものです。その後、道路改修のときに現在地に移されました。大正時代までは、村人が順番に毎日夕方、灯を点していたと伝えられています」。（要約）

•五智如来
「由来は、江戸時代に八王子在住の越後の人数人が、この地に移住し、郷土で信仰していた五智如来を祀ったのが始まりという。五智如来は、仏教でいう五種類の智（大円鏡智《だいえんきょうち》、妙観察智《みょうかんざっち》、平等性智《びょうどうしょうち》、成所作智《じょうしょさち》、法界体性智《ほうかいたいしょうち》）を備えた仏様のことで、大日如来の別名とも言われている。現在でも10月12日には、五智如来〝おこもり〟といって、地元の人達が集まって念仏をあげ、五智如

来を供養している」という。(要約)

＊新選組副長〝土方歳三〟の生まれ故郷〝日野〟

ここに敷地面積約700坪という立派な〝武州日野宿総名主屋敷〟がある。この敷地入口に大きな「天然理心流佐藤道場跡」碑文が建っていて、少し先の〝宝泉禅寺〟に「新選組副長助勤井上源三郎之碑」が建つ一画があった。

・「天然理心流佐藤道場跡」碑文

「武州日野宿総名主佐藤彦五郎俊正は、武道に熱心な日野宿の若者を集めて剣術の稽古をしていた。後に天然理心流近藤周助の門に入り嘉永7年に極意皆伝の免許を取った。この道場には、江戸の試衛館から近藤勇や土方歳三、沖田総司、井上源三郎ら、新選組で主要な働きをした人々が出稽古に来ていた。　土方歳三直系　土方家当主　土方　康」(碑文/要約)

この宝泉寺をあとにJR中央線を横切って国道20号をひたすら歩いて〝**八王子**〟から〝駒木野〟に向かうと〝八王子〟市街を過ぎた陣馬街道と分岐するところに、自然石に刻まれた大きな「八王子千人同心屋敷跡記念碑」が建っている。

＊八王子〝千人同心〟とは?

小田原北条氏滅亡のあと、関東に移された家康は強兵で知られた武田の旧臣を積極的に傘下に加え、武州防衛の第一線として八王子の守備部隊に配置し、江戸の守りを固めた。

これが後に千人隊に膨れ〝千人同心〟と呼ばれるようになったらしい。徳川幕政下では珍しい〝半農武士団〟でここに組頭などの屋敷があったという。この〝千人町〟の町名が今も残っている。

この辺まで来ると車道も歩道も広くなり、街路樹のイチョウ並木の新芽がきれいで気持ちよく歩ける。右側にある〝多摩御陵〟の前を通り過ぎると〝JR高尾駅〟がある。

〝甲州街道〟はこのあと〝高尾駅〟の先で国道20号を右折し〈小仏峠〉に通じる県道∧516∨に入って〝駒木野〟を経て〝小仏峠のハイキングコース〟に入る。

①［**ポイントの詳細説明**］

＊日本橋（重要文化財）

「日本橋がはじめて架けられたのは徳川家康が幕府を開いた慶長八年（一六〇三）と伝えられています。幕府は東海道をはじめとする五街道の起点を日本橋とし、重要な水路であった日本橋川と交差する点として江戸経済の中心となっていました。橋詰には高札場があり、魚河岸があったことでも有名です。幕末の様子は、安藤広重の錦絵でも知られています。

現在の日本橋は東京市により、石造二連アーチの道路橋として明治四十四年に完成しました。橋銘は第十五代将軍徳川慶喜の筆によるもので、青銅の照明灯装飾品の麒麟は東京市の繁栄を、獅子は守護を表しています。橋の中央にある日本国道路元標は、昭和四十二年に都電の廃止に伴い道路整備が行われたのを契機に、同四十七年に柱からプレートに変更されました。プレートの文字は当時の総理大臣佐藤栄作の筆によるものです。

平成十年に照明灯装飾品の修理が行われ、同十一年五月には国の重要文化財に指定されました。装飾品の旧部品の一部は中央区が寄贈を受け、大切に保管しています。

平成十二年三月　　中央区教育委員会」（説明パネルより）

＊一石橋迷子しらせ石標

「江戸時代も後半に入る頃、この辺から日本橋にかけては盛り場で迷子も多かったらしい。迷子がでた場合、町内が責任をもって保護することになっていたので、付近の有力者が世話人となり、安政四年（一八五七）にこれを建設したものである。柱の正面には「満よい子の志るべ」、右側には、「志らする方」左側には「たづぬる方」と彫り、上部に窪みがある。利用方法は左側の窪みに迷子や尋ね人の特徴を書いた紙をはり、それを見る通行人の中で知っている場合は、その人の特徴を書いた紙を窪みに貼って迷子や尋ね人を知らせたという。いわば庶民の告知板として珍しい。このほか浅草寺境内と、湯島天神境内にもあったが、浅草寺のものは戦災で破壊された。

平成八年三月八日　建設　　東京都教育委員会」。（説明パネルより）

※靖国神社について（ホームページより／要約）

＊由緒

「靖国神社は、明治2年（１８６９）、明治天皇によって建てられた〝招魂社〟が始まりで、国家のために尊い命を捧げられた人々の御霊を慰め、その事績を永く後世に伝えることを目的に東京九段のこの地に〝招魂社〟を創建された。この招魂社が靖国神社の前身で、明治12年（１８７９）６月４日には社号が〝靖国神社〟と改められ別格官幣社に列せられた。この〝靖国〟という社号は〝国を靖（安）んづる〟という意味で、靖国神社には〝祖国を平安にする〟という意味で、靖国神社には〝祖国を平安にする〟〝平和な国家を建設する〟という願いが込められている」。

＊御祭神

「靖国神社には、戊辰戦争～西南戦争といった国内の戦い、近代日本の出発点となった明治維新の大事業遂行のために命を落とされた方々をはじめ、明治維新のさきがけとなって斃れた坂本龍馬・吉田松陰・高杉晋作・橋本左内といった歴史的に著名な幕末の志士達、さらには日清戦争・日露戦争・第一次世界大戦・満州事変・支那事変・大東亜戦争（第二次世界大戦）などの対外事変や戦争に際して、国家防衛のためにひたすら〝国安かれ〟の一念のもと、尊い生命を捧げられた方々の神霊が祀られており、その数２４６万６千余柱に及ぶ。その中には軍人ばかりでなく、戦場で救護のために活躍した従軍看護婦や女学生、勤労動員中に軍需工場で亡くなられた学徒など、軍属・文官・民間の方々も多く含まれており、その当時、日本人として戦い亡くなった台湾及び朝鮮半島出身者やシベリア抑留中に死亡した軍人・軍属、大東亜戦争終結時にいわゆる戦争犯罪人として処刑された方々なども同様に祀られている。

このように多くの方々の神霊が、身分・勲功・男女の区別なく、祖国に殉じられた尊い神霊（靖國の大神）として一律平等に祀られているのは、靖國神社の目的が『国家のために一命捧げられた方々の霊を慰め、その事績を後世に伝えること』にあるからです。つまり、靖国神社に祀られている246万6千余柱の神霊は、『祖国を守るという公務に起因して亡くなられた方々の神霊』であるという一点において共通している」。

＊さざれ石

「国歌に詠まれているさざれ石

この石は学名を石灰質角礫岩《せっかいしつかくれきがん》と云う。石灰石が雨水に溶解してその石灰分をふくんだ水が時には粘着力の強い乳状体となって地下において小石を集結して次第に大きくなる。やがてそれが地上に出て国歌によまれている如く、千代　八千代　年をへてさざれ石巌となりて苔のむすと云う景観、実に目出度い石である。

この石は国歌発祥の地と云はれる岐阜県揖斐郡春日村の山中にあったものでその集結の過程状態がこの石を一見してよく知ることが出来る。

右の文章は昭和二十七年文部省の中庭に贈呈された「さざれ石」の木札に記されたものと同文であり、国歌に詠まれているさざれ石については岐阜県揖斐川町出身の故小林宗一（号宗閑）氏によっ

て発見解明されました」。（法華経寺の説明板より）

＊「玉川上水水番所跡」
「玉川上水は、多摩川の羽村の堰で取水し、四谷大木戸までは開渠で、四谷大木戸から江戸市中へは石樋・木樋といった水道菅を地下に埋設して通水した。水番所には、水番人一名が置かれ、水門を調節して水量を管理したほか、ごみの除去を行い水質を保持した。当時、水番所構内には次のような高札が立っていた。

定
一、此上水道において魚を取水をあび
ちり茶捨べからず　何にても物あらひ申間敷
竝両側三間通に在来候並木下草
其外草刈取申間敷候事
右之通相背輩あらば可為曲事者也
元文四巳未年十二月　　　奉行」。

＊「水道碑記」（すいどうひのいしぶみ）

「玉川上水開削の由来を記した記念碑で、高さ四六〇センチ、幅二三〇センチ。上部の篆字は徳川家達、撰文は胆付兼武、書は金井之恭、刻字は井亀泉によるもので、表面に七八〇字、裏面に一三〇字が陰刻されている。碑の表面には明治十八年の年記が刻まれているが、建立計画中に発起人西座真治が死亡したため、一時中断し、真治の妻の努力により、明治二十八年（一八九五）完成したものである」。（裏面銘文）

＊「四谷大木戸跡碑」

「四谷大木戸碑（この説明板の裏側にある）は、昭和三十四年十一月地下鉄丸の内線の工事で出土した玉川上水の石樋を利用して造られた記念碑である。実際の大木戸の位置は、ここより約八〇メートル東の四谷四丁目交差点のところで、東京都指定旧跡に指定されている。

平成九年三月　新宿区教育委員会」（説明パネルより）。

＊天龍寺の時の鐘

「天龍寺の鐘は、元禄十三年（一七〇〇）牧野備後守成貞により寄進されたもので、内藤新宿に時刻を告げた〝時の鐘〟である。現在の鐘は、銘文により元禄十三年の初鋳、寛保二年（一七四二）の改鋳につづく三代目のもので明和四年（一七六七）の鋳造である。総高一五五センチ、口径八五・五センチで多摩郡谷保村の関孫兵衛の鋳造になる。

天龍寺の時の鐘は、内藤新宿で夜通し遊興する人々を追出す合図であり〝追出しの鐘〟として親しまれ、また江戸の時の鐘のうち、ここだけが府外であり、武士も登城する際時間がかかったことなどから三十分早く時刻を告げたという。なお、上野寛永寺・市ヶ谷八幡とともに江戸の三名鐘と呼ばれた。　平成三年一月　東京都新宿区教育委員会」。（説明パネルより）

＊新選組局長　近藤勇

「近藤勇は天保５年（１８３４）武蔵国多摩郡上石原村（現調布市野水一‐六）宮川久次郎の三男として生まれ、幼名勝五郎、幼い頃より武芸に親しみ、嘉永元年天然理心流近藤周助に入門、翌二年近藤家の養子となり、文久元年天然理心流宗家四代目を襲名、府中六所宮で襲名披露の野試合を行った。文久三年、幕府が組織した浪士隊に応募、将軍上洛の警護のため京都に行き会津藩お預かり新選組を結成、局長として洛中の治安の維持にあたる。中でも元治元年六月浪士達が画策した京都の大惨事を未然に防いだ功績で、幕府と朝廷から恩賞を受けた池田屋事件での活躍はあまりにも有名である。然しながら世情の移り変わり激しく、慶応三年将軍徳川慶喜は大政を奉還し、翌四年の鳥羽伏見の戦いに破れたので、傷心のうちに幕艦富士山丸で江戸に帰った。

その年三月、近藤勇は将軍慶喜から許された大名格（若年寄格）として大久保剛と改名、甲陽鎮撫隊を編成し、甲州街道を甲府に向けて出陣した。途中思い出多い故郷上石原では、長棒引戸の駕籠を降り小姓を従えて、遥か氏神様の上石原若宮八幡宮に向かって戦勝を祈願して西光寺境内で休息、門前の名主中村勘六家で歓待をうけたのち、多くの村人に見送られながら出立し村境まで歩いた。天下に知られた英雄がふるさとへ錦を飾ることはできたが、戦況利あらず勝沼の柏尾山の戦いに敗れ慶応四年四月下総山（千葉県流山市）で大久保大和として西軍に出頭、同月二十五日江戸板橋で刑死、時に僅か三十五歳波瀾万丈の生涯を閉じた。会津藩主、松平容保は【貫天院殿純忠誠義大居士】の法号を贈りその功績を称えている。

調布市『近藤勇と新選組の会』は、没後百三十年を記念し、近藤勇座像建立委員会を設け、近藤勇に関わる史実と史跡を末永く伝えるとともに、調布市の観光事業の一助になることを願い甲陽鎮撫隊所縁の地西光寺に座像を建立することとした。

奇しくも、人々の安全を守りながら甲陽鎮撫隊をも見送った常夜灯、公武合体を勝ち取るため一身を捧げた近藤勇像、西郷隆盛らが明治政府に反旗をひるがえした西南戦争に従軍した地元出身の人々の招魂碑がここに集設されたことは、改めて歴史の流れを伝えるものとして意義深い。平成十三年十月八日　近藤勇座像建立委員会　代表　土方　貢　発起人一同」

②**街道筋の概要とポイント**

〈駒木野～〈小仏峠〉小原、与瀬、吉野、関野、上野原、鶴川、野田尻、犬目、鳥沢
駒橋、大月、花咲、初狩、白野、阿弥陀街道、黒野田〈笹子峠〉駒飼、鶴瀬〉

◎**地形&ルートの概要**

地形的には関東平野の西端から北に関東山地、南に三つ峠～尾坂山地が控える間を桂川から笹子川に沿って西（笹子峠）に向かう。

高尾駅の先で国道20号から（右折し）、県道∧516∨をたどって〃駒木野〃から〈小仏峠〉を越えたあと〃相模湖〃に下っていく。途中で国道20号に合流し〃小原〃から〃与瀬〃〃吉野〃〃関野〃を経て〃上野原〃から県道∧30∨に入って〃鶴川〃〃野田尻〃〃犬目〃へと往時の面影を残す旧街道をたどる。そして再び国道20号に合流し〃鳥沢《とりさわ》〃〃猿橋〃〃駒橋〃を経て〃大月〃へ。

このあと〃花咲〃〃初狩〃を経て〃笹子川〃を渡ると民家が途切れ、行く先を塞ぐように〈笹子峠〉に連なる山々が現れてくる。この山々に挟まれた谷間を流れる〃笹子川〃に沿って国道２０号、JR中央本線、中央自動車道が束ねるように通っている。そして〃白野〃〃阿弥陀街道〃の集落、JR中央本線の笹子駅〃黒野田〃の集落を過ぎて〈笹子峠〉に入る。

▽街道筋の概要1（駒木野～〈小仏峠〉ハイキングコース～小原）

〃八王子〃をあとに〃甲州街道〃は高尾駅の先で国道20号を右折し、〈小仏峠〉に通じる県道∧

516Vに入る。10分ほど歩いて〝**駒木野**〟バス停近くに来ると「史蹟小佛関阯」碑が建っていて、ここに「小仏関跡」の説明パネルが添えてあった。このあと〝小仏峠のハイキングコース〟に入る。

• 小仏関跡（国史跡）

「小仏関所は、戦国時代には小仏峠に設けられ富士見関とも呼ばれた。武田・今川・織田などの周辺の有力氏が滅ぶと麓に一度移され、その後、北条氏の滅亡により、徳川幕府の甲州道中の重要な関所として現在地に移されるとともに整備された」。（要約／詳細後述）

※**〈小仏峠〉ハイキングコース〟を歩く**

〝景信山登山口〟を過ぎると車道は行き止まり。ここから〈小仏峠〉ハイキングコースの登山道に入る。薄暗い杉林の中を40分ほど登って〈小仏峠〉頂上（標高560m）に着くと「明治天皇小佛峠御小休所址及御野立所」碑が建っている。この峠で〝関東ふれあいの道〟と交差するが〝甲州街道〟はここを横切り相模湖の方に下っていく。そして〝相模湖〟手前で国道20号に合流すると「甲州街道小原宿」の標柱が建っていて、少し行くと大きな屋敷が見えてくる。

＊ **〝小原〟本陣屋敷跡**

この門をくぐると屋敷入口に「小原宿本陣屋敷」の大きな看板が立っていて、当時使用されていたと思しききらびやかな〝大名籠〟が陳列されていて、ここに「小原宿本陣」（旧清水家住宅）と題した次のような説明パネルが添えてあった。

＊小原宿本陣

「この小原宿本陣は、江戸時代に信州の高島・高遠・飯田3藩の大名及び甲府勤番の役人が、江戸との往復の時宿泊するために利用したという古い歴史をもった建物で、当主清水家の先祖は、後北条の家臣清水隼人介《はやとのすけ》で、後に甲州道中小原宿が設けられてからは、代々問屋と庄屋を兼ねていた。この建物は建築様式から推測して、江戸時代後期の18世紀末期か19世紀初期の頃の建築と思われている。規模は、間口12間、奥行7間で土間妻側の裾を兜とした入母屋造り。東側居住部分は天井が低く中2階があり、2階3階共に養蚕室として使われた。奥座敷の北側の部屋が〝上段の間〟で大名の泊った部屋。このように、旧清水家住宅は、本陣特有の座敷構えを示すと共に、津久井郡の典型的な大形養蚕民家の構造をしており、県下に26軒あった本陣のなかで唯一現存する貴重な建物です。　平成3年4月1日　相模湖町教育委員会」。(説明パネル／要約)

＊〝本陣〟とは？

本陣とはもともと戦陣の本営の意味。転じて大名などの宿泊所をいっている。江戸時代には幕府の公用の役人・大名・宮家・門跡・公卿・高僧・貴人などの休泊施設で、門・玄関・書院・上段の間・式台などを設けることが許されていた。(一般の旅籠屋には許されていない)本陣職には宿場きっての由緒・家格を持った有力者が任命され、世襲でその職に就くことが原則だったという。

〝小原本陣〟は〝甲州街道〟を利用し参勤交代を行なった信州の〝高島藩〟〝高遠藩〟〝飯田藩〟らの本陣となっていた。神奈川県で26軒あった本陣の中で、唯一現存するのがこの〝小原宿本陣〟らしい。〝小原〟は神奈川県だが途中〝東京／神奈川の県境標識〟を見かけなかった…。

▽街道筋の概要２（小原～笹子峠～鶴瀬）

＊耐え難い排気ガス

国道20号を〝相模湖〟まで下ってくると街道筋の景色は都会の街並みから山々を望む〝田舎風景〟に変わってきて眺めは良くなる一方、上り勾配の道が続くので大型トラックなどディーゼル車が黒煙を撒き放しながら走る排気ガスが凄くて耐え難かった。

国道沿いもあって宿場の面影を見ることなく**〝与瀬〟〝吉野〟〝関野〟**を過ぎて**〝上野原〟**で、国道20号から県道∧30∨に入ると、静かな山あいを抜けていく道がつづく。

＊長閑な宿場町〝鶴川〟〝野田尻〟

この山あいに〝鶴川〟と〝野田尻〟があったが、共に当時の宿場を説明する案内板が立っていたので嬉しかった。

例えば江戸五街道の〝川越え〟は通常〝橋梁〟によるものだったが〝鶴川〟は甲州街道唯一の〝増水時徒渡し〟だった。また〝野田尻〟は正徳３年（１７１３）集落起立の形態で宿を構成した小さな宿場で現在も昔の屋号が残っているという。共に地図を添えて記されていた。

＊山間の長閑な道がつづく（訪れたのは４月10日）

そして首都圏ハイカーになじみの〝生藤山〟〝権現山〟〝扇山〟の麓を抜けていく。空気がきれいな山あいの長閑な道で、山々を背景に木々の新緑に紅白の梅の花が映えてとても美しい。この景色を楽しみながら歩いていると、狭い脇道の坂に「矢坪坂の古戦場跡」の説明板が立っていて、次のように記されていた。

＊矢坪坂の古戦場跡

「享禄３年（１５３０）相模国の北条氏縄の軍勢が甲斐に攻めこみ、小山田越中守の手勢とこの矢坪坂を挟んで対峙し、やがて激戦が展開された。この戦いは多勢に無勢、小山田勢は敗退し富士吉田方面に逃げた」。という内容だった。

＊天保の大飢饉と甲州一揆

そして山峡《やまかい》の小さな宿場〝**犬目**〟にさしかかって〝犬目村兵助之碑〟が建つ墓地を過ぎると「義民〝犬目の兵助〟の生家」と題した説明板が立っていた。

ここに「天保４年（１８３３）の飢饉から立ち直ることができないのに、天保７年（１８３６）の大飢饉がやってきた。この〝天保の大飢饉と甲州一揆〟の実態」について詳細に記されていた。〝犬目の兵助〟は大飢饉で餓死者が続出したときの甲州一揆の首謀者のようだが、天候不順の飢饉にあって厳しい年貢取りたてに命がけで戦っていた農家の実態をうかがい知る内容だった。（詳細後述）

＊日本三奇橋の一つ〝猿橋〟

そして国道20号に戻り、昔風の家が所々残る〝**鳥沢**〟を過ぎて〝桂川〟にさしかかると、国道20号に架かる〝新猿橋〟の上流に昔の〝猿橋〟が残っている。ここに「名勝 猿橋」と題した説明パネルが立っていて次のような内容が記されていた。

＊名勝 猿橋

「この橋は〝桂川〟の断崖に架かっていて、昔、推古帝の頃（６００年頃）百済の人がここにきて、猿が藤ツルを伝って断崖を渡るのを見て橋を造ったと伝えられる橋脚のない〝はね木橋〟で〝日本三奇橋〟の一つ。応永33年（１４２６）〝武田信長〟と〝足利持氏《もちうじ》〟の合戦、大永４年（１５２４）〝武田信虎〟と〝上杉憲房〟の合戦の場となった戦略上の要地でもあった」。

過去に幾度となく架け替えや修理が行われてきたようで、渓谷の高い断崖に架けられた当時の〝猿橋〟はさぞかし危なげな橋だったのではと思う。景勝地なので観光客が多く訪れていた。（詳細後述）

この辺が〝**猿橋**〟〝**駒橋**〟なのだろう。このあと国道20号をひたすら歩き、午後３時過ぎにＪＲ大月駅に着いた。（帰宅）

※〈笹子峠〉自然遊歩道を歩く

大月駅前を過ぎると富士五湖に通じる国道１３９号との分岐点がある。ここで〝右・甲州道中〟へ。そして〝**大月**〟をあとに、ＪＲ中央線の陸橋〝大月橋〟を渡ると山々に囲まれた街道風景へと変わっていく。昔風の表門が残る屋敷前に「明治天皇御花咲御小休所」碑、そして「山本周五郎生誕の地」碑を過ぎて〝笹子川〟に沿って上流に向かう。この辺は山に挟まれた谷間で〝笹子川〟に沿って国道20号、ＪＲ中央本線、中央自動車道が束ねるように通っている。〝**白野**〟〝**阿弥陀街道**〟

の集落、ＪＲ中央本線の〝笹子駅〟さらに〝**黒野田**〟の集落を過ぎるとＪＲ中央本線、中央自動車道と順に〝笹子トンネル〟に入っていく。国道20号もここから右にカーブして〝笹子トンネル〟に入るが〝甲州街道〟はここから〈笹子峠〉越えの道に入る。この案内標示に従って〝峠道〟に入ると「笹子峠自然遊歩道」の案内板が立っていて「この自然遊歩道は、旧甲州街道で左手に谷川のせせらぎを聞きながら登ると、三軒茶屋跡、明治天皇御野立跡があり約８００ｍで矢立の杉に至る」。と記されていた。

この案内に従って杉林を切り開いた山道を進むと「明治天皇御野立所跡」碑の少し先に〝杉の大木〟が生えていた。この脇に「笹子峠の矢立のスギ」と刻まれた石柱が建っていて、次のような「山梨県教育委員会」の説明板が添えてあった。

＊「笹子峠の矢立のスギ」

「このスギは昔から有名で、昔の武者が出陣にあたって、矢をこのスギにうちたてて、武運を祈ったことから〝矢立のスギ〟と呼ばれてきた。そのような名木であり、巨樹であるため、県指定天然記念物に指定されているものである。根廻り幹囲　１４・８メートル、目通り幹囲　９メートル、樹高　約26・５メートル　幹は地上21・50メートルで折れ樹幹中は空洞になっている」。（要約）

＊真っ暗なトンネル〝笹子隧道〟を抜ける

遊歩道から県道に戻ってなおも30分ほど坂を登ると、前方に赤いレンガ造りの〝笹子隊道入口〟が見えてくる。この入口に「笹子隧道について」と題した大月土木事務所の説明板が立っていた。（詳

細後述）
当時の峠越えの道は当然この隧道の上にあるのだろうが、この案内標示が見当たらなかったので、やむなく照明の無い真っ暗な〝笹子隧道〟のトンネルを通ることにした。しばらくは入口の明かりを頼りに進み、途中から真っ暗なトンネルの中を出口の明かりを頼りに全長239mの隧道を必死に駆け抜けた。
このあと「甲州街道峠道」の案内標示を辿って〝笹子峠の古道〟を下っていく。倒木で道が塞がれているところもあったが、なんとか峠道を下り舗装道路に出ると山梨県の「笹子峠」と題した次のような説明板が立っていた。

＊笹子峠

「徳川幕府は慶長から元和年間にかけて甲州街道を開通させた。笹子峠はほぼ中間で江戸から約27里の笹子宿と駒飼宿を結ぶ標高1096m、上下3里の難所だった。この峠を往来した当時の旅人を偲んで次のような唄が作られ発表された。

〝あれに白いはコブシの花か　峠3里は春がすみ　うしろ見返りゃ今来た道は　林の中を見え隠れ　高くさえずる妻恋雲雀《つまこいひばり》　おれも歌おうかあの歌を　ここは何処だと馬子衆に問えば　ここは甲州笹子道〟

この唄の発表によって旧道を復元しようという気運が高まり、荒れていた旧道を整備して歩行出きる状態にしました」。（要約／詳細後述）

そして〝駒飼〟の集落を上から眺めながら〈笹子峠〉を下っていくと、「甲州街道 駒飼宿」と題した説明板が立っていて〝駒飼〟のことが次のように記されていた。〈笹子峠〉に入って約３時間だった。

＊〝駒飼〟

「笹子峠の西麓にあった駒飼宿は、江戸時代には幕府の公用を継立する役目を果たし、旅行者の休泊のため、本陣・脇本陣・旅籠などが設けられた甲州街道の要所として知られていました。笹子への道の往還を、人が休み、その名の通り馬が餌と水を与えられたこの宿場は、今でも家が建ち並び、往事の雰囲気を残しています」。

〝駒飼〟から〝鶴瀬〟の関所跡や宿標柱が立つ集落を過ぎると〝ぶどう畑〟が現れてくる。〝駒飼〟から歩いて約1時間、途中で国道20号に合流すると、国道沿いの一角に「近藤勇之像」が建っていて、この台座に「柏尾の古戦場」と題した次のような説明が刻まれていた。

＊柏尾の古戦場

「明治元年（一八六八）三月六日、近藤勇率いるかつての新撰組、会津藩兵からなる幕府軍甲陽鎮撫隊と因幡・土佐・高遠藩兵からなる官軍がこの地で戦った。甲府城占拠を目指す幕府軍は先に甲府入城を果たした官軍を迎え撃つため、勝沼宿に二カ所の柵門、柏尾の深沢左岸東神願に砲台を設け備えたが、甲州街道、岩崎方面、菱山越の三手に別れ、攻撃を加えた官軍の前に敗れ敢え無く敗走した。

この戦いは、甲州に於ける戊辰戦争唯一の戦いであり、甲州人に江戸幕府の崩壊を伝えた。町内にはこの戦いで戦死した三人の墓が残されており、このほかに両軍が使用した砲弾が三個伝えられている」。

近くに愛称〝ぶどう寺〟で知られる古刹〝大善寺〟がある。国宝の薬師堂・厨子堂や重要文化財の薬師三尊像・十二神将像が納められているという。

②［ポイントの詳細説明］

＊小仏関跡（国史跡）

「小仏関所は、戦国時代には小仏峠に設けられ富士見関ともよばれた。武田・今川・織田などの周辺の有力氏が滅ぶと麓に一度移され、その後、北条氏の滅亡により、徳川幕府の甲州道中の重要な関所として現在地に移されるとともに整備された。

この関所は、道中奉行の支配下におかれ、元和九年（一六二三）以降四人の関所番が配備された。関所の通過は、明け六ツ（午前六時）から暮六ツ（午後六時）までとし、しかも手形を必要とした。鉄砲手形は老中が、町人手形は名主が発行。この手形を番所の前にすえられた手形石にならべ、もう一つの手付き石に手をついて許しを待ったという。

特に〝入鉄砲に出女〟は幕府に対する謀反の恐れがあるとして重視し厳しくとりしまった。抜け道を通ることは〝関所破り〟として〝はりつけ〟の罪が課せられるなど厳しかったが、地元の者は下番を交替ですることもあって自由な面もあったらしい。明治二年（一八六九）一月の太政官布告で廃止され、建物も取りこわされた。

平成十年七月一日　八王子市教育委員会」。（説明パネルより）

＊天保の大飢饉と甲州一揆

山峡の小さな宿場〝犬目〟に来ると「義民『犬目の兵助』の生家」に次のような説明が添えてあった。（要約）

「天保四年（一八三三）の飢饉から立ち直ることができないのに、天保七年（一八三六）の大飢饉がやって来ました。その年は、春から天候不順に加え、台風の襲来などにより、穀物はほとんど実らず、餓死者が続出する悲惨な状況となりました。各村の代表者は救済を代官所に願い出ても、聞き届けてもらえず、米穀商に穀借りの交渉をしても効きめはないので、犬目村の兵助と下和田村（大月市）の武七を頭取とした一団が、熊野堂村（東山梨郡春日居町）の米穀商、小川奥右衛門に対して実力行使に出ました。称して〝甲州一揆〟といわれています。

このときの平助は40歳で、妻や幼児を残して参加しましたが、この一揆の首謀者は、当然死罪です。家族に類が及ぶのを防ぐための〝書き置きの事〟や、妻への〝離縁状〟などが、この生家である〝水田屋〟に残されています。一揆後、平助は逃亡の旅に出ますが、その〝逃亡日誌〟を見ると、埼玉の秩父に向かい、巡礼姿になって長野を経由して、新潟から日本海側を西に向かい、瀬戸内に出て、広島から山口県の岩国までも足を伸ばし、四国に渡り、更に伊勢を経ていますが、人々の善意の宿や、野宿を重ねた一年余の苦しい旅のようすが伺えます。

晩年は、こっそり犬目村に帰り、役人の目を逃れて隠れ住み、慶応三年に七十一歳で没しています。平成十一年十一月吉日　上野原町教育委員会」。

＊名勝　猿橋　（昭和七年三月二十五日指定）

「猿橋架橋の始期については定かでないが、諸書によれば〝昔、推古帝の頃（六〇〇年頃）百済の人、志羅呼（しらこ）、この所に至り猿王の藤蔓をよじ、断崖を渡るを見て橋を造る〟とあり、その名はあるいは白癬（しらはた）、志耆麻呂（しきまろ）と様々であるが、これ以外の伝説は見当たらない。

史実の中では、文明十九年（一四八六）二月、聖護院の門跡道興はこの地を過ぎ、猿橋の高く危うく渓谷の絶佳なるを賞して詩文を残し、過去の架け替えや伝説にも触れています。

応永三十三年（一四二六）武田信長と足利持氏、大永四年（一五二四）武田信虎と上杉憲房との合戦の場となった猿橋は、戦略上の要地でもありました。

江戸時代に入り、五街道の制度が確立してから甲州道中の要衝として、護普請所工事（直轄工事）にて九回の架け替えと、十数回に及ぶ修理が行なわれてきました。

この間、人々の往来が頻繁となり、文人墨客はこの絶景に杖をとめて、多くの作品を今に残しています。

昭和七年、付近の大断崖と植生を含めて、猿橋は国の名勝指定を受け今に至っています。昭和九年、西方にある新猿橋の完成により、この橋の官道としての長い生命は終わりましたが、その後も名勝として生き続けています。

今回の架け替えは、嘉永四年（一八五一）の出来形帳により架けられており、江戸時代を通してこの姿や規模でありました。

昭和五十八年着工、昭和五十九年八月完成、総工費三億八千三百万円であります。橋の長さ、三〇・九メートル、橋の幅、三・三メートル、橋より水際まで三〇メートルです。

大月市教育委員会」。

＊笹子隧道について

「四方を山々に囲まれた山梨にとって昔から重要な交通ルートであった甲州街道。その甲州街道にあって一番の難所といわれたのが笹子峠。この難所に開削された笹子隧道は昭和13年3月に完成。昭和33年、新笹子トンネルが開通するまでこの隧道は、山梨、遠くは長野辺りから東京までの幹線道路として甲州街道の交通を支えていた。南大菩薩嶺を越える大月市笹子町追分より大和村日影までの笹子峠越えは距離10数キロメートル、幅員が狭くつづら折りカーブも大変多くまさしく難所で、遥か東の東京はまだまだ遠い都だったことでしょう」。（要約）

＊笹子峠

「徳川幕府は慶長から元和年間にかけて甲州街道を開通させた。笹子峠はほぼその中間で江戸から約27里の笹子宿と駒飼宿を結ぶ標高1096m、上下3里の難所だった。

峠には諏訪神社分社と天神社が祀られていて広場には常時、馬20頭程繋がれていた。峠を下ると清水橋までに馬頭観世音、甘酒茶屋、雑事場、自害沢、天明水等があった。また、この峠を往来した当時の旅人を偲んで昭和61年2月12日、次のような唱が作られ発表された。

甲州峠唄　　　　　　　　　　　　作詞　金田一晴彦　　作曲　西岡文郎

あれに白いはコブシの花か　峠3里は春がすみ
うしろ見返りゃ今来た道は　林の中を見え隠れ
高くさえずる妻恋雲雀　おれも歌おうかあの歌を
ここは何処だと馬子衆に問えば　ここは甲州笹子道

この唱の発表によって旧道を復元しようという気運が高まり昭和62年5月、清水橋から峠まで地域推進の一環として、日影区民一同と山和村文化協会の協力によって荒れていた旧道を整備して歩行の出来る状態にしました。佐藤達明　文」（説明板／要約）

③街道筋の概要とポイント

鶴瀬から勝沼、石和、甲府、韮崎、教来石、金沢、下諏訪（完）

◎地形&ルートの概要

地形的には、甲府盆地の東端にあって、甲州ぶどうの産地〝勝沼〟から国道20号を甲府盆地の中心へ。そして笛吹川を渡って〝石和〟〝甲府〟を過ぎると、このあとJR中央本線と共に釜無川に沿って北西方向へ〝韮崎・台ヶ原・教来石・葛木《かつらぎ》〟を経て甲州街道の終点〝下諏訪〟（諏訪湖）に到る。

▽街道筋の概要1（鶴瀬～甲府）

このあと国道20号から分かれ〝**勝沼**〟に向かう。この地は、ぶどう畑が一面に広がる〝甲州ぶどう〟の産地。

＊〝甲州ぶどう〟の産地〝勝沼〟

千年以上の歴史ある日本固有の品種で、栽培面積は全国一。山々が雨雲をはばみ日照量の多い山梨の気候風土が、雨に弱い甲州ぶどうの生育に適しているという。この甲州ぶどうは、生食用とワイン用の両方に利用されており、種周りの酸味が強いので、種ごと飲み込むのが地元流の食べ方とのこと。

この〝甲府盆地〟東端に広がるぶどう畑の小高い丘に〝甲州市〟が運営する観光施設〝勝沼ぶどうの丘〟がある。（最寄駅はJR中央本線「勝沼ぶどう郷」）

＊武田信玄の里〝石和〟

暴れ川だったという〝笛吹川〟を渡って武田信玄の里〝**石和**〟に来ると〝武田信玄の里写真スポット〟がある。武田氏は〝石和〟に住んでいたが武田信玄の父・信虎のときに〝甲府〟に移ったという。

＊青梅街道との合流点

〝甲州街道〟の代名詞〝国道20号〟を歩いていると、いつの間にか国道411号に変わっていて20分ほど歩くと〝摩利支天尊堂〟がある三叉路に出て〝青梅街道〟に合流する。〝摩利支天〟はインドの庶民の間に広く信仰された風神《かぜのかみ》の一つ。日本では武士の守護神として崇拝されてきた。甲州街道と青梅街道の分かれ道に祀られているところから、旅立ちの祈願に大勢の人が立ち寄ったといわれている。（説明板より／詳細後述）

※武田信虎〝が本拠地を構えた〝甲府〟

中央本線の「酒折駅」を過ぎると、甲府最古の日本武尊にちなむ〝酒折宮跡〟がある。ここに甲府山麓に残る歴史や文化遺産を巡る「北山野道」の案内板があったので、このあと〝甲府善行寺〟〝甲府城跡〟を訪れた。

・酒折宮跡

景行《けいこう》天皇四十年の頃、東夷《とうい》討伐から帰路に着いた日本武尊がこの地で歌を詠んだと伝わり、この武尊の霊を祭ってあるという。

・甲府善光寺

武田信玄が永禄年中、川中島の合戦の折に信濃善光寺が兵火にかかるのを恐れ、本尊阿弥陀如来その他、諸仏、寺宝、大梵鐘《だいぼんしょう》にいたるまでことごとく甲斐に招来し、ここ板垣の郷に新たに建立せられたものであるという。板垣の名は、甲斐源氏の一族がこの地に館を構え、板垣氏を名乗ってから定着したようだ。（碑文／要約）

＊甲府城跡

甲府城は、古くは甲斐府中城、舞鶴城、とも呼ばれていた。武田氏滅亡後、織田信長の領国となり、本能寺の変後は徳川家康が支配したが、豊臣秀吉の天下統一に伴い築城。関ヶ原の戦い以降、再び徳川の城となり、幕末まで存続した。

その後、甲斐国は幕府の直轄地となり、甲府城は甲府勤番の支配下におかれ、享保年間の大火もあってしだいにその壮麗な姿は失われていった。

明治時代に廃城となり、現在は内城の部分のみが城跡としての景観を保っていて城跡は〝舞鶴公園〟として開放されていた。

地形的には〝甲府駅〟の正面に位置し、甲府城の石垣だけ残っている。この石垣は戦国時代末期の先端技術である〝穴太積み〟と呼ばれる技法で構築されたもので、城石垣として東日本では屈指のものという。城郭の石階段を登っていくと上に〝明治天皇御登臨之址《ごとうりん》〟の石碑が建っていて、ここから眼下の甲府駅をはじめ甲府市街が一望できる。

＊甲府城の石垣

「甲府城の石垣は、戦国時代末期の先端技術である穴太積みと呼ばれる技法で構築されたもので、城石垣として、東日本では屈指のものです。

穴太積みとは、自然石もしくは荒割石を用いて高石垣を築く技法で、その特徴は、大小様々な石を組み合わせて積み上げ、さらに石の隙間には小さい石をしっかり詰めることで、強固な城壁としての石垣を積むことです。この技法で詰まれた城石垣の代表的な例としては、織田信長が築いた安土城（滋賀県）、豊臣秀吉が築いた石垣山一夜城（神奈川県）・名護屋城（佐賀県）などが挙げられます。

しかし、この穴太積み石垣については、現在でも多くの謎を秘めており、それぞれ石垣勾配の決め方や、大小の石材の積方順序、石垣裏の構造など、いまだ解明されていないことがあります。この石垣は、穴太積み技法の調査を行いながら、可能なかぎり当時の姿に復原修理を行ったものです」。

（説明板より）

〝甲府城跡〟を訪れたあと、甲府駅の横を通って北に20分ほど歩くと〝武田信虎〟（信玄の父）、信玄、勝頼と武田家当主の館として使われた〝武田氏館跡〟がある。

ここに「国指定史跡　武田氏館跡（躑躅ヶ崎館跡）」と題した次のような説明板パネルが立っている。

※**武田氏館跡（国史跡）**

「武田氏館は〝躑躅ケ崎館《つつじがさき》〟とも呼ばれ、武田信玄の父〝信虎〟が、永正16年（１５１９）に〝石和〟からこの地に館を移した。その後〝信玄・勝頼〟と武田家当主の館として使われ、武田家が滅びた後、今の〝甲府城〟が作られるまで約70年間、この館一帯は、領国の政治・経済と文化の中心地として発展した。館は、現〝武田神社〟を中心に、その回りのいくつかの副郭とによって構成された平城形式で、館の回りには、家臣の屋敷が建てられ、南方一帯には格子状に整備された道路に沿って城下町が開けていた」。（要約／詳細後述）

この跡地に武田晴信命（信玄公）を御祭神とする〝武田神社〟があって、この〝由緒〟に次のように記されていた。

＊武田神社〝由緒〟

「武田晴信公は大永元年（１５２１）武田信虎公の長男として生まれ、元服に際し、将軍足利義晴から〝晴〟の一字を賜り晴信といい、天文10年（１５４１）信虎公の後継者として、甲斐の国主となった。天正元年（１５７３）４月12日、天下統一の夢抱き京に上る途中、信州伊那駒場で病没。（行年53歳）」（要約／詳細後述）

※甲州街道の終点〝下諏訪〟へ

○地形的ポイント／釜無川

今まで〝日本橋〟から西に向かってきたが〈笹子峠〉を越えて〝甲府盆地〟に入ると、少し向きを変え〝釜無川〟に沿って北西方向に向かう。

この〝釜無川〟は〈赤石山脈〉の北端部（鋸岳辺り）から北に流れ、山梨・長野県境をなして大きく南東に向きを変え、西の〈明石山脈〉、東の〈秩父山地〉の間を流れ、韮崎市から甲府盆地を南に流れている。途中〈巨摩山地〉から多くの支流が流入、いずれも急流で大量の砂礫を運ぶために荒れ川となり〝甲府盆地〟にたびたび洪水被害をもたらし、早くから治水に力が注がれていた。そして〝甲府盆地〟の南西端付近で〝笛吹川〟と合流し〝富士川〟となって〝駿河湾〟に注いでいる。富士川は〝日本三大急流〟の一つでもある。

▽街道筋の概要2（甲府～下諏訪）

甲州街道は石和で国道20号から411号に変わったが、甲府で52号に変わり中央高速道のガードを潜ると国道20号に戻る。

そして甲府市中心街を抜けると右に〝韮崎〟の平和観音像が小さく見えてくる。このあと〝笛吹川〟の支流〝荒川〟を渡るが、気がつくといつの間にか左側に〝釜無川〟が流れていた。そして道脇に〝一六石〟と刻まれた石碑が建っていて、この横に「十六石」と題した説明板が添えてあって、次のように記されていた。

＊巨大な石〝十六石〟

「武田信玄公が治水に力を入れたのは有名だが、まだ晴信といわれた天文十二・三年頃年々荒れる釜無川の水害から河原部村（現韮崎町）を守るため、今の一ツ谷に治水工事を行った。その堤防の根固めに並べ据えた巨大な石が〝十六石〟で、その後徳川時代になって今の上宿から下宿まで人家が次第に集まり〝韮崎〟は宿場町として栄えるようになったと言われている」。

そして国道20号から旧道に入ると、海鼠壁《なまこかべ》の土蔵を見せる民家が所々に残す〝**韮崎**〟がある。手入れされた松や植木が映えて街道筋の景観を引き立てている。このように国道から一歩中に入ると、落ち着いた家並みが残っていて往時の雰囲気をそれなりにしのばせてくれる。

＊〝七里岩〟の断崖

〝韮崎〟を過ぎると、右側の釜無川沿いに八ヶ岳の泥流で出来たという〝七里ヶ岩〟の断崖が見えてくる。この〝七里ヶ岩〟は文化遺産に登録されていて、資料によると次のように記されている。

「山梨・長野県境に位置する八ヶ岳の南麓には約20万年前の山体崩壊による韮崎岩屑流《がんせつりゅう》が南北約25㎞、東西約18㎞にわたって大規模な台地を形成している。釜無川の侵食により比高40〜150ｍもの断崖地形が連続し、総長が約30㎞にも及ぶことから〝七里岩〟の呼称が定着した。この断崖絶壁は要害の地を成していたため、甲斐国の大名武田勝頼は〝七里岩〟に臨む台地の突端に新府城を築城した」。

この〝新府城跡の標示（右折）が見えたが、距離が1㎞近く離れていて、しかも〝七里ヶ岩〟の台地上にあるのでパスした。（最寄駅はJR中央本線〝日野春駅〟）

＊〝七里岩〟の断崖と街道風景

左に〝駒ヶ岳～鳳凰三山〟の裾野が広がる丘陵地が迫り、右に〝七里岩の断崖〟の裾野を流れる〝釜無川〟に挟まれた狭い区間に、田植えが終わった水田地帯が細長く伸びている。左側の水田は丘陵地でさえぎられ、右側の水田は〝釜無川〟と奥の〝七里岩〟の断崖でさえぎられている。この両側の水田に挟まれるように甲州街道（国道20号）が通っている。この区間を過ぎると、まもなく案内板「日本の道百選 甲州街道 台ヶ原宿」が立つ〝台ヶ原〟の旧道に入る。

＊〝台ヶ原〟に入ると、家々の玄関先には「甲州街道　台ヶ原宿」と書かれたお揃いの植木鉢が置かれていて、ペチュニア等々、季節の花がとてもきれいに咲いていた。

そして大きな〝常夜灯〟「台ヶ原宿本陣屋敷跡」標柱〟を過ぎると、暖簾「名水を醸して二五〇年〝七賢〟」を提げ、軒先に立派な酒林を吊るす老舗の風格を漂わせるお店の隣に、昔ながらの豪壮な門と白壁の塀で囲われた屋敷があった。旧脇本陣で家の前に「北原家住宅四棟」の説明が立っていて、次のように記されていた。

＊北原家住宅四棟

「信州の高遠で酒造業を営んでいた北原伊兵衛光義がこの地に分家して大中屋という屋号で酒造りを創めたと伝える。以来営業は大いに発展し幕末には諏訪高島藩、伊那高遠藩の御用商人を勤め、また脇本陣をも兼ねていた豪商である。降って、明治十三年に明治天皇本県御巡幸の際は行在所となった」とあった。大中屋は現在の〝七賢〟醸造元である。

このあと、のどかな旧街道を〝教来石〟に向かう。40分ほど行くと〝白須松林の址〟と刻まれた2mほどある大きな石碑が建っていた。側に「白須松原の址碑」と題した説明板が添えてあって、次のように記されていた。

「平安時代頃からこの地にはすばらしい松林が約4キロメートルにわたって続き、白須松原、また茸《きのこ》の産地として京まで知られていた。惜しくも昭和10年代につごうにより伐られてしまった」。

周囲に松の木は一本もなかったが、往時を偲びこの歴史を少しでも後世に伝え残そうとする地元の人たちの心が伝わってくる。この地名は〝白州〟とあった。

国道20号と合流したり離れたりと、民家を縫うように旧街道が残っている。めったに人に出会わないのどかな田舎道がつづく。途中、民家の側に「明治天皇御小休止所址」碑が建っていた。

〝上教来石〟に入ると「山口の関所跡」の標柱が建つ一画に「史跡 山口関所跡」説明パネルと「西番所跡」碑が建っていた。

ここは〝甲州と信州の国境〟で、この関所は甲斐24関の一つで小荒間、大井ヶ森、笹尾の口留番所とともに信州口の関門として重視され常に番卒を駐在させて取り締りを厳重にしたところだったようで、当時の朱印状・槍・鉄砲・袖からみ刺股《さすまた》等を今も蔵しているという。

・史跡 山口関所跡

「甲斐24関の1つで小荒間、大井ヶ森、笹尾の口留番所とともに信州口に対する関門として重視され常に番卒を駐在させて取り締りを厳重にしたところである。朱印状・槍・鉄砲・袖がらみ刺股等を今も蔵している。白須町教育委員会」（説明板より）

なおも田畑がつづくのどかな田舎道を進むと、間も無く国道20号と交差する。ここに〝セブンイレブン〟があったので水とお菓子を買って少し休憩した。コンビニは国道や大きい県道沿いに必ずある。トイレも使えるので名の通り本当に便利でありがたい。

☆山梨／長野県境

この〝セブンイレブン〟前方に「富士川　新国界橋」の標識が小さく見える。先の〝釜無川〟に架かる〝新国界橋〟は山梨県から長野県に入る県境の橋。でも標識はなぜか富士川となっていた。旧街道は〝国道20号〟を横断し〝新国界橋〟上流の〝国界橋〟を渡り、ここで〝**山梨県から長野県に入る**〟。（甲斐／信濃国境）

この辺はJR中央本線から遠く離れていて、最寄りの〝小淵沢駅〟は東に3～4㎞くらい離れていて、尚も人ひとり通らない旧街道を歩いていると「日蓮上人の高座石」と題した説明板が立っていて、かつて日蓮上人が巡錫《じゅんしゃく》（僧侶が各地を巡行して教導・遊化）したときに立ち寄ったという。

まもなく民家が現れ〝信濃路〟最初の宿場〝**蔦木**《つたき》〟に入ると「桝形道路」碑文が建っていて、次のような内容が記されていた。

「蔦木宿は、甲州街道の宿駅として、慶長16年ころつくられた。新しい土地に計画されたので、稀に見る完備した形態となっていたが、平成３年度の道路改良工事のために、南の枡形路を移動したので、その原形を碑面に刻し、これをのこす」。

この〝蔦木〟は国境の宿として賑わったらしいが、今は静かな集落に「蔦木宿本陣跡」碑が建っていて、横に本陣表門が残っているだけだった。

このあと国道20号を歩くこと1時間。途中、拓けたところに「瀬沢古戦場」碑が建っていて次のような「瀬沢合戦跡」と題した説明板が添えてあった。

＊瀬沢合戦跡

「瀬沢合戦とは、〝甲陽軍艦〟によればおよそ次のような合戦のことである。天文11年（１５４２）2月、信濃の小笠原・諏訪・村上・木曽の４大将は甲斐の武田晴信（信玄）を攻めようと合議し、甲信境の瀬沢に陣取った。この動きを察知していた晴信はひそかに軍勢を発し、３月９日朝、信濃勢の不意をついた。戦いは辰の刻（午前８時）に始まり未の刻（午後２時）に終わり、武田軍は信濃方１６２１を討ち取って大勝したが、味方にも多数の死傷者を出した。その戦場となったのは、瀬沢を中心に新田原から横吹におよぶ広い範囲と考えられる」。（説明板／要約）
この戦いは永禄４年（１５６１）上杉謙信と武田信玄《しんげん》が雌雄を決せんと戦った〝川中島の戦い〟の19年前の事。（この日は小手沢交差点から最寄り〝富士見駅〟に戻って帰宅）

＊御射山神戸の一里塚

小手先交差点から、富士見峠交差点の先で旧街道に戻ると〝御射山神戸の一里塚〟があった。樹齢380年、周囲約7m、樹高25mの巨木で、塚・ケヤキともに往時のものが保存されている。このように〝**本物の一里塚に出会うのははじめて！**〟往時の旅人が目印としてきた一里塚を、今自分が同じ甲州街道の旅人として見ていると思うと、自分が求めていたものの一つに出逢ったようで感動するものがあった。ここに「御射山神戸の一里塚」と題した説明板が立っていて冒頭に次のように記されていた。（説明板／要約）

・御射山神戸の一里塚

「関ヶ原の合戦に勝利した徳川家康は、江戸を政治の中心とするため、慶長7年（1602）に江戸と地方を結ぶ幹線道路として五街道を定めた。甲州街道はその一つで、最初は甲府までであったが、慶長15年ころになって下諏訪（中山道）まで延長整備された」。

＊残雪を冠《かぶ》った〝八ヶ岳〟

このあと道が開けてくると、遠くに残雪を冠った〝八ヶ岳〟の山々が見えてくる。真っ青な空に真っ白な雲、それに雪で白い〝八ヶ岳〟の稜線がくっきり浮かび上がって見える。

＊〝金沢〟に着くと「金沢宿本陣跡」の説明板が立っていて次のように記されていた。

「金沢宿は慶安年間の初めまでは現在地の北方権現原にあって青柳宿と称していたが、度重なる水害と前年の火災で焼失したのを機に、慶安4年（1651）現在地に移転し金沢町と改称した。金沢宿を利用した大名は高島藩・飯田藩・高遠藩の三藩であったが、江戸後期になると幕府の許可を得た大名が東海道や中仙道を通らず甲州街道を通行し金沢宿に泊まっている」。（説明板／要約）

〝金沢〟は遊女屋も立ち並ぶ賑やかな宿場だったらしい。家屋の傷みをブリキ板で修復している昔風の家や旅籠屋〝松坂屋〟もそれらしき看板を残していたが、寂れた〝金沢〟という感を拭えなかった。かつての宿場が国道沿いになったことで新陳代謝を早めているのかもしれない。それでも宿場時代を思わせるような旧家らしき古い建物が何軒か残っていた。

※甲州街道の終点〝下諏訪〟に到着！

〝金沢〟を後に再び〝八ヶ岳〟の稜線がくっきり浮かび上がって見えてくる。そして〝諏訪市〟に入って「ここは標高７６７ｍ」と記された道路標示を過ぎると、まもなく〝諏訪大社〟の大きな鳥居が見えてくる。そして軒下に大きな酒林を吊るした〝真澄の酒造元〟を過ぎると〝国道20号〟から分れて山手寄りの旧街道に入る。

少しいくと左側の民家の後方に〝諏訪湖〟が見えてくる。そして、海鼠壁《なまこかべ》の家や土蔵、連子格子の茶屋跡、海鼠壁の土蔵と表門を構えた民族資料館とつづき、景観と雰囲気が〝ガラッ〟と変わってくる。

〝**下諏訪**〟に近づくと再び〝諏訪湖〟の全貌がきれいに見えてくる。道脇に「甲州道中一里塚」碑が建っていて「この塚は江戸より53番目。甲州街道中最終のもの。あと千百ｍで賑やかな下諏訪宿に着き、中仙道につながる」と記された説明板が添えてあった。

そして「諏訪大社」の鳥居が建つ広い道に出ると、正面から大きなトラックがこちらに向かってくる。〝国道142号〟で〝中山道〟との合流点だった。こうして〝甲州街道〟の終点に到着した！

大きな駐車場の一角に「甲州道中終点 中山道下諏訪宿問屋場趾」石碑、及び「下諏訪宿 甲州道中・中山道合流之地」と刻まれた黒い石碑が建っていて、これに挟まれる位置に「神話と伝説 錦の湯」と題した説明板が添えてあった。（詳細後述）

この背後の建物壁に、当時の下諏訪宿の情景を画いた大きな〝陶板レリーフ〟が架かっていた。

この辺が〝**下諏訪**〟の中心界隈だったようだ。〝中山道と甲州街道〟が交わり、全国一万余の〝諏訪神社総本社〟の門前町で〝湯の湧く宿場〟として親しまれ街道一賑わっていたという。

③［**ポイントの詳細説明**］

＊摩利支天尊堂

「摩利支天は、インドの庶民の間に広く信仰された風神の一つといわれていますが、日本では、武士の守護神として崇拝されてきました。伝説では、昔このあたりに疫病がはやった時、力丞《りきじょう》という人が21日間の祈祷をしておさまったので、ここにお堂をたて、のちに江戸深川からご本尊をもらい受けたと伝えられています。本尊は、猪のうえに武将姿の摩利支天が乗った形で、愛と力・旅の守護神として有名でした。地名を〝辻〟といい、甲州街道と青梅街道の分かれ道に祀られているところから、古くから旅立ちの祈願に大勢の人が立ち寄ったといわれ、また3月と8月の祭礼には人々がたくさん集まって賑わったそうです。　甲府市・甲府市教育委員会」（説明板より）

＊武田氏館跡（国史跡）

「武田氏館は〝躑躅ヶ崎館〟とも呼ばれ、武田信玄の父、信虎が、永正十六年（一五一九）に石和からこの地に、館を移したことから始まります。その後、信玄・勝頼と武田家当主の館として使われました。そして武田家の滅びた後、文禄年間に館の南方に今の甲府城が作られるまでの、約七十年にわたり、この館一帯は、領国の政治・経済と文化の中心地として発展しました。館は、一辺が約二百メートルの正方形の主郭（現武田神社）を中心に、その回りのいくつかの副郭とによって構成された平城形式のものです。館の回りには、家臣の屋敷が建てられ、南方一帯には格子状に整備された道路に沿って、城下町が開けていました。この館と城下町は、戦国時代の大名の本拠として、第一級の規模と質を誇るものです。　文化庁　山梨県教育委員会　甲府市教育委員会」。（説明板より）

＊武田神社〝由緒〟

「武田晴信公は清和源氏新羅三郎義光公の後裔で、大永元年（一五二一）十一月三日、武田信虎公の長男として石水寺要害城に生まれました。幼名を太郎、童名を勝千代と名乗り、天文五年

(一五三六)三月の元服に際し、将軍足利義晴から〝晴〟一字を賜り晴信といい、従五位下大膳大夫に叙されました。天文十年(一五四一)信虎公の後継者として、甲斐の国主となり、以後三十有余年領国の経営に力を尽くされました。天正元年(一五七三)四月十二日、天下統一の夢を抱き京に上る途中、信州伊那駒場で病没されました。(行年五十三歳)

大正四年(一九一五)大正天皇の即位に際し、晴信公に従三位が追贈され、これを機として山梨県民はその徳を慕い、官民が一致協力して、社殿を造営、大正八年(一九一九)四月十二日、鎮座祭が盛大に斎行されました」。(説明板より)

＊神話と伝説　錦の湯

「諏訪大社は、上社の本宮・前宮と、下社の秋宮・春宮の総称です。その昔、神社の地にお住まいの諏訪明神建御名方の神のお妃八坂刀売神が、日頃お使いになっておられたお化粧用の湯を綿に湿し「湯玉」にして下柱の地にへお持ちになりました。その湯玉を置かれた所から湧いたのがこの温泉で、綿の湯と名付けられました。神の湯ですから神聖で、やましい者が入ると神の怒りに触れて、湯口が濁ったといい、「湯口の精濁」は下社七不思議の一つに数えられています。

下諏訪宿は中山道と甲州道中が交わるところ、全国一万余の諏訪神社総本社の門前町で、湯の湧く宿場として親しまれ街道一賑わいました。下諏訪宿の中心が綿の湯界隈です。

松尾芭蕉と門人近江国膳所藩士菅沼曲水の連歌

入込みに諏訪の湧き湯の夕まぐれ　曲水

中にもせいの高き山伏　芭蕉

入込みは共同浴場のこと、夕暮れの宿場の賑わいがしのばれます。

壁画の陶板レリーフは文化二年（一八〇五）の木曽路名所図会に描かれた下諏訪の情景です。

碑の揮毫は放送作家　永　六輔氏」。

甲州街道を歩いて

全行程２１０㎞を無事踏破できた喜びと達成感に浸りながら帰路に着いた。特に甲州街道〝みちの旅〟は〝歩けるときに歩けるだけ歩こう〟を実践する最初の旅だっただけに無事踏破できて本当に良かった。反省点はいろいろあるが、何はともあれこの旅を続ける自信と要領を得た気がする。

◎人が歩く道でなくなった国道

歴史街道を歩く〝みちの旅〟の皮切りとして自宅に近いＪＲ中央線に沿った甲州街道から歩くことにした。しかも、その多くが国道20号と重なるので歩きやすいだろうと思っていた。ところが日本橋〜皇居〜新宿までは都心風景を楽しむことができたが、新宿を過ぎると歩道が狭くなり、工場で製造された製品や部品・材料を満載した大型トラックがひっきりなしに走る。それも箱型の冷凍車やコンテナ車の大型トラックが多く、この排気ガスと風圧が凄い。

豊かになった今の日本の経済・産業を支えているのがこの輸送用トラックなのだろう。新鮮な生鮮食品はスーパーでいつでも買うことができ、ゴルフも宅急便を使えば重いバッグを持っていかなくて済む。とても便利で良い時代になったが、国道は輸送用トラックの道路に変わり果て、人が歩く道ではなくなった。市街地に入ると乗用車も加わり、赤信号で何十台と車の列ができてしまう。信号待ちで止まっている車の排気ガスを気にしながら横を通るのもつらい。

交通量の多いこうした国道を、大型トラックの排気ガスと風圧に耐えながら、私のように歩道をトボトボ歩いている人は誰もいなかった。健康に良いわけがない。こんな状況が何日も続くと身体のどこかに支障が出てくるのでは、と心配でもあった。

◎本物の一里塚に出会って感動！

近藤勇や土方歳三の生まれ故郷（調布、日野）、新選組の人々が出稽古に来ていた天然理心流佐藤道場跡、江戸の守りを固める守備部隊として武田の旧臣を雇った八王子の千人同心屋敷跡、甲府の武田信玄の居城〝躑躅ヶ崎館〟等々を辿っていると、時代々の歴史やドラマが〝道〟に刻み込まれているのが分かる。また、旧小原宿に残る〝小原本陣屋敷〟富士見峠交差点の先で樹齢３８０年の〝御射山神戸の一里塚〟に出会ったときは感動した。本物の本陣屋敷や一里塚を見るのは初めてで、求めていたものの一つに出会った気がしてうれしかった。

◎田園風景がとても美しい

電車や車の車窓からだと気がつかないのかもしれない。大月を過ぎたあたりから南に富士山や南アルプス、北は秩父多摩甲斐や八ヶ岳連峰を背景に、これに連なる山々に囲まれた田園風景がとても美しい。山々は新緑に包まれ、整然と田植えされた水田や野菜畑、果樹園が広がり、それに光沢ある農家の黒い瓦屋根が映えてとても美しい。また庭木に囲まれた広い敷地に建つ木造建築の大きな農家の家々がとてもきれいだ。

ヨーロッパに旅行した時、緑々とした広大な牧場に赤い屋根の農家がポツンと見える。放牧された薄茶色のきれいな毛並みの牛がのんびりと牧草を食べ、寝そべっている。このヨーロッパ的な田園風景がとても美しいと思った。

しかし甲州街道を歩いてみて、山々に囲まれ豊富な水に恵まれる日本の田園風景の美しさをあらためて発見したような気がする。おそらく、ヨーロッパや韓国、中国にもない日本的な美しい田園風景ではないだろうか。

最初は排気ガスと風圧に悩まされはしたが、歩き終えてみると街道に刻み込まれた歴史に思いを馳せ〝歩く喜び〟〝歩く楽しみ〟をいろいろ発見できた。〝歩けるときに歩けるだけ歩こう〟を実践する最初の旅として、楽しみと自信が湧いてきた。（完）

第4章【青梅街道】

【青梅街道】のポイント（目次）

＊青梅街道の概要

〝青梅街道〟は慶長11年（１６０６）江戸城修築の城壁用に、武州多摩郡の上成木村・北小曽木村（現青梅市）産出の〝石灰〟を運ぶ道として〝大久保長安〟によって開かれたといわれている。また〝石灰〟搬送などの産業道路としてだけでなく〝御岳山〟への参詣や〝甲州裏街道〟として旅人が行き交う街道でもあった。

この〝青梅街道〟は〝内藤新宿〟の追分付近（新宿四丁目交差点）で〝甲州街道〟から分かれ〝中野、田無、小川（小平市）、箱根ヶ崎、青梅、氷川、丹波、小原（山梨市）の各宿場を経て〝甲府〟の東（酒折）で〝甲州街道〟に戻る。このため〝甲州裏街道〟とも呼ばれていた。距離は約１６７km。（都道〈４〉、国道〈４１１〉）

※青梅街道の起点〝新宿・天龍寺〟

新宿4丁目交差点近くの〝天龍寺〟に着いたのが午前9時すぎ。ここに**〝内藤新宿〟**に時刻を告げたという〝時の鐘〟がある。夜通し遊興する人々への合図〝追出しの鐘〟として親しまれ〝上野寛永寺〟〝市ヶ谷八幡〟とともに江戸の〝三名鐘〟の一つと言われていた。〝甲州街道〟と明治通りが交差する新宿4丁目交差点にある〝天龍寺〟が〝青梅街道の起点〟になっている。

①街道筋の概要とポイント

（内藤新宿から田無、小平、箱根ヶ崎、青梅、氷川、奥多摩湖）

＊〝新宿〟の総鎮守〝花園神社〟

新宿4丁目交差点で〝甲州街道〟から分かれ〝明治通り〟へ、そして〝靖国通り〟との交差点を左折し〝靖国通り〟を西に進むと〝青梅街道〟は都道＜4＞として北西に向かう。この〝靖国通り〟との交差点近くに〝花園神社〟がある。由緒記に「花園神社は古来新宿の総鎮守として内藤新宿に於ける最も重要な位置を占め来たった神社である。徳川氏武蔵国入国以前の御鎮座にして大和国吉野山より御勧請せられたと伝えられる」。と記されている。

＊「内藤新宿」と呼ばれた〝新宿〟

「かつての〝新宿〟は、内藤新宿とか追分新宿と呼ばれていた宿場町。その名は〝内藤家屋敷地前にできた新しい宿〟を意味していた。内藤氏は藤原秀郷の末孫で、二代目清成は家康の関東移封に先立ち、現在の新宿二丁目を中心として陣屋を敷き、警備にあたっていた。家康が江戸入城の後、内藤氏は布陣していた新宿の地をそのまま拝領し、これが現在の新宿御苑だという」。（花園神社の資料より／詳細後述）

＊江戸・東京の農業「内藤トウガラシとカボチャ」

この〝花園神社〟近くに、江戸・東京の農業「内藤トウガラシとカボチャ」と題した次のような説明板が立っている。

＊「新宿御苑は、江戸時代高遠藩主内藤家の下屋敷だった。当時、武家では屋敷内の畑で、野菜などを栽培し自給する慣わしが一般的で、内藤家でも野菜を栽培していたが、中でも軽くて肥沃な土に適したトウガラシがよくでき、内藤トウガラシと呼ばれて評判となり、新宿付近で盛んに作られていた。この地域ではカボチャの栽培も盛んで〝内藤カボチャ〟とか〝淀橋カボチャ〟ともいわれていた」。（要約／詳細後述）

▽街道筋の概要①（内藤新宿〜田無）

花園神社の前を通って〝新宿大ガード西〟をくぐり、鬼子母神を過ぎると〝青梅街道＜４＞〟の道路標識が出ている。この下に地下鉄丸の内線が走っていて、左手に都庁ビルが見える。そして神田川（淀橋）を渡って杉並区に入ると、街道筋に「青梅街道」の説明パネルが立っている。

・鬼子母神

鬼子母神信仰は平安朝の昔から一般的な信仰としてあったが、法華信教に生きる者、日蓮宗に属する者にとって、鬼子信仰はただ単に子どもを守る神であるばかりでなく、信者・宗徒の外護神として崇められているという。

・神田川（淀橋）

淀橋はかつて〝姿みずの橋〟とか〝いとま乞いの橋〟といわれていたが、江戸時代の初めに鷹狩りでこの地を訪れた将軍家光は〝不吉な話でよくない。景色が淀川を思い出させるので淀橋と改めるよう〟と命じ、これ以降、その名が定まったという。（説明板「淀橋の由来より」）

・青梅街道（説明パネルより）

「江戸城修復築の城壁用に青梅市産出の石灰を運ぶ道として大久保長安によって開かれた。この石灰は民間の需要も多く、最盛期には年間2万俵以上にも達していたという。

文末に〝杉並〟の名称は、江戸初期に成宗村・田端村の領主となった旗本岡部氏が、村境の印として、青梅街道沿いに杉の木を植えたことに由来する」。といった内容が付記されていた。（要約／詳細後述）

このすぐ先〝杉並区立蚕糸《さんし》の森公園〟に碑文「蚕糸科学技術発祥の地」が記されていて、環七通りの高円寺陸橋をくぐり〝五日市街道〟との分岐点を過ぎて、JR中央線の陸橋を渡って〝環八通り〟を横断すると〝日産プリンス東京荻窪店〟があった。この店前の片隅に「ロケット発祥之地」碑文と「旧中島飛行機発動機発祥之地」碑があった。

・蚕糸科学技術発祥の地（碑文・要約）

「明治四十四年（一九一一）この地に農商務省原蚕種製造所が創設され、一代交雑種の原蚕種配布を開始。その後、蚕業試験場、蚕糸試験場と改められ、我が国の近代化と経済の発展に大きく貢献。昭和五十五年、蚕糸試験場は筑波研究学園都市へ移転された」。

・ロケット発祥之地

戦後間もない昭和28年、旧中島飛行機から社名を変えた富士精密工業は東京大学生産技術研究所（現、文部科学省宇宙科学研究所）の指導を受け、ロケットの開発に着手した。

2年後の昭和30年にはペンシルロケットの初フライトに成功し、これが日本のロケット第1号となった。（碑文・要約／詳細後述）

▽街道筋の概要②（田無～箱根ヶ崎）

そして、ＪＲ中央本線〝西荻窪駅〟と西武線新宿線〝上石神井駅〟の中間辺りに来ると武蔵野の歴史と伝統を物語る鎮守の杜〝井草八幡宮〟が、練馬区に入ると、石で叩けば願い事が叶うという〝関のかんかん地蔵〟〝西東京市〟に入ると〝**田無**〟の地名由来が記された〝田無神社〟とつづく。そして〝小平市〟の武蔵野神社を過ぎ〝府中街道〟を横切って、しばらく行くと西武拝島線〝東大和市駅〟手前に〝青梅橋交差点〟がある。この〝青梅橋〟は〝玉川上水〟から分水された〝野火止用水〟を青梅街道が横断するために架けられた橋で、現在は〝暗渠《あんきょ》〟になっていて〝青梅橋〟の名だけが残っている。（詳細後述）

この〝青梅橋交差点〟から少し北に向き〝桜街道〟をたどって西北西に向かうが、このあと〝青梅街道〟は、武蔵村山市の〝日産自動車村山工場跡〟と立川～福生市に跨る〝米軍横田基地〟で分断されるので大きく迂回し〝箱根ヶ崎〟で〝青梅街道〟に戻った。

・井草八幡宮

古代より人々の生活の場であった遅野井《おそのい》（土井草村）の地に鎮まり、付近から縄文時代の住居跡や多くの土器・石器が発掘されている。鎌倉時代に入り、文治５年（１１８９）に源頼朝公が奥州征伐の途次、戦勝を祈願。以来八幡大神を主祭神とするようになった。また、江戸時代になると三代将軍家光より朱印領六石が寄進され、こののち歴代将軍何れも朱印地を寄進して萬延元年にまで及んでいるという。（由緒／要約）

•関のかんかん地蔵（説明板／要約）

〝生きとし生けるものの命を育み、迷いや苦しみを除いてくれる〟お地蔵さまは、特に子どもの御本尊として信仰されてきた。このお地蔵さまは江戸時代中頃に造立されたと思われるが、石で叩けば願い事がかなうといわれ、長い間叩かれてきたために足もとが細くなり、最近補修されたとの事。〝かんかん地蔵〟の名はこの叩いた時の音からきたものという。

•田無神社

創建は建長年間（１２４９～１２５６）の鎌倉時代とされている。当初は現在の鎮座地より北へ１㎞ほど離れた谷戸の宮山に鎮座し、尉殿大権現《じょうどのだいごんげん》と称していた。青梅の地で石灰が産出したため江戸まで運搬のために青梅街道が開かれ、幕府の命令により谷戸の住民たちは現在の田無の地に移り住んだ。こうして宿場町としての〝田無〟の歴史が始まった。（説明板要約／詳細後述）

▽街道筋の概要③（箱根ヶ崎～青梅～氷川）

横田基地の北東部分を迂回し武蔵村山市を流れる残堀川を渡って〝横田基地飛行場〟の北外れ〝**箱根ヶ崎**〟駅近くで国道16号とＪＲ八高線を横断し、緩やかに左にカーブしながら西の〝青梅〟に向かう。そして新町村、河辺村の名主だった茅葺屋根〝吉野家住宅〟〝鈴法寺跡〟を過ぎて東青梅駅近くで青梅街道〈5〉から分かれ〃**青梅**〃市街地に入って青梅赤塚不二夫会館、昭和レトロ商品博物館を過ぎると右手に青梅駅が見える。ここで八王子からくる国道411号と合流し〃青梅街道〃は〃国道411号〃になる。そして宿場の外れ近くに来ると、江戸時代に〃町年寄り〃を勤めた〃旧稲葉家住宅〃〃森下陣屋跡〃と続く。この近くに〃水源林事務所の歴史〃と題した説明パネルが立っていて、ここに〃多摩川の水源林の保護〃について記されていた。

•青梅赤塚不二夫会館

2003年に、かつて外科医院だったレトロな味わいの建物をリノベーションしてオープン。「天才バカボン」「おそ松くん」など、日本のギャグまんが界を牽引した赤塚不二夫氏の漫画原稿や愛ネコ・菊千代の紹介など、赤塚氏のパーソナリティーに触れることができるスポットで、商店には、人気キャラクター・ウナギイヌのグッズやステーショナリーをはじめ、青梅市のお土産なども購入できる。2020年3月27日をもって閉店。（ネット情報より）

•昭和レトロ商品博物館

昭和30年〜40年頃のお菓子や薬などの商品パッケージを中心におもちゃ、ポスター、ドリンク缶など懐かしい生活雑貨がずらり。元は家具屋さんだったという木造の建物。2階では、小泉八雲作の怪談「雪女」の原点が青梅に伝わる伝説にあったという資料の展示も行われています。入場料大人350円。（ネット情報より）

・旧稲葉家住宅

江戸時代に町年寄を勤めた家柄で材木商を営み、青梅縞などの仲買いなども行ない商人として活躍していた。青梅宿は江戸時代以降、宿場町として繁栄し、町並や屋敷割は往時の面影を残しているが、旧稲葉家住宅はその中でも旧態をよく留めているという。（要約）

傍らに「青梅宿と稲葉家の歴史」と題した説明板が添えてあって「400年以上前に青梅の集落が開けていた。はじめは多摩川よりに道が通っていたが、江戸時代に新しく山よりに青梅街道が作られ、町（青梅宿）ができてきた。周囲の村で作られる石灰、木材、織物が集められ、江戸などに売られていた。稲葉家は、最初は木材の問屋として、その後青梅織物の問屋として栄えた家です」。とあった。

・森下陣屋跡

「家康が関東に入国してまもなく、八王子に代官所が設置され、初代の代官に大久保石見守長安が任命された。当地には、その出張所ともいうべき陣屋が青梅宿の森下に設けられた。支配地域は、現在の八高線沿線から多摩川上流域にかけての三田領・加治領・高麗領・毛呂領にわたる範囲で、延享元年（一七四四）頃に廃止された。現在は、陣屋の敷地の鎮守と伝えられる熊野神社が祀られている」。（要約／詳細後述）

・多摩川の水源林の保護

「承応3年（1654）、玉川上水が開削され、多摩川の水が江戸市民に給水されるようになったが、明治維新前後の混乱期に乱伐等が行われたため、森林は荒廃し、大雨のたびに洪水が頻発し、下流の東京府内が大きな被害を受けた。こうした事態を憂慮し、明治34年に、山梨県の丹波山村、小菅村及び府内の氷川村（現在の奥多摩町の一部）の御料林を譲り受け、本格的に植樹事業を開始。明治43年（１９１０）に〝水源林事務所〟を開設するとともに、小河内村、古里村（現在の奥多摩町の一部）の御料林を譲り受け、さらに同45年には、府有林や山梨県の萩原山地域なども取得し、今日まで植樹、治山工事などを営々と進め、すばらしい水源林に育ててきた」。（要約／詳細後述）

▽街道筋の概要④（青梅～氷川～奥多摩湖）へ

〝青梅街道〟はこのあと〝多摩川〟に沿ってJR青梅線と所々交差しながら〝氷川〟（奥多摩駅）まで緩やかな坂を上っていく。そして〝氷川〟から古道〝奥多摩むかし道〟を歩いて〝水根観音〟の先で〝奥多摩湖〟（小河内ダム）に下って〝国道411号〟に合流する。

〝**青梅**〟をあとに一旦国道から分かれ〝多摩川〟沿いの旧道をしばらく歩いて〝日向和田駅〟手前で国道に戻るが、この駅は〝吉野梅郷〟を訪れる最寄駅で〝東京の奥座敷〟を意味する大きな標示パネル〝秩父多摩甲斐国立公園〟が立っている。

この先〝御嶽駅〟は関東の人達が多く訪れる〝御岳山〟登山口で〝御岳渓谷〟を楽しむ遊歩道やマス釣場が設けられている。そして〝青梅マラソン30㎞レース〟の折り返し点〝川井駅〟家族で渓谷を楽しめる〝鳩ノ巣駅〟を過ぎると〝新氷川トンネル〟（６０５ｍ）に入るが、トンネル脇の歩行者用歩道を通って奥多摩温泉〝もえぎの湯〟を過ぎると、まもなく青梅線の終点〝奥多摩駅〟に着く。

この〝奥多摩町〟が旧宿場〝**氷川**〟で、ここから〝西東京バス〟が山梨県〝丹波〟に通じている。

青梅街道は〝氷川〟から古道〝奥多摩むかしみち〟に入る。

・吉野梅郷

JR青梅線日向和田駅から二俣尾駅までの多摩川南側に東西約4㎞に広がる〝青梅市梅の公園〟で〝吉野梅郷〟がシンボル的存在として知られている。

・秩父多摩甲斐国立公園

北奥千丈岳（2601m）を最高峰とし、金峰山、甲武信ヶ岳、雲取山など2000m級の高峰が連なる奥秩父山塊と周辺の大菩薩嶺、両神山、御岳昇仙峡、奥多摩などを含む、山岳と渓流が特徴的な公園。奥秩父山塊は千曲川、笛吹川、多摩川、荒川など関東・本州中部の代表的な河川の源流と分水嶺にあたり、これら河川の浸食により、急峻なV字谷が発達するなど山岳や渓谷の景観は変化に富んでいる。

・御岳山

ケーブルカーの利用で簡単に登れることから、首都圏のハイカーに人気の山（標高929m）。山頂に武蔵御嶽神社があり、元旦には初日の出客と参拝客とで賑わう。

・青梅マラソン

例年2月第3日曜日に、東京都青梅市をスタート地点から西多摩郡奥多摩町までの区間で開催される市民マラソン大会。

・もえぎの湯

奥多摩の地下深く、日本最古の地層といわれる古生層より湧き出る奥多摩温泉の源泉100%の温泉。（奥多摩駅より徒歩10分）

※〝奥多摩むかしみち〟を歩く

奥多摩駅をあとに国道（411）を直進し奥多摩湖に向かうと、右側に〝奥多摩・むかし道〟の案内板が出ている。ここを右折すると「奥多摩むかしみちあんない」と題した案内板が立っていて全体地図と見所ポイントが記載されている。

古道らしい巾3mほどの山道に入ると巨岩を御神体とした〝白髭神社〟、高さ3mの自然石〝弁慶の腕ぬき岩〟〝耳神様〟奥多摩の山々に自生する山もみじの一種〝いろは楓〟近郷の人々の信仰を集めている〝惣岳の不動尊〟巨岩怪岩が累々とした〝惣岳渓谷《そうがくけいこく》〟直径20cmの杉丸太を4〜5本ずつ藤蔓《ふじづる》で結び架橋とした〝しだらく橋〟（吊り橋）〟二股大根を供えて結縁成就を祈る〝縁結びの地蔵尊〟馬を休ませ飼葉を与えた〝馬の水飲み場〟牛も使役されていた〝牛頭観音様〟煎った大豆を供えて一心に祈る〝むし歯地蔵尊〟等々あって退屈しない。

この先、東京都水道局（水道用地）のフェンスに閉ざされるが、右〝むかし道 中山集落〟の道案内が出ているので、これに従って鬱蒼とした薄暗い山道に入った。

寂しい山道で中山集落から浅間神社、青目不動尊を経て、水根観音の先で奥多摩湖バス停方面に下りて、午後3時過ぎに奥多摩湖〝小河内ダム・水根バス停〟に着いた。この中山集落から水根集落をたどる道は寂しい山越えの道だった。(所要約1時間)

•巨岩を御神体とした白髭神社

白髪神社脇の絶壁は石灰岩に残された断層面の大露頭で、秩父古生層のうち石灰岩の断層が露出したもの。この層脈は多摩川の対岸に続いているという。(説明板より)

•耳神様

「民間信仰のひとつで、昔は耳だれや耳が痛いときは、お医者様もいないしどうしようもなかったので穴のあいた小石を見つけて、耳神様に供えて御利益を一心に祈りました」。(説明板より)

＊〝奥多摩むかしみち〟終点〝奥多摩湖〟に到着！

奥多摩湖〝小河内ダム〟の水根〝バス停〟に着くと〝奥多摩むかしみち〟と題した説明板が立っていて、ここに〝小河内ダム〟周りの概略マップに「奥多摩むかしみち」と題した次のような説明が添えてあった。

＊奥多摩むかしみち

「ここ小河内～氷川間は、かつては道も狭く、峻険であったため、明治32年、山腹を通る道に改修され道のりも3里半(約14㎞)から2里半(約10㎞)に短縮し、東京・山梨を結ぶ重要な生活の道となった。その後も改修工事がなされ、昭和13年には小河内ダム建設のための工事用道路がつくられ、昭和20年、この新道が一般の通行にも開放され、現在の国道になった。これにより〝奥多摩むかしみち〟は、旧青梅街道と呼ばれるようになり、人の往来もまばらなものとなっていった。しかし、今も随所に昔そのままの姿が現存しており、昔をしのぶ道として貴重です」。（要約）

《所感》この〝奥多摩むかしみち〟は〝氷川〟から小河内村までの旧青梅街道で、小河内ダム建設によって蘇ったと言えるかもしれない。

ダム周囲に展望塔や〝奥多摩水と緑のふれあい館〟等々、寛げる公園になっていて、この一角に「小河内ダム概要」と題した説明板が立っていた。ここに〝小河内ダム建設の歴史〟が記されている。（詳細後述）

①［ポイントの詳細説明］

＊江戸・東京の農業「内藤トウガラシとカボチャ」

「新宿御苑は、江戸時代高遠藩主内藤家の下屋敷でした。当時、武家では屋敷内の畑で、野菜などを栽培し自給する習わしが一般的で、内藤家でも野菜を栽培していましたが、中でも軽くて肥沃な土に適したトウガラシがよくでき、内藤トウガラシと呼ばれて評判となり、新宿付近で盛んに作られるようになりました。〝新橋武蔵風土記稿〟（１８２８）には、〝四ツ谷内藤宿及び其辺の村々にて作る、世に内藤蕃椒と呼べり〟とあり、当時は新宿周辺から大久保にかけての畑は、トウガラシで真っ赤になるほどであったと言われています。このトウガラシは八房といって、実が房のように集まって付き、しかも上を向いて葉の上に出るような形になるため、熟すと畑一面が真っ赤に見えたのです。保存のできる調味食品として、庶民に喜ばれましたが、明治に入ると都市化により栽培も激減し、産地も西の方に移っていきました。この地域ではカボチャの栽培も盛んで、〝内藤カボチャ〟とか〝淀橋カボチャ〟ともいわれていました」。（説明パネルより）

＊「内藤新宿」と呼ばれた〝新宿〟

かつての新宿は、内藤新宿とか追分新宿とか呼ばれていた宿場町で、その名は「内藤家屋敷地前にできた新しい宿」を意味していた。内藤氏は藤原秀郷の末孫で、忠政の時に家康に仕えて駿府に住んでいた。二代目清成は家康の関東移封に先立ち、江戸に居城を構えるために伊賀組百人鉄砲隊を率いて、国府道（後の甲州街道）と鎌倉街道の交差点となっていた現在の新宿二丁目を中心として陣屋を敷き、警備にあたっていた。家康が江戸入城の後、内藤氏は布陣していた新宿の地をそのまま拝領し、これが現在の新宿御苑。

当時、日本橋を起点とした甲州街道の最初の宿場町〝高井戸〟まで距離約16㎞もあった。あまりに遠く不便なため、その中間に新しい宿場町の開設を願い出て、その場所が内藤家の屋敷前にあったことから〝内藤新宿〟と呼ばれるようになったという。（花園神社の資料より）

＊青梅街道

「この前の道は青梅街道です。青梅街道は慶長十一年（一六〇六）、江戸城修築の城壁用に武州多摩郡の上成木村・北小曽木村（現青梅市）産出の石灰を運ぶ道（初期には成木街道と呼ばれた）として大久保石見守長安によって開かれたと伝えられています。石灰輸送は城の修築等のほか、民間の需要も多く、最盛期には年間二万俵以上にも達したといわれます。道中には中野・田無・小川・箱根ヶ崎・藤橋等継送りのための宿駅がおかれ、区内の田端・成宗・馬橋・和田の四箇村は中野宿の定助郷（江戸時代、宿駅常備の人馬が足らず指定されて応援の人馬を負担する課役）と定められ、一カ月十日間の伝馬継立を行なっていました。

江戸中期以降、青梅街道は江戸の都市域の拡大と経済の発展にともなって、江戸と近郊農村との商品流通路・甲州への脇往還（甲州裏街道）としての性格を強め、一方、御嶽神社（青梅市）や秩父巡礼のための通行路としても発展しました。御嶽参詣の道中を記した天保五年（一八三四）刊行の「御嶽菅笠」は、荻久保（窪）中屋の店に酔伏て」と、当時のにぎわいの様子を伝えています。

維新後、本道の重要性はさらに高まり、明治時代には乗合馬車が走り、大正十年には淀橋～荻窪間に西武電車が開通しました。西武電車は戦後都電となり、昭和三十九年に廃止されました。なお、杉並の名称は、江戸初期に成宗村・田端村の領主となった旗本岡部氏が、村境の印として、青梅街道沿いに杉の木を植えたことに由来するといわれています。

平成六年三月　　杉並区教育委員会」（説明パネルより）

＊ロケット発祥之地

「戦後間もない昭和28年、旧中島飛行機から社名を変えた富士精密工業は東京大学生産技術研究所

（現、文部科学省宇宙科学研究所）の指導を受け、ロケットの開発に着手した。2年後の昭和30年にペンシルロケットの初フライトに成功し、これが日本のロケット第1号となった。爾来、約四半世紀、富士精密工業は、プリンス自動車工業、日産自動車、アイ・エイチ・アイ・エアロスペースと変遷を重ねたが、ロケット技術は脈々と後進に受け継がれ、現在の日本の主力ロケットを生み出す原動力となった。ロケット開発の拠点たる日産自動車荻窪事業所は平成10年5月に群馬県富岡市へ移転したが、跡地は再開発されることになった。この地の生み出した創造的意義に鑑み、ここに記念碑を建立し、往時を偲びつつ、宇宙開発の更なる発展を記念するものである。平成13年11月」。

＊田無神社（田無神社／御由緒等より）

江戸時代の初め、慶長11～12年（1606～1607）の江戸城増改築に際して、漆喰の原料である石灰運搬のために青梅街道が開かれた。これに伴い、幕府の命令により谷戸の住民たちは青梅街道沿いに移り住むこととなり、宿場町として田無の町の歴史が始まった。これは田無の地が江戸と青梅のほぼ中間にあたり、所沢街道や志木も通る交通上の重要な地であったためと考えられている。

一方、武蔵野台地に位置する田無は水に乏しく、生活用水にさえ困り、住人たちは谷戸まで水を汲みに行く生活を余儀なくされていた。そのような環境の中、元禄9年（1696）に玉川上水から田無用水が分水された。

尚、田無の地名の由来には諸説あって「水が乏しく田んぼが無いため田無となった」がその一つにあるという。

＊青梅橋

「この橋は、青梅街道の起点青梅から20km、終点四谷から25kmのところに位置し、承応４年（１６５５）、玉川上水から分水された野火止用水を、青梅街道が横断するために架けられた。両岸を石組で固めた幅約２・５ｍ、長さ約４ｍの木造の橋だったが、昭和になってコンクリート製に架け替えられた。架橋されて３００年余り後に橋は取壊され、青梅橋の名のみが残った。これは昭和38年５月の東村山浄水場の開設にともない、玉川上水からの水の取入れが、この橋のすぐ下流まで野火止用水路を利用した暗渠となったためで、その後、近くの西武拝島線青梅橋駅も、昭和54年３月25日に東大和市駅と改名され、現在、地名すら消えつつある。平成18年３月」。（説明板／要約）

＊森下陣屋跡

「天正十八年（一五九〇）に家康が関東に入国してまもなく、八王子に代官所が設置され、初代の代官に大久保石見守長安が任命された。

当地には、その出張所ともいうべき陣屋が青梅宿西端の森下に設けられ、大野善八郎尊長、鈴木孫右衛門らがその任にあたった。青梅陣屋の支配地域は、現在の八高線沿線から多摩川上流域にかけての三田領・加治領・高麗領・毛呂領にわたる範囲で、山の根二万五千石と称した。青梅（森下）陣屋は、延享元年（一七四四）頃に伊奈半左衛門忠達の代で廃止された。

陣屋の敷地面積は、六千三百平方メートル程度と推定されるが、現在は、陣屋の敷地の鎮守と伝えられる熊野神社が祀られている。江戸時代の青梅宿の成立と繁栄が偲ばれる貴重な旧跡である。
昭和二十八年十一月三日　　　　　青梅市教育委員会」

＊多摩川の水源林保護

「承応3年（1654）、玉川上水が開削され、多摩川の水が江戸市民に給水されるようになったが、それを契機に、徳川幕府は洪水による水の濁りや上水施設の破壊を防ぐため、多摩川上流地域の森林伐採を厳しく制限するとともに、崩壊地に植樹をするなど森林保護に努めた。以来、これらの地域は〝お止め山〟あるいは〝水源林〟と呼ばれ長い間うっそうとした森林を保ってきたが、明治維新前後の混乱期に乱伐等が行われたため、森林は荒廃し、大雨のたびに洪水が頻発し、下流の東京府内が大きな被害を受けた。

府は、こうした事態を憂慮し、明治34年に、山梨県の丹波山村、小菅村及び府内の氷川村（現在の奥多摩町の一部）の御料林を譲り受け、本格的に植樹事業を開始した。その後、この事業は府から東京市に移されたため、市は、明治43年（1910）に、〝水源林事務所〟を開設するとともに、小河内村、古里村（現在の奥多摩町の一部）の御料林を譲り受け、さらに同45年には、府有林や山梨県の萩原山地域なども取得し、今日まで植樹、治山工事などを営々と進め、すばらしい水源林に育ててきた。

そうした中で、水源林事務所は、事業の拡大や技術革新を背景に、業務の効率的運営を図るため、平成2年（1990）8月、水源林の経営に併せ、小河内貯水池及び村山山口貯水池を一体的に管理することとし、名称も〝水源管理事務所〟と改め再発足した。この期に、永い歴史と大きな業績をもつ〝水源林事務所〟の偉業を讃え、これを永く後世に伝えるため、ここに館名石を保存する。

平成３年（１９９１）３月　　東京都水道局」。（要約）

＊小河内ダム建設の歴史

「大正15年〝大東京実現を予想し、水道１００年の計画を…〟と要望した東京市会決議が、小河内ダム建設のきっかけです。当時、東京市は人口の増加や生活習慣の変化による水道使用量の増加に対して、給水能力は限界に近づいていました。

小河内ダムは、昭和７年に建設が決定され、昭和13年11月に始まりましたが、戦争のため昭和18年10月に工事は中断を余儀なくされました。戦後の混乱から少しずつ立ち直り、東京都の人口も再び増え始めた昭和23年９月に工事が再開されました。昭和25年には、国鉄青梅線氷川駅（現奥多摩駅）から、工事現場の水根駅まで専用鉄道の建設が始まり、昭和27年３月の開通とともに、工事も本格化していきました。建設決定から25年、工事開始からは19年、途中戦争による５年間の中断をはさんで昭和32年11月、９４５世帯の移転と87名の尊い犠牲の下、約１５０億円の総工費をもって完成しました。

戦前・戦後に渡ったこの工事は、大型機械を輸入するとともに国家的プロジェクトとして位置づけられ、当時の最先端土木技術で施行されました。水道専用ダムとしては国内最大で、現在でも都

民の貴重な〝水がめ〟の役割を果たすとともに、〝奥多摩湖〟の愛称で多くの人々に親しまれています」。とある。（説明文より）

併せ〝ダム建設のながれ〟が次の内容で付記されていた。

・昭和7年　7月　東京市会において第二水道拡張事業を議決
・昭和11年　7月　事業認可
・昭和13年　11月　小河内ダム建設工事に着手
・昭和18年　10月　第二次世界大戦のために工事中断
・昭和23年　9月　工事再開
・昭和27年　3月　資材運搬の専用鉄道開通
・昭和32年　11月　小河内ダムしゅん工

②街道筋の概要とポイント

〈奥多摩湖から山梨県・丹波、〈柳沢峠〉、小原、甲府・酒折（完）

◎地形＆ルートの概要

地形的には、東京都の西端・多摩川の上流〝小河内ダム〟で堰きとめられた奥多摩湖畔にあって、このあと〝青梅街道・国道４１１号〟は〝小河内ダム〟を左に眺めながら奥多摩湖の北側湖畔を西に向かう。車の通行も少なく天候にも恵まれとても気持ち良いウォーキングコースといえよう。そして〝鶴の湯温泉源泉〟を過ぎ〝坂本トンネル〟を抜けたあと〝蜂谷橋〟を渡り〝ドラムカン橋〟を左に見て次の〝深山橋〟で〝小菅村〟に向かう国道１３９号と分かれ、なおも〝奥多摩湖・北側湖畔〟を西方向に向かう。

☆東京都から山梨県丹波山村へ

そして〝鴨沢集落〟の手前で奥多摩湖に注ぐ〝小袖川〟を渡るが、この川が〝東京都／山梨県境〟を流れる川。ここに架かる〝鴨澤橋〟を渡ると東京都（奥多摩町）から山梨県（丹波山村）に入る。入口に〝山梨県・丹波山村〟の道路標識が建っていて、地名は〝丹波山村鴨沢〟とある。

※秩父山地／関東山地の狭を抜ける青梅街道

山梨県に入ると〝大菩薩ライン〟の道路標識が出ていて、雲取山登山口のバス停〝お祭り〟を過ぎると上り坂が厳しくなる。このあと〝青梅街道〟は奥多摩から塩山まで秩父山地と関東山地の狭間を抜けていく。後方を振り返ると奥深い山間を縫うように道がつづいている。下り坂にさしかかると前方下に山梨県・最初の〝丹波〟の集落が見えてくる。

＊**〝丹波〟**は、丹波川沿いにある山間の集落。この入口に「左・丹波山温泉」の案内が出ていたので立ち寄ると、近くを流れる丹波川沿い周辺が〝道の駅たばやま〟になっていた。真ん中に〝丹波山温泉のめこい湯〟があったがこの日は休日だった。

川沿いに下りて〝村営つり場〟周辺を散歩すると、川原に幾つか〝カカシ〟が立っていたので、近くの人に聞くと〝川鵜除け〟とのこと。ヤマメ・マスの釣り場の上に架かる吊り橋を渡って街道筋に戻り、今日の宿に向かった。なぜか吊り橋に〝多摩川（丹波川）〟と記されていた。

＊この日はかつての〝旅籠〟「かどや旅館」に泊まる

街道筋に軒を連ねるかつての〝旅籠〟で、玄関に当時の写真が飾ってあった。素敵な女将さんで自分は5代目とのこと。山あいの旅館だけあってキノコなど山菜が盛沢山あって夕食がとても美味しかった。翌日の朝食を7時に、それに昼の弁当をお願いし早々床に着いた。女将さんは「この地〝丹波山村〟は、山梨県北東部に位置し、多摩川の源流・丹波川と〈雲取山〉〈飛龍山〉〈大菩薩嶺〉といった険しい山々に囲まれた自然豊かな村だよ」、と話してくれた。このような〝山奥〟にこんな大きな集落が〟と驚き、村の人々と出会うと気軽に「こんにちは」と挨拶され、とても気持ち良かった。

＊多摩川の源流について

多摩川は山梨県・埼玉県の県境にある「笠取山・水干」を源とし、上流では〃柳沢峠〃から流れ込んでくる柳沢川と合流するまで〃一之瀬川〃と呼ばれ、そこから下流は〃丹波川〃として〃奥多摩湖〃に注いでいる。この奥多摩湖（小河内ダム）から流れ出る川が〃多摩川〃になる。

※〃丹波〃から〃青梅街道〃の終点〃甲府〃へ

▽街道筋の概要①（丹波～〈柳沢峠〉～小原）

〃丹波〃をあとに丹波川に沿って〃国道411号〃を西に向かう。そして左の〈鶏冠山《とさかやま》〉（1716m）の遠くを巻くように左にカーブしながら南下し、〈柳沢峠〉（1472m）を越えた後、この渓谷を流れる〃重川〃に沿って南に下っていく。この途中、日本の秘湯の一つ〃裂石温泉〃で一泊。このあと南西に向きを変え果樹園を抜けて〃塩山〃へ。そして〃山梨市駅〃近くで〃笛吹川〃を渡ったあと〃国道140号〃に合流。石和温泉駅近くを過ぎて、広大な〃ぶどう畑〃が広がる一帯を抜けたあと、県道＜6＞を辿って〃甲府市街〃に向かう。

＊〈柳沢峠〉へ

〃丹波〃をあとに〃丹波川〃に沿って〃国道411号〃を西に向かう。集落を離れて30分もすると樹木が鬱蒼と茂った奥深い山奥の景色に変わってくる。そして左に〃丹波渓谷〃が現れると〃ナメトロ〃と題した説明パネルが立っていて「この河川は川幅が狭く渓流が両岸の岩山をなめるように流れているため〝ナメトロ〞と呼ばれています」。と記されていた。そして〝丹波山トンネル〞を過ぎて急坂を上っていくと〝一之瀬川〞が〝丹波川〞に合流する地点に〝黒川金山〞の説明板が立っていて、「坑道による採鉱は武田信虎の時代からとされ、信虎の子信玄の時代に最盛期を迎え、武田軍の軍資金の多くはこの黒川金山から産出されたといわれます」。とあった。（詳細後述）

＊ヘアピンカーブが続く渓谷地帯を抜けて

この辺はヘアピンカーブが続くところ。しかも、国道411号と岩肌が露出する山裾が間近に迫っていて、この間を〈柳沢峠〉を源流とする〝柳沢川〞が流れるといったすごい道がつづく。この渓谷地帯を抜けると、〈鶏冠山〉を取り巻くように大きく左にカーブしながら南下し〈柳沢峠〉に向かう。そして〝甲州市〞に入ると樹木が生い茂る穏やかな山道に変わる。宿を出ておよそ4時間、〈柳沢峠〉頂上近くに来ると「柳沢峠ゾーン」と題する東京都水道局の説明板が立っていて「水源林のはなし」と題し次のように記されていた。

・水源林のはなし

「東京都の水道水源林は、多摩川の安定した水を確保するため、多摩川上流域の森林を１９０１年（明治34年）から１００年以上にわたり管理してきています。その範囲は、東京都と山梨県にまたがり、東西31キロメートル、南北20キロメートルで、面積は、約21，６００ヘクタールにおよんでいます。〝緑のダム〞ともいわれる森林のもつ効用が十分に発揮できるように守り育てています」。（東

京都水道局／説明板より）

＊〈**柳沢峠**〉**に到着**

この森林に覆われた真っすぐ延びる道前方に森林を切り裂くように細く空が見えてくる。途中に建つ「東京水道水源林」石柱を過ぎると、開けた一角に出る。〈柳沢峠〉頂上で、ここに〃柳沢峠茶屋〃の展望台ベンチがあって、「多摩甲斐国立公園　柳沢峠　標高一、四七二メートル米」の標示板が立っている。

このベンチで一休みし、旅館で作ってもらったおにぎり弁当を開くと、ゆで卵、お茶、みかんに菓子飴まで包んであった。時間的に余裕があったのでゆっくり休憩し午後１時すぎにこの展望台ベンチをあとにした。この入口近くに国道４１１号の道路標識「八王子81㎞・丹波山19㎞」が建っていた。

＊〈**柳沢峠**〉**を下って**〃**裂石温泉**〃**へ**

〈柳沢峠〉からの下りはヘアピンカーブが連続する急坂。行く先前方遠くに〃重川〃に沿って深い谷の上に通じる橋梁が見える。これが今歩いている青梅街道。それにしても凄い道。この新しい舗装道（国道４１１号）を２時間近く下っていくと途中に〃裂石〃の集落がある。今日は、ここの「裂石温泉　雲峰荘」に泊まる予定。〃裂石観音像〃が建ち並ぶ一角を過ぎると「裂石温泉　雲峰荘」の案内板が見えたので小路を下りると、今日の宿「旅館　雲峰荘」があった。

＊「裂石温泉 雲峰荘」に泊まる

秩父の山懐〝秩父多摩甲斐国立公園・大菩薩峠〟の登山口に佇む「裂石温泉 雲峰荘」。豊かに湧き出ずる湯は、古くから霊泉として知られる名湯らしい。重川の渓流沿いにある御影石の巨石を配した野趣あふれる露天風呂は、入浴後体がポカポカしてお肌ツルツル・スベスベの美容の湯として人気らしい。良質PH9・90の高アルカリ単純泉で飲んで良しの名湯で、効能は胃腸病・冷え性・病後回復・リュウマチ等に特効。風情もたっぷり自然の持つ癒しの効果も存分に味わえるとの事。玄関先に「日本秘湯を守る会」の提灯が下がっていた。思ったより早く着いたのでゆっくり温泉に入って旅の疲れを癒したが、ここには大岩風呂（内湯）と露天風呂があった。

昨日早く寝たこともあって、今日は4時頃目が覚めた。大岩風呂は6時に男性から女性に切り替わるので今のうちにと大岩風呂にいくと女性の声が、まさかと思ったが「入らせてもらっています」、「どうぞ、かまいませんよ」と言葉を交わし混浴となった。お邪魔なので早くあがったが、どちらかといえば若い夫婦だった。このあと露天風呂に行くと6時からだったがすでに先客・男の人が入っていた。こっちはもともと混浴だった。このような〝長い朝〟を過ごし8時半過ぎに宿を出た。

この温泉宿入口近くに〝裂石観音像〟が建っていて、次のような〝裂石観音由来〟と題した説明パネルが添えてあった。

＊裂石観音由来

「いつの世も隆盛をきわめるも低迷するも栄えるも衰えるもすべてその基本は人にあり。人は人の心と物の社会に支えられ存するものなり。人はこの世に生を享《う》けたことに感謝し出会いに感謝し森羅万象の中に存することに感謝し万物に感謝すべし。よって裂石観音は永遠なるものを求めて生きる人々の心に存し感謝と報恩の心を培うものなり。そして時を越えてすべての人々の幸せと安全を願って祀るものなり」（説明パネルより）

※〝甲府〟「摩利支天尊堂」で甲州街道に合流！

裂石温泉「雲峰荘」を後に、国道（４１１号）を下っていくと「大菩薩峠登山口」のバス停があった。この辺は標高９００ｍくらい。青梅街道はこのあと撚り糸のように所々で国道４１１号と交差合流しながら塩山まで下っていく。

＊〝果樹の産地〟山梨県

日帰り「大菩薩の湯」を過ぎると民家も増えてきて、左手に広がる緩やかな斜面に黄金色に実った〝棚田〟が見えてくる。絵になるとても長閑な田園風景だった。そして道脇にブドウ畑やモモ畑が現れてくる。〝樋口一葉先祖旧邸跡〟を過ぎて小路に入ると民家の庭先に鈴なりに実ったリンゴやキウイ畑が、さらに見事なモモ畑がつづく。地元の人は〝花が咲く4月はきれいだよ〟とのこと。山梨県はぶどう、もも、すももの栽培面積と収穫量は日本一らしい。

▽街道筋の概要②（小原〜酒折）

そして、塩山の千野駐在所前交差点で国道411号から分かれ、国道411号は旧塩山市街を抜けて南下し甲州街道となって甲府へ。〝青梅街道〟は旧塩山市街の北外れを通ってJR中央本線の北側を右折・左折を繰り返しながら**〝小原〟**を抜けて〝山梨市駅〟近くで〝笛吹川〟を渡り、田園地帯を抜けて〝春日居町駅〟手前でJR中央本線を渡って国道140号に合流。まもなく〝石和温泉郷〟に入って石和温泉駅を過ぎると道脇に広大なブドウ畑が現れる。北側の山斜面一帯に広がるブドウ畑は見事だ。

〝甲府市〟に入り、十郎橋西交差点で国道140号は左に曲がるが〝青梅街道〟は真っすぐ県道〈6〉を〝甲府市街〟に向かう。そして横根交差点の〝摩利支天尊堂〟のところで左に曲がり、JR中央本線を渡って**〝甲府・酒折〟で甲州街道（国道411号）に合流する。**こうして青梅街道の終点に無事到着した。（完）

② **［ポイントの詳細説明］**

＊黒川金山

「この柳沢川は多摩川の上流にあたり、現在、一帯は東京都の水道水源林となっていますが、ここより南西の地に黒川・鶏冠山（標高一・七一〇メートル）があり、その東側、標高一・三〇〇メートル付近に黒川金山跡があります。黒川金山の歴史は定かではありませんが、平安、鎌倉、室町時代にこの地方を治めた豪族である三枝氏、安田氏、武田氏とのかかわりが伝えられています。坑道による採鉱は武田信虎の時代からとされ、信虎の子信玄の時代に最盛期を迎え、武田軍の軍資金の多くはこの黒川金山から産出されたといわれます。しかし、信玄の子勝頼の時代には急速に採掘量が減り、徳川時代になって大久保長安らが経営に携わりましたが、十七世紀の中頃には閉山したものと思われます。

黒川金山には、「黒川千軒」といわれた鉱山街の名残である整地された多数の平坦面と坑道跡が残されており、一ノ瀬高橋地区には他にも竜喰谷金山、牛王院平金山などがあります。なお、当時金山を経営管理していた集団は「金山衆」と呼ばれ、在地武士団を形成して塩山市の上萩原、下於曽、熊野などに居を構えていました」。（甲州市／説明板より）

＊水源林のはなし

「東京都の水道水源林は、多摩川の安定した水を確保するため、多摩川上流域の森林を１９０１年（明治34年）から１００年以上にわたり管理してきています。その範囲は、東京都と山梨県にまたがり、東西31キロメートル、南北20キロメートルで、面積は、約２１，６００ヘクタールにおよんでいます。〝緑のダム〟ともいわれる森林のもつ効用が十分に発揮できるように守り育てています」。（東京都水道局／説明板より）

青梅街道を歩いて

青梅街道は自宅周辺の街道であり熟知していると思っていたが、こうして旧街道を歩いてみると新たな発見が幾つもあった。

◎東京都を東西に横断する青梅街道

青梅街道は、新宿四丁目交差点近くの天龍寺を起点に新宿区から西に杉並区、練馬区、西東京市へと東京都の真ん中を東西によぎっていく。明治通り〈305〉から靖国通り〈4〉、青梅街道〈5〉といった都道を通るので、都心の町並み・景観を楽しみながら歩ける。自宅に近い青梅市も旧吉野家、旧稲葉家の住宅をはじめ宿場時代の面影がそれなりに残っていて、歴史を感じさせてくれる町だと改めて知った。

◎武家屋敷内の畑で自給する慣わしが一般的だった？

新宿御苑は、江戸時代高遠藩主内藤家の下屋敷だった。当時、武家では屋敷内の畑で、野菜などを栽培し自給する慣わしが一般的で、内藤家でも野菜を栽培していたが、中でも軽くて肥沃な土に適したトウガラシがよくでき、内藤トウガラシと呼ばれて評判になったという。八王子の千人同心は徳川幕政下では珍しい半農武士団とあったが、時代の流れなのか、武家も自給する慣わしが一般的になってきたのかも…。

◎奥多摩湖底に沈んでしまった青梅街道

青梅街道は旧宿場〝氷川〟（奥多摩駅）から〝奥多摩むかしみち〟を歩くが、奥多摩湖近くで東京都水道局（水道用地）のフェンスに閉ざされてしまった。歴史の道調査報告書によると、かつての青梅街道は〝水根〟辺りから奥多摩湖低を通って〝庄指〟辺りを経て小菅村から大菩薩峠を越えて裂石に至る道を辿っていたようだ。小河内ダムの完成が昭和32年なので、当時の道はこのように湖底に沈んでしまったのだろう。

◎秩父山地と関東山地の間を抜けてゆく青梅街道

〝奥多摩むかしみち〟は小河内ダム建設時に旧道が蘇ったようで、奥多摩湖～裂石は国道411号を歩く。車の往来が少なく柳沢峠越えもあまり苦にならなかった。

青梅街道の圧巻は、奥多摩湖から丹波を経て柳沢峠を越え、大菩薩嶺のふもと裂石にいたる山間コースだろう。距離にして約90㎞。このように青梅街道は秩父山地と関東山地の間を抜けていく。特に、柳沢峠からの下りはヘアピンカーブが連続する急坂。行く先前方遠くに重川の深い谷に架かる橋梁が見える。これが今歩いている青梅街道、それにしても凄い道だった。

◎多摩川〝水源林〟の保護について

青梅街道を歩いて心を打たれたのがこの〝水源林〟についてだった。〝青梅〟の外れに「水源林事務所の歴史」と題した説明板が立っていて次のような内容が記されている。

「玉川上水が開削され、多摩川の水が江戸市民に給水されるようになった。徳川幕府は洪水による水の濁りや上水施設の破壊を防ぐため、上流地域の森林伐採を厳しく制限し、森林保護に努めてきたが、明治維新前後に乱伐等によって森林は荒廃し、大雨のたびに洪水が頻発し、下流の東京府内が大きな被害を受けていた。

こうした事態を憂慮し、山梨県の丹波山村、小菅村及び府内の氷川村（現在の奥多摩町の一部）の御料林を譲り受け、本格的に植樹事業を開始。明治43年（１９１０）に、『水源林事務所』を開設するとともに、今日まで植樹、治山工事などを営々と進め、すばらしい水源林に育ててきた」。

◎水道専用〝小河内ダム〟

「小河内ダム建設の歴史」によると、東京市は人口の増加や生活習慣の変化による水道使用量の増加に対する給水能力の限界から、小河内ダムの建設が決定され工事は始まった。戦争による5年間の中断をはさんで昭和32年11月、約１５０億円の総工費をもって完成。水道専用ダムとしては国内最大とのこと。

また、柳沢峠の頂上近くに「水源林のはなし」と題し「東京都の水道水源林は、多摩川の安定した水を確保するため、多摩川上流域の森林を１９０１年（明治34年）から１００年以上にわたり管理し〝緑のダム〟ともいわれる森林のもつ効用が十分に発揮できるように守り育てています」。と記されていた。

◎山梨県に入って最初の宿場町〝丹波〟

〝丹波〟に着いたとき「山奥にこんな大きな集落が！」と驚き、村の人から気軽に「こんにちは」と挨拶されとても気持ちが良かった。しかし東京都に隣接する山梨県でありながら丹波〜奥多摩駅（東京都）間に西東京バスが運行しているだけだった。

◎ぶどう生産量日本一を誇る山梨

ぶどうはフルーツ王国山梨を代表する果物の一つ。生産量日本一を誇る山梨では、いろいろな種類が栽培されている。小粒で甘みの強い紫色の〝デラウェア〟大粒で濃厚な味わいの〝巨峰〟日本固有の品種でさっぱりとした味のピンク色の〝甲州〟など、見かけも味も多彩。甲州街道は、国道20号から分かれて〝勝沼〟に向かうと、ブドウ畑が一面に広がる〝甲州ぶどう〟の産地〝勝沼〟を通る。また、青梅街道では〝石和温泉郷〟に入ると、道脇に広大なブドウ畑が現れる。特に北側の山斜面一帯に広がるブドウ畑は見事だった。

こうして歩いているとそれなりに新たな発見をし、楽しく歩くことができた。特に〝青梅街道〟は秩父山地と関東山地の間を抜けていくといった〝紅葉のきれいな道〟でもあり、〝奥多摩湖〜裂石〟間は、紅葉シーズンにもう一度歩いてみたい区間の一つだろう。（完）

第5章【五日市街道】

【五日市街道】のポイント（目次）

＊五日市街道の概要

青梅街道が青梅の石灰を運ぶ道であったのに対して〝五日市街道〟は五日市周辺の木材を江戸に運ぶ道であった。

一方〝五日市街道〟といえば〝玉川上水〟。承応元年（１６５２）に〝4代将軍徳川家綱〟が〝多摩川〟から江戸への引水を命じたことに始まる。工事を請け負ったのは〝清右衛門・庄右衛門兄弟〟この兄弟は〝羽村〟を取水口として〝四谷の大木戸〟に至る約40㎞の水路を1年足らずで完成した。そして〝四谷〟からは地下に埋められた石の導水管で〝江戸城四谷御門〟まで運んだ。この功績により兄弟は玉川の姓を許されたという。

※街道ルートと玉川上水

〝五日市街道〟（都道＜7＞）は〝青梅街道〟の地下鉄〝新高円寺駅〟近くの「五日市街道入口」交差点を起点とし、このあと〝青梅街道〟とほぼ並行に西に進む。途中〝横田基地〟で途切れるが〝五日市街道〟は〝横田基地〟の南端を迂回し、ＪＲ青梅線〝牛浜駅〟近くを通って〝多摩川〟を渡る（〝牛浜の渡し〟）。このあと〝ＪＲ五日市線〟に沿って〝武蔵五日市駅〟を経て終点〝戸倉〟に至る。

一方〝玉川上水〟は多摩川の〝羽村取水堰〟で取水し、多摩川の東側沿いを流れて〝福生市街地〟を南南東に縦断し、西武拝島線〝拝島駅〟北口近くから〝西武拝島線〟に沿って東方向に流れを変える。そして〝玉川上水駅〟で西武線から離れ、東南東方向から南東方向へと流れを変えて〝井の頭公園〟近くを流れて〝神田川〟に通じていたという。〝玉川上水〟の終点は〝四谷大木戸〟で〝新宿御苑〟近くに「四谷大木戸跡」碑が建っている。

＊〝五日市街道〟について

〝青梅街道〟から分かれ〝五日市街道〟に入ると〝善福寺川〟を渡る手前に「五日市街道」と題した次のような説明板が立っている。

「この前の道は、五日市街道です。五日市街道は、地下鉄〝新高円寺〟駅近くで青梅街道から分かれ、松庵一丁目を通り武蔵野市・小金井市を経てあきる野市に達する街道です。江戸時代初期は伊奈道とよばれ、秋川谷で焼かれた炭荷を江戸へ運ぶ道として利用されていたようです。その後、五日市道・青梅街道脇道・江戸道・小金井桜道・砂川道などいろいろ呼ばれ、農産物の運搬や小金井桜の花見など広く生活に結びついてきました。明治以降、五日市街道といわれるようになりました。この街道に沿っていた区内の昔の村は、高円寺村・馬橋村・和田村・田端村飛地・成宗村・田端村・大宮前新田・中高井戸村・松庵村で、沿道の神社や寺院・石造物の数々に往時をしのぶことができます。〝新編武蔵風土起稿〟によると、当時の道幅は、馬橋村と成宗村は三間（約四・四メートル）程で狭く、大宮前新田・中高井戸村・松庵村は八間（十四・四メートル）とあります。これは三ヵ村が、新田開発により開村された寛文（一六六一～一六七二）初年の頃、道幅を拡げたものと考えられます。

明治以後さらに整備舗装され、現在は全長約五十二キロメートル（杉並区内約八キロメートル）が都道（主要地方道杉並五日市線）に指定されています。

武蔵野台地を西から東へ相添って走る五日市街道と玉川上水は、多くの新田開発を促し、多摩地域の発展に大きな力を与えてきました。沿道にそびえる欅並木は、この長い歴史の足跡を静かに眺めていることでしょう。　平成十年三月　杉並区教育委員会」（説明板より）

▽街道筋の概要

そして環八通りを潜ると民間信仰石塔、JR中央本線を潜って〝武蔵野市〟に入ると〝石橋供養塔〟〝西東京市〟に入ると〝浅間山大噴火と天明の大飢饉〟が記された〝文字庚申塔〟が建っていて、それぞれ次のような説明パネルが添えてあった。

・民間信仰石塔

延宝6年（1678）・元禄9年（1696）銘の庚申塔で、この辺りは江戸時代に砂川道（五日市街道）沿いの新田村として開村。この庚申塔は、開村後地域の人々が悪疫退散・村内安全等を祈願して建立したものと思われます。（説明板／要約）

・石橋供養塔

五日市街道と千川上水が交わるこの地に、古くから橋が架けられていたこの橋は井口橋と称し、修補を加えながら人びとに利用されてきた。天保12年（1841）8月に近隣諸村の助成を得て石橋に架け替えられた。その完成を記念するとともに、石橋を供養するために建てられたもので、橋の供養は悪霊の侵入を防ぎ、神を慰めるとの願いが込められていているという。この〝千川上水〟

は〝玉川上水〟を水源とした〝江戸の六上水〟の一つで、現在その使命を終え〝清流復活事業〟として清流が復活。下水道局多摩川上流水再生センターで処理された再生水が流れている。

＊文字庚申塔

「現新町の全域は、江戸時代の享保九年（一七二四）から上保谷新田として開発された新田村でした。それから六十年後の天明四年（一七八四）九月、この大きな文字庚申塔は、上保谷新田の入口に建立された。塔正面の左脇に、他の庚申塔には例を見ない〝五穀成就〟と彫られていて、この塔造立の前年の天明三年は、浅間山の大噴火・洪水・冷害が重なって江戸時代最大の飢饉が始まった年で、翌天明四年は関東各地にその影響が及びました。村の入口から飢饉が侵入しないようにと、それを防いでくれる庚申の強い霊力に祈願して建てたのがこの塔であったはずです。

昭和六十一年三月　西東京市教育委員会」。（説明板・要約／詳細後述）

※〝玉川上水〟沿い遊歩道を歩く

この後〝五日市街道〟は〝千川上水〟に沿って上流の〝玉川上水〟取水口（境橋）を経て〝玉川上水〟沿い遊歩道を上流（西）に向かうと〝桜樹接種碑〟〝陣屋橋〟小金井橋、喜平橋、〝小金井堤の桜〟〝行幸の松とその碑〟といった説明パネルがつづく。

そして〝小金井桜樹碑〟を過ぎると、この少し先に清流の復活〝玉川上水〟の説明板が立っている。

・桜樹接種碑（説明板／要約）
「元文2年（１７３７）頃、桜が植えられた玉川上水堤は、しだいに桜の名所として賑わいを増してきたが、老木化が進んだので、代官大熊善太郎は、田無村・境新田・梶野新田・下小金井新田・鈴木新田に、お互いに協力して補植するよう命じ、各村で桜の苗木を持ち寄り、持ち場に数百本を植え足した。この石碑は永久に植え継がれ、保護されることを願って建てたものです」。と記されている。
・陣屋橋（説明板／要約）
「江戸の水道である玉川上水が完成した後、武蔵野の原野の開発が急速に進み、新田村が誕生した。この時、上水北側の関野新田に南武蔵野の開発を推進した幕府の陣屋（役宅）が置かれ、この陣屋に通じる道が〝陣屋道〟、玉川上水に架かる橋が〝陣屋橋〟です」とある。
・小金井堤の桜（説明板／要約）
「元文2年（１７３７）大和の吉野と常陸の桜川から苗木を取り寄せ、小金井橋を中心に延々６kmにわたり、玉川上水の両岸に2千余本を植えられた。これは、桜が水の毒を消すとの故事によるものといわれています。…」（詳細後述）
・行幸の松とその碑
「この松は、明治16年4月23日、明治天皇がおいでになられ、ここでご観桜なされたことを記念して、村人がお席跡に植樹したものである。その由来を刻して建てられたのがこの碑である。なおここには、英照皇太后、昭憲皇太后、大正天皇（皇太子の時）がおいでになっている」。と記されている。

・清流の復活〝玉川上水〟

「玉川上水は、約330年前江戸の飲料水供給のために作られた上水路だったが、江戸市中への飲料水の供給という本来の目的以外に、武蔵野台地の各地に分水され、飲料水・かんがい用水・水車の動力として武蔵野の開発に大きな役割を果たし、近年までそのまま淀橋浄水場への導水路として使われていた。新副都心計画による淀橋浄水場の廃止に伴い、小平監視所より下流は水がとだえていたが、このたび東京都の清流復活事業により、野火止用水に続き玉川上水も清流がよみがえったという」。（説明パネル・要約／詳細後述）

※終点〝五日市〟へ

このあと〝玉川上水〟は真っすぐ西武拝島線〝玉川上水駅〟に向かって上流へ。このあと西武拝島線に沿って〝拝島駅北口〟近くで北西方向に向きを変え〝福生市街〟を縦断した後〝多摩川から分離された玉川上水の取水口〝羽村の堰〟に通じている。

一方〝五日市街道〟は〝小金井堤の桜〟を過ぎた先辺りで〝玉川上水〟から南に離れ、多摩都市モノレール〝砂川七番駅〟近くを通って西方向に進み、西武拝島線〝武蔵砂川駅〟と〝西武立川駅〟の中間辺りで交差したあと〝玉川上水〟から離れ〝横田基地〟南端を迂回し、〝青梅線・牛浜駅〟近くを通って〝多摩川・河川敷〟に出ると〝多摩川中央公園〟に史蹟「石濱渡津跡」碑、及び〝足利尊氏〟が〝新田勢〟と戦った「武蔵野合戦」を語る碑が建っている。
＊〝石濱渡津跡〟について
碑が建っているだけ。牛浜は東京都福生市の地名。五日市街道はこの地で多摩川を渡って五日市に向かったと思われる。（石濱、牛浜の違いは不明）
＊〝武蔵野合戦〟（碑文より）
この碑文は上・下段に分かれていて、上段には〝石濱〟と題し、「勇ましいかな新田の最少郎　佐原に賊を駆れば皆奔狂す　四十六里に風遂を成し　足利も足つまずくは是れ此の場」と記されていて、下段に次のような戦いの様子が記されていた。

「足利尊氏は観応三年（一三五二）閏二月二十日に武蔵国人見原（府中市）・金井原（小金井市）で新田勢と対戦した。この時尊氏方は苦戦を強いられ、石浜にのがれた。尊氏は窮地を脱して、二十八日小手差原（所沢市）・入間河原（狭山市）などで、次々と新田勢を破った。この一連の合戦を武蔵野合戦という。尊氏が逃れた〝石浜〟の所在地については諸説があり、市内の牛浜であるという説が古くからある」。（「福生市史」参照）

※五日市街道の終点〝五日市〟に到着

この「石濱渡津跡」碑をあとに〝多摩川〟（多摩橋）を渡り〝五日市街道〟に戻って西に向かう。〝あきる野市〟の〝秋川〟農園地帯を抜けて〝JR五日市線〟〝圏央道〟を横断し、多摩川の支流〝秋川〟

に沿って道成りに進むと正面に〝武蔵五日市駅〟が見えてくる。ここが五日市街道〈7〉の終点。

この地点から右に青梅に通じる〝秋川街道〈32〉〟、左に上野原・檜原へ通じる〝檜原街道〈33〉〟が接続している。この〝檜原街道〟を辿ると300年前に建てられた庄屋造りの古民家・山里料理レストラン〝黒茶屋〟がある。さらに進むと〝旧市倉家住宅〟が残っていて、次のような説明パネルが添えてあった。

• 旧市倉家住宅

「江戸末期に、金毘比羅山の麓に建てられた、上屋桁行き七・五間、梁行き三間の入母屋造り、四間型、茅葺きの民家です。解体調査では、養蚕の発達と生活の様式の変化に伴って改造された痕跡から建築当初の形態に移築復原しています。

平成13年3月1日設置　　あきる野市教育委員会」(要約)。

［**ポイントの詳細説明**］

＊文字庚申塔

「現新町の全域は、江戸時代の享保九年(一七二四)から上保谷新田として開発された新田村でした。それから六十年後の天明四年(一七八四)九月、この大きな文字庚申塔は、上保谷新田の入口に建立されました。塔右側面の銘文中に〝願主新田中〟とあるのは、新田村の全戸によってこの庚申塔が造立されたことを意味します。塔正面の左脇に、他の庚申塔には例を見ない〝五穀成就〟と彫られています。村中あげて穀物が実ることを庚申に祈った、その願いを読みとることができます。この塔造立の前年の天明三年は、浅間山の大噴火・洪水・冷害が重なって江戸時代最大の飢饉が始まった年であり、翌天明四年は関東各地にその影響が及びました。村の入口から飢饉が侵入しないようにと、それを防いでくれる庚申の強い霊力に祈願して建てたのが、この塔であったはずです。塔の下部には十万に通じる道しるべを銘文して、上保谷新田の地理的な位置を示し、上端に庚申の種子〝ウン〟、下端に三猿を刻んで庚申の像容の一部を表現しています。天明四年の原位置は、現在の場所とほぼ同じであり、塔の正面は東方を向いていました。

昭和六十一年三月　　西東京市教育委員会」。（説明板パネルより）

〈補足〉浅間山大爆発と天明の大飢饉について

天明２〜８年（１７８２〜８８）にかけて発生した大飢饉で関東では天明３年７月に〝浅間山〟が大音響とともに大爆発。その〝焼灰〟が関東一円に降り注ぎ〝焼砂〟が西は信州追分・軽井沢から、東は高崎・前橋まで大量に降り、田畑が荒地と化し、食を失う土民が多く、荒廃した田畑の復旧が農村の大きな課題になった。しかも、天明３年はこの噴火で収まらず〝天明の飢饉〟の大惨事を招いたといわれている。

*小金井堤の桜（説明板／要約）

「小金井堤の桜は、元文2年（1737）武蔵野新田世話役川崎平右衛門が幕府の命により、大和の吉野と常陸《ひたち》の桜川から苗木を取り寄せ、小金井橋を中心に延々6キロメートルにわたり、玉川上水の両岸に2千余本を植えたものです。これは、桜が水の毒を消すとの故事によるものといわれています。

植樹されておよそ60年後の寛政9年（1797）、〝武埜八景《やぶはっけい》〟の一つとして紹介されると、江戸からの花見客はふえ、文人による多くの観桜記《かんおうき》も残されるようになりました。天保15年（1844）将軍世子《せいし》（のちの13代将軍家定）の観桜もあり、その後関東第一の花の名所として、西の吉野と並び称されました。明治16年（1883）に明治天皇が騎馬で遠乗りされ、翌17年（1884）に皇太后、皇后両陛下、同36年（1903）には皇太子殿下も行啓《ぎょうけい》されています。

この桜も戦後、樹木の老化と五日市街道を通る車の排気ガスのため、年々枯れ衰え、現在は見る影もありません。

往時この堤の桜には、若葉の色、形の違い、早咲き、遅咲きなど変種も多くありました。名木のほまれ高いものも数多く、中でも〝日の出桜〟〝入り日桜〟は有名だった。

寛政の頃からの観桜の盛況は明治以降も続き、桜花の下、長堤に茶店が軒を並べ、花見の客でにぎわう花期の間、地元の人々は、上水への転落その他危険防止のため、連日警戒に当たったそうですが、それも戦前には終わりを告げました。

平成18年3月　小平市教育委員会　小平郷土研究会」。（説明板より）

＊清流の復活〝玉川上水〟

「玉川上水は、約330年前（承応2～3年）江戸の飲料水供給のために作られた上水路です。この上水は、江戸市中への飲料水の供給という本来の目的を果たす以外に、武蔵野台地の各地に分水され、飲料水・かんがい用水・水車の動力として武蔵野の開発に大きな役割を果たしました。

近年まで、この上水路はそのまま淀橋浄水場への導水路として使われていましたが、新宿副都心計画による淀橋浄水場の廃止に伴い、昭和40年以後小平監視所より下流については、水がとだえていました。

しかし、このたび東京都の清流復活事業により、野火止用水に続き玉川上水にも清流がよみがえりました。　1986年 8月」。（説明パネルより）

・清流復活事業とは

「東京都では、都民が水辺に親しむことができるように、せせらぎの水音が聞こえ、周辺のみどりとともに目で見て楽しむことができるような、清流復活をめざしています。この玉川上水に流れている清流は、多摩川上流処理場の処理水をさらに砂ろ過したものを利用しています」。（説明板パネルより）

五日市街道を歩いて

五日市街道は自宅周辺の街道でもあり、馴染みの街道という程度の認識しかなかったが、実際歩いてみると冒頭の記載〝五日市街道といえば玉川上水〟とあるように〝玉川上水〟を知る良い機会だった。

◎玉川上水の取水口〝羽村の堰〟について

〝玉川上水〟は多摩川上流〝羽村取水堰〟の第1水門、第2水門を経て取り込んでいる。この一角は公園になっていて、水門近くに東京都水道局の説明パネル〝多摩川の原水の流れ図〟が立っている。ここに〝玉川上水〟について次のように記されている。

「玉川上水は、羽村取水堰から新宿区の四ツ谷大木戸にいたる延長約43kmの上水路で、1654年(承応3年)当時、江戸の飲料水供給のために造られたものです。(現在は、羽村取水堰から小平監視所までの間約12kmが、上水路として利用されています。)」

◎「玉川兄弟銅像」の碑文

水門の反対側入口近くに〝玉川兄弟銅像〟が建っている。この台座背面に「表題　東京都知事安井誠一郎書」と題した次のような碑文が刻まれている。(要約)

「徳川氏の江戸に幕府を開くや市街を整え道路を通じ庶民の安住を計る。飲用水その主要なるを以って先に井頭溜池等の水を引いて之に充つ。三代家光の時に至って戸口増加し更にその対策に苦慮す。老中松平信綱は町奉行神尾元勝等をして多摩川の引水を計画せしむ。承應二年多摩郡羽村の生縁なる庄右衛門清右衛門の兄弟あり能く水利に通じ土地の高低を察し幾多苦辛の末羽村に堰を設け水路を江戸四谷に通じて多摩川上水を引入れ以て市民の飲用に供す。幕府表彰して玉川の姓を免じて士分に列し明治政府また従五位を追贈す。爾来三百余年その規模は漸次拡大して今日の東京都の水道となり益々大東京の発展に寄与せり。茲に玉川氏往年創業の跡に兄弟の銅像を建設し東京都民の感謝の意を永遠に傳えんと欲す　昭和33年９月　玉川兄弟銅像建設委員会建、以下省略」。

◎浅間山大爆発と天明の大飢饉を語る〝文字庚申塔〟

鎌倉街道にも、浅間山大爆発の模様とその被害状況を記した〝千部供養塔〟が建っていて「碑文に天明三年七月（一七八三年）の浅間山大爆発の模様とその被害状況（各地の降灰量や凶作による諸物価の高騰など）を刻んだ供養塔で、当時の記録として貴重な金石文である」。と記されていた。

第6章【川越街道】

【川越街道】のポイント（目次）

＊川越街道の概要

川越街道は〝日本橋〟から〝板橋〟まで中山道と重なっていて〝板橋〟の平尾追分で分かれ上板橋、下練馬、白子、膝折、大和田、大井の主要宿場を経て〝川越城下町〟に至る。距離は約44㎞。板橋からだと約33㎞。

江戸時代初期に中山道と共に整備され、川越藩主の江戸参勤と並んで中山道の脇往還としての役割を担っていた。川越街道の始めは長禄元年（１４５７）上杉持豊《もちとよ》が太田道真《どうしん》、道灌父子に命じて川越・江戸両城を築城した頃からといわれている。

川越街道と呼ばれるようになったのは明治時代以降のことで江戸時代は川越往還、川越道中、江戸街道などと呼ばれていた。川越街道は〝国道２５４号〟に沿っていて並行するように東武東上線が走っている。

《昨年の11月5日に北陸道の武生まで歩いたが、その後、福井／滋賀の県境〈栃の木峠〉が冬期間通行止めになったため、このブランクの足慣らしにと川越街道を歩いた。1回で歩ける距離だったが〝小江戸川越〟をゆっくり散策するため、平成21年3月12日と18日の2回に分けた》

①街道筋の概要とポイント

（板橋、上板橋、下練馬、白子、膝折、大和田、大井、川越）

川越街道は中山道〝板橋〟の〝平尾追分〟で中山道（国道17号）から分かれ、西側に通じる川越街道（国道254号）に出たあと、国道254号と交差・合流しながら西北西方向から北西方向に向かう。地形的には東側に、ほぼ並行して〝東武東上線〟が走っていて、この遠くに〝荒川〟が流れ、西側には関越自動車がほぼ並行に走っている。

中山道から分かれた後〝上板橋〟〝白子〟〝膝折〟そして〝大和田〟を経た後、北西方向に向きを変え、東武東上線と関越自動車道に挟まれるように荒川の西側を辿って北北西方向に〝大井〟を経て〝川越〟へと向かう。

▽街道筋の概要（板橋～白子）

＊〝**板橋**〟は日本橋から北へ〝中山道・第一番目の宿場〟なので、中山道を京方面から下ってきた人や荷物はここから江戸市中に、又ここから〝中山道〟へ旅立っていった。〝板橋〟は南から〝平尾宿・中宿・上宿〟で構成され、本陣は1軒、脇本陣3軒、54軒の旅籠屋があった。昭和8年に〝新中山道〟が開通するまで中山道と川越街道の分岐点となっていた。

この〝板橋〟入口に「板橋宿の概要」を記した説明板が立っていて、ここに板橋宿、加賀藩下屋敷、如意山観明寺、近藤勇と豊田家について次のように記されている。

・板橋宿

「日本橋から北へ、中山道第一番目の宿場。東海道・品川宿、日光街道・千住宿、甲州街道・内藤新宿と並び、江戸四宿に挙げられている。中山道を京方面から下ってきた人や荷物はここから江戸市中にまた、ここから中山道へ旅立っていった。宿場は南から平尾宿、中宿、上宿で構成され、本陣が一軒、脇本陣が3軒、54軒の旅篭屋があった」。

・加賀藩下屋敷

「板橋宿の旧街道に面した町場部分の外は畑と水田が広がり、南東部一帯は22万坪におよぶ加賀藩の下屋敷が広がっていた。この下屋敷が板橋宿に移ってきたのは、天和3年（1683）とされる。明治維新により、江戸内の藩邸や武家屋敷が官有地となった時、加賀藩下屋敷も没収された。一部の領地は払い下げられたが、広い敷地は陸軍に移管され、火薬製造所が造られた。これが明治9年（1876年）のことである。

これにより、それまで農耕が主であった板橋に初めて工場が進出し、後に軍の下請け工場が付近に集積する契機となった」。

・如意山観明寺

「真言宗豊山派《ぶざんは》で、室町時代の創建。本尊は正観世音菩薩。入口に寛文元年（1661年）に建立された庚申塔がある。境内の豊川出世稲荷と赤門は、かつて加賀藩下屋敷にあったもの。明治時代には、宿場の賑わいを回復しようと成田山のお不動様を勧請し、縁日を開いて繁栄した」。

●近藤勇と豊田家

「新撰組隊長であった近藤勇は、慶応4年（1868年）、板橋刑場で処刑された。近藤の墓そのものは、現在のJR板橋駅前にあるが、処刑される直前まで平尾宿の脇本陣豊田家に軟禁されていた。豊田家は、代々平尾宿の名主として、江戸時代中期より脇本陣を務めた。脇本陣の建物自体は現存していないが、明治末期まで江戸時代の風情をとどめていた。現在、脇本陣の跡には碑が建っている」。

そして、平尾宿、中宿を過ぎて上宿にさしかかると「上板橋宿概要図」が出ていて、ここに「この旧道は江戸時代から明治初年にかけ川越と江戸を結ぶ主要な街道で川越道又は脇往還とも呼ばれていた」。と記されていた。これを見て〝石神井川〟に架かる〝下頭橋〟を渡ると〝下頭橋通り・（旧川越街道）〟の道路標識が出ていた。このあと交通量の多い国道254号を20分ほど歩いて国道から脇道〝**上板橋**〟の宿場通りに入って〝子育地蔵尊〟を過ぎると「旧川越街道」の説明板が立っていて次のように記されていた。

＊旧川越街道

「この道は、戦国時代の太田道灌が川越城と江戸城を築いたころ、二つの城を結ぶ重要な道だった。日本橋から川越城下まで〝栗（九里）より（四里）うまい十三里〟とうたわれ、川越藷《いも》の宣伝にも一役かっていた。通行の大名は川越藩主のみで、泊まることはないが、本陣と脇本陣、馬継の問屋場などがあった。旅の商人や富士大山詣、秩父巡礼のための木賃宿もあった。練馬区教育委員会」。

（説明板／要約）

そして〝下練馬の富士塚〟及び、聖観音座像や仁王像の石仏が並ぶ〝北町観音堂〟を過ぎたところで一旦国道に戻った。（東武東上線の下赤塚駅手前）

☆東京都から埼玉県へ

東武東上線の〝成増駅〟を過ぎた先で旧道に戻り**〝白子川（白子橋）を渡って東京都板橋区から埼玉県和光市に入る**〟と**〝白子**〟の鎮守さまとして栄えたという熊野神社近くの〝清龍寺不動院の瀧〟に「乃木大将修行の瀧」と題した次のような説明が添えてあった。

＊乃木大将修行の瀧

「日露戦争での旅順《りょじゅん》への出陣に先立ち、不動院本堂に一週間の参籠《さんろう》。この不動の瀧に打たれ修行を行い〝知者不惑《ちしゃふわく》〟の扁額《へんがく》を残し出陣されました。今も本堂にその扁額が祀られ、不惑の文字に、その当時の乃木大将の心境が偲ばれます」。（要約）

この〝清龍寺不動院の滝〟は、遠く秩父山脈に源を発する地下水が数万年の時を経て寺院境内の〝龍神の池〟に湧き出す聖水。この聖水を利用した瀧行が行われている。

▽街道筋の概要（白子〜川越）

〝埼玉県・和光市〟に入って旧道を1時間近く歩くと、茅葺屋根造りの間口の広い家に〝村田屋（旧膝折宿脇本陣…）〞の標柱が建っていた。この〝**膝折**〟をあとに黒目川を渡り、ＪＲ武蔵野線の新座駅近くを横断すると間もなく〝**大和田**〟に入る。そして〝野火止・交差点〟を過ぎると町中に真新しい萱葺きの家があった。葺き替えたところの新しい萱葺き屋根を見たのは初めてだった。なおも北西方向に進む。この辺は東京に就職した時、会社の宿泊寮があった〝新座市〟近くなので懐かしい。途中、「川越街道」と題した説明板が立っていて、次のように記されていた。

＊川越街道

「江戸時代、川越は、江戸の北西を守る要となり、藩主には、労中格の譜代大名が配された。又、家康以下、三代将軍も、鷹狩や参詣にこの街道を往来し、松平信綱が、川越城主となってからは、さらに整備されるようになった。街道には、上板橋、下練馬、白子、膝折、大和田、大井の六か宿が設置され、人馬の往来が盛んだったが、各宿場の村にとって、伝馬役の負担も大きかったようだ」。（要約）

そして〝大和田中町〟交差点を過ぎて〝**大和田**〟をあとに〝柳瀬川・英橋《はなぶさばし》〟を渡って国道（２５４）に合流すると中央分離帯を設けた広い道に変わった。この歩道に「御嶽信仰と塚」と題した標柱が建っていて、中を覗くと、小さな祠を取り囲むように小さな仏石像が一杯建っていた。この標柱側面に次のような内容が記されていた。

＊御嶽信仰と塚（おんたけしんこう）

御嶽信仰は、長野県木曽御嶽山に対する山岳信仰であり、この塚の頂には蔵王権現が祀られてい

る。御嶽講の開祖とされる覚明行者・普寛行者像や、一山行者像、不動明王二童子像などの石像が祀られている。（詳細後述）

現在地から1・5㎞ほど東に〝東武東上線〟が街道筋とほぼ並行に走っている。〝最寄駅・鶴瀬駅〟さらに4㎞ほど東側遠くに〝荒川〟が街道筋に並行して流れている。

〝大井〟に近づくと往時の面影がしのばれる〝松の古木〟が現れ、道脇に〝大井宿と本陣跡〟の標柱が建っていて、後方に「大井宿と本陣」と題した説明板〟が添えてあった。

この先を少し行くと〝国の登録有形文化財〟を付記した「旧大井村役場」と題した洋風建物があって、ここに「旧大井村役場庁舎」と題した大きな説明パネルが添えてあった。

●大井宿と本陣

「大井宿は、川越街道の六宿場（大井・大和田・膝折・白子・下練馬・上板橋のうちの一つとして、江戸から約8里、川越城大手門（現川越市役所）から2里半の道程にあった。

川越藩主の参勤交代などでの通行では、江戸に近いため宿場で宿泊することはなく、大井宿本陣においても小休と人馬の継ぎ立てだけがおこなわれていた。幕末には旅籠屋・茶屋として河内屋・柏屋、木賃宿では中島屋があった。明治維新後は公用の継ぎ立てはなくなり、一般の人々の通行で旅籠や茶屋が賑わったが、明治14・15・25年の3度の大火で、町並みはほとんど焼失してしまいました。平成12年10月」。（説明パネル／要約）

＊旧大井村役場庁舎

「明治22年（1889）4月に施行された〝市町村制〟によって、それまで全国約7万に及んでいた市町村が、その5分の一の39市1万5820町村に統廃合された。現在の大井村の誕生もこの時で、現・川越市を除いた亀久保村・鶴ヶ岡村・大井町・苗間村《なえまむら》を合併して一村とし、村名を大井村と称し、初めて現在の大井村が、地理的にまた行政的に誕生することになった。

当時の大井村は399世帯、人口2407人。町村合併当時の役場の設置は、村のほぼ中央の川越街道に沿った地に役場を新築し移転した。この庁舎は大井小学校の改築にあたって不用になった廃材を利用して建築されたこともあって、老朽化・腐食・雨漏りが目立ち、手狭にもなったこともあり庁舎を改築することになった。

昭和初期になると、洋風木造建築が新しい時代の象徴としてあこがれをもって見られていたので玄関ポーチの上部にはベランダが廻され、屋根も建設当初はスパニッシュ瓦が葺かれていた等々、役場が落成した時には、〝大井村と東京との間で、一番ハイカラな建物ができた〟と村民の手紙に書き添えられたという。

ふじみ野市教育委員会、他」。（説明パネル要約／詳細後述）

《〝旧大井村役場〟から〝角の常夜燈〟〝地蔵院〟を過ぎて川越市に入る手前で、午後4時半近くになったので、東上線の〝上福岡駅〟最寄地点に来たところで今日はここまでとし、6日後の3月18日にこの続きを歩く。2日目は残り距離がわずか6㎞と余裕があるので、自宅最寄り駅を9時すぎの電

車に乗って上福岡駅に着いたのが10時すぎだった。駅前のコンビニで昼の弁当を買って10時半すぎに前回の街道筋に戻った。》

＊川越市中心街へ

前回の街道筋〝川越市〟に入るところ、ここで国道（２５４）から分かれ、県道∧39∨に入って〝小江戸川越〟に向かう。この分岐点に〝鶴ヶ岡八幡神社〟があった。ここから昔ながらの旧道らしい道が一本延びていて、少しいくと藤棚を持つ〝いもせんべい店〟に〝旧川越街道／藤馬中宿跡〟の標柱が建っていた。

30分ほど歩いて東光寺、春日神社を過ぎて〝不老川〟を渡った。往時は杉並木があり鬱蒼としていたという〝鳥頭坂〟を過ぎると大きな陸橋交差点がある。国道２５４号がこの交差点で国道16号に合流し、川越線と東上線が走る陸橋を超える。〝川越街道〟はこの地で川越・坂戸・毛呂山線∧39∨を辿って〝川越市中心街〟に向かう。そして〝菅原神社〟を過ぎると間もなく〝川越市中心街〟に入る。

この街道筋の左側少し離れたところに〝JR・川越駅〟この北西側に〝東武東上線・川越市駅〟この車線と交差した北側近くに〝西武新宿線・本川越駅〟がある。そして松江町交差点を過ぎるとポツポツ〝土蔵造り〟の家が現れてくる。

※川越街道の終点〝川越城下町〟に到着！

この〝土蔵造り〟の一軒に〝天皇皇后様献上銘菓〟と大きく書かれた老舗菓子店〝芋十〟があって、このあと〝旧上松江町〟〝川越十カ町地区都市景観形成地域〟〝旧江戸町〟といった石柱や説明板がつづく。そして市役所前に来ると〝太田道灌公像・碑文〟が建っている。

•老舗菓子店〝芋十〟

明治19年創業の老舗芋菓子店で、特にお勧めの芋十せんべいは良質のさつまいもを薄くスライスして、生しょうが風味の糖蜜を一枚一枚はけで塗り焼き上げたものという。景観重要建築物に指定されている。

•旧上松江町

「旧江戸町の南に接する。町名は、唐の国、松江に対比することに由来している。商人町として発展し、現在は、志義町通りから見ると、川越キリスト教会のモダンな洋風建造物がアイ・ストップとなっている。蔵造りや、古い形式の木造町屋が数多く残っており、川越街道に沿って古い町並みを形成する地域である」。（説明パネルより）

•川越十カ町地区都市景観形成地域

蔵造りの町並みが残る川越市伝統的建造物群保存地区を含む十カ町地区（約78・3ha）は都市景観条例に基づく都市景観形成地域に指定されていて、町並み景観を守り育て、住み続けられる町を作るためのルールが定められている。例えば、建築物の高さ、建築デザイン広告物の規模、まちづ

くりのルールの尊重、等々。（説明パネル／要約）

•旧江戸町（説明パネルより）

川越城西大手門より、鉤の手までをさす。城より、江戸へ行くための起点となる町であるため江戸街道と呼ばれていたが、町の繁栄と共に江戸町といわれるようになったという。

•太田道灌公像（碑文）

長禄元年（西暦1457年）に太田氏が川越城を築き、更に江戸城を築いて川越の文化を江戸に移したので、川越は江戸の母と呼ばれた。ここに市制50周年を迎えるに当り市庁舎を新築し、川越市開府の始祖とも仰ぐ太田道灌公の銅像を建て、古き歴史を偲びつつ新しき未来を開こうとするものである。（要約／詳細後述）

市役所前で左折すると、札の辻交差点に〝札の辻・標石モニュメント〟が建っている。この交差点を左折すると川越の歴史的景観を代表する〝蔵造りの町並み〟がつづく。

※**〝川越〟の〝蔵造りの町並み〟**（伝統的建造物群保存地区）

川越の土蔵づくりの店舗は〝蔵造り〟で知られ、類焼を防ぐための耐火建築で江戸時代の町家として発達。この〝蔵造りの建物が並ぶ一番街〟は東京では見ることができない江戸の面影を今にとどめている。

街道筋の一つ西側の道で〝札の辻交差点〟から〝川越元町郵便局〟〝大沢家住宅・（重要文化財）〟〝川越まつり会館〟〝蔵造り資料館〟等々の〝重厚な蔵造り商家〟が仲町交差点まで約400mつづく。

この蔵造り資料館に「蔵造りの町並み」と題し次のように記されていた。

＊蔵造りの町並み

「重厚な蔵造りは、明治26年（1893）の大火を契機に築かれました。その伝統的な町屋群に加え、近代洋風建築など永きにわたる多様な様式の建物が連なる町並みは、江戸時代から現代へ至る変遷を示し、特色ある歴史的景観を伝えています。現在の東京では見られなくなった、江戸のたたずまいを彷彿とさせる町並みは、次代に伝える貴重な文化財として国の重要伝統的建造物群保存地区に選定されました。

文化庁　埼玉県教育委員会　川越市教育委員会」。（説明パネルより）

〝川越〟には観光客を案内する〝人力車〟が走っていて蔵造りの町並み景観に風情を添えている。途中、小路に入ると川越のシンボル〝大きな時の鐘〟が建っている。

＊川越のシンボル〝時の鐘〟

寛永年間、当時の〝川越藩主・酒井忠勝〟によって建てられた〝時の鐘〟現在の物は明治26年（1893）の川越大火の翌年に再建。1日4回（午前6時、正午、午後3時、午後6時）、暮らしに欠かせない〝時〟を知らせている。高さは約16ｍ。奈良の大仏とほぼ同じ高さらしい。観光用人力車が行き交うこの〝鐘つき通り〟は蔵造りの町並みにあってなんとも言えない落ち着きを与えてくれる。〝蔵造りの町並み〟をあとに川越名店街を通って連雀町交差点を左折し、川越大師〝喜多院〟を訪れた。

＊川越大師〝喜多院〟

〝喜多院〟は平安時代の創建とされている。慶長4年（1599）に27世を継いだ天海僧正が徳川家康の厚い信頼を得たところから大いに栄え、寛永15年（1638）の火災後の再建時には、江戸城内の家光公誕生の間や春日局化粧の間が喜多院の書院、客殿として移築されているという。五百羅漢や正月3日のダルマ市（初大師）で広く知られ、客殿、書院、山門、等々多くが重要文化財になっている。

＊川越城本丸御殿

川越城は、長禄元年（1457）扇谷上杉持朝が古河公方足利成氏に対抗するため、家臣の太田道真・道灌父子に命じて築城した。その後江戸時代には幕府重職の大名が配置されたが、明治維新後しだいに解体され、大部分が学校や公共施設、住宅地となってしまった。現在は嘉永元年（1848）建造の本丸御殿の玄関部分と移築復元された家老詰所が残り、往時をしのぶ事ができるという。（川越市観光案内所資料より）

このあと川越城本丸御殿を訪れたが、保存修理工事のため休館だったので帰路に着いた。

①［**ポイントの詳細説明**］

＊旧川越街道

「この道は、戦国時代の太田道灌が川越城と江戸城を築いたころ、二つの城を結ぶ重要な道だった。

江戸城には中山道板橋宿平尾の追分で分かれる脇往還として栄えた。日本橋から川越城下まで〝栗（九里）より（四里）うまい十三里〟とうたわれ、川越藷の宣伝にも一役かっている。下練馬宿は〝川越道中の馬次にして、上坂橋村へ二十六丁、下白子村へ一里十丁、道幅五間、南へ折るれば相州大山への一里十町、道幅五間、南へ折るれば相州大山への往来成り〟とある。川越え寄りを上宿、江戸寄りを下宿、真ん中を中宿と呼んだ。通行の大名は川越藩主のみで、泊ることはないが、本陣と脇本陣、馬継の問屋場などがあった。旅の商人や富士大山詣、秩父巡礼のための木賃宿もあった。浅間神社の富士山、大山不動尊の道標、石観音の石造物に昔の街道の面影を偲ぶことができる」。（説明板／要約）

＊御嶽信仰と塚

「御嶽信仰は、長野県木曽御嶽山に対する山岳信仰であり、この塚の頂には蔵王権現が祀られている。藤久保では明治の初め頃に〝覚明講社〟という御嶽講が結成され、講元である正木家が代々先達をされている。現在も九〇名近い講中を成しており、九月一日に東京都大田区北嶺街にある嶺の御嶽山に参詣し、十二月冬至の日は〝星祭り〟と称し、塚の前に幟旗を立て世話人が参拝する。午後には講中が正木家に寄合い、宴が催されお札が配られる。塚には、御嶽講の開祖とされる覚明行者・普寛行者像や、一山行者像、不動明王二童子像などの石像も祀られている」。（説明標柱より）

＊旧大井村役場庁舎

「明治22年（1889）4月に施行された〝市町村制〟によって、それまで全国約7万に及んでいた市町村が、その5分の一の39市1万５８２０町村に統廃合された。現在の大井村（大井町）の誕生もこの時で、連合戸長役場所轄のうち現・川越市を除いた亀久保村・鶴ヶ丘村・大井町・苗間村を合併して一村とし、村名を大井村と称し、初めて現在の大井村（大井町）が、地理的にまた行政的に誕生することになった。当時の大井村は３９９世帯、人口２４０７人だった。

町村合併当時の役場の設置については、村内に適当なところがなく、苗間村の空家を仮役場とすることに村議会で決定し、明治42年（１９０９）に、村のほぼ中央に位置し、川越街道に沿ったこの地に役場を新設し移転したが、老朽化・腐食・雨漏りが目立ち、また手狭にもなったため、庁舎を改築することになった。

昭和初期になると、公共建物を中心に鉄骨やコンクリートなどの近代建築が各地に姿をあらわし、洋風木造建築が一般庶民の間で新しい時代の象徴としてあこがれをもって見られていたようで、玄関ポーチの上部にはベランダが廻され、現在はトタンスレート葺の屋根も建設当初はスパニッシュ瓦が葺かれていた等々、役場が落成した時には〝大井村〟と東京との間で一番ハイカラな建物できた〟と村民の手紙に書き添えられたらしい。

昭和47年（１９７２）1月に現在の庁舎が建設されるまでの35年間、役場庁舎として使用された。その後東入間警察署として利用され、この際改装工事が行なわれ、間取りに原形が留められるものの、内装には大きく手が加えられ、翌年大井小学校の特別教室として使用。１９７７（昭和52）年から埋蔵文化財整理室として利用され、現在に至っている。平成8年2月

ふじみ野市教育委員会　　ふじみ野市文化財保護審議会」。（説明パネル／要約）

＊太田道灌公像〝碑文〟

「川越は、古代から、この地方の文化の中心であった。長禄元年（西暦１４５７年）に太田氏が川越城を築き、更に江戸城を築いて川越の文化を江戸に移したので、川越は江戸の母と呼ばれた。明治以後も引続き埼玉県第一の都府として、大正11年他に魁けて市制を施行した。ここに市制50周年を迎えるに当り市庁舎を新築し、川越市開府の始祖とも仰ぐ太田道灌公の銅像を建て、古き歴史を偲びつつ新しき未来を開こうとするものである。　昭和47年9月吉日　川越市長加藤龍二出」

川越街道を歩いて

基点〝板橋〟から練馬までは商店街を抜けるタウンウォーキング。作り立ての美味しそうな弁当屋さんやパン屋さんがいろいろあった。近くの常連客がもうなくなったの？ と言いながら買っていたので、つられるように熱々のカレーパンを食べながら歩いた。

この川越街道は国道２５４号道に沿った一本道なのでほとんど迷わずに歩ける。それでも板橋宿から川越街道に入るところ、白子宿を抜けるところ、東京外環自動車道を横断するところが分かり難かった。

◎川越街道の目玉は〝川越の蔵造りの町並み〟

なんといっても川越街道の目玉は〝川越の蔵造りの町並み〟だろう。〝有松〟の土蔵造りの町並み（東海道・名古屋市緑区）、〝山町筋の土蔵造りの町並み〟（北陸道・高岡市）等々あるが、その規模と美しさは川越が一番だろう。しかし、車の通りが多くて景観をも損ねているかもしれない。

◎江戸の母と呼ばれた〝川越〟

冒頭、「川越街道の始めは長禄元年（１４５７）上杉持豊が太田道真、道灌父子に命じて川越・江戸両城を築城した頃からといわれている」。とあるが、江戸城、川越城ともに長禄元年（１４５７）に太田道灌が築城。この二つの城を結ぶ〝川越街道〟は重要な街道だったのは想像に難くないところだろう。

川越地方は〝武蔵野台地〟の東北端に位置し、川に囲まれた川越は居住に適していて、縄文時代には既に人が生活を営み、弥生時代に稲作が伝わり、平安時代には荘園が形づくられ、武蔵武士が支配する時代に移っていったといわれている。

一方、太田道灌の碑文に「川越は、古代から、この地方の文化の中心であった。長禄元年（西暦1457年）に太田氏が川越城を築き、更に江戸城を築いて川越の文化を江戸に移したので、川越は江戸の母と呼ばれた。」とあった。

徳川家康が江戸に入ったのが1590年(江戸城築城の133年後)。直ちに水害対策、新田開発、水上交通網の確立、そして利根川の東遷、荒川の西遷を行っていることから「江戸の母と呼ばれた〝川越〟」もなるほどと思った。

◎川越とサツマイモ（川越イモ）

〝老舗菓子店〝芋十〟が代表するように〝川越のサツマイモ〟は有名。このサツマイモ栽培が盛んに行われるようになったのは江戸時代のことで〝川越イモ〟とは、武蔵野台地の川越藩とそこに隣接する他領の村々で生産されるサツマイモのことをさしている。この地区では1751年にサツマイモの栽培が開始され、昭和30年代まで多くの生産量があり一大産地だったという。（川越市ホームページより）

旧川越街道の説明板に、「日本橋から川越城下まで〝栗（九里）より（四里）うまい十三里〟とうたわれ、川越藷《いも》の宣伝にも一役かったという」とあるように、川越藩挙げて栽培・販売を推進していた様子が伺える。

実は、山陰道を歩いた時、江の川を渡る手前に〝青木秀清翁碑〟が建っている。碑文に「あの井戸代官の志を継ぎ、甘藷のつくり方をしらべるため、はるばる長崎まで出かけた青木秀清は渡津町長田の医師で、今から２６０年前のこと」とあった。

また、石見国分寺尼寺跡近くに〝井戸公頌徳碑〟が建っていて、碑文に「享保17年（１７３２）当地方を襲った享保の大飢饉の時、石見銀山領の代官であった井戸平左衛門正明公は飢餓の迫った領民を救うため、幕府の許可を待たずに穀倉を開いて食料を分け与え、年貢の取立てを免じ、更に甘藷の種芋を取り寄せて、作付けするように命じ、領内に一人の餓死者も出さないように心血を注いだ。井戸公が取り寄せた甘藷は、年と共に石見一円に拡がり、その後の大飢饉にも、多くの人々の命を救う重要な食料になった。人々は井戸公を〝芋代官〟と追慕し頌徳碑を建てて、その威徳を偲び、感謝とともに恩の標とした」。という内容が記されていた。

最初、この井戸公が取り寄せたサツマイモはその貯蔵方法がよく分からず、ほとんどが腐ってしまった。青木秀清は飢えに苦しむ農民を救いたいとの井戸平左衛門の志に動かされ、「わしが長崎に行ってサツマイモの育て方を学んでこよう。そして、井戸公の志を継いで広めるのだ。医術の勉強もしてこよう」と長崎に出かけた秀清はサツマイモの栽培方法をしっかり学んで江津へ帰り、サツマイモの作り方は次々と広められていったという。

ちなみにサツマイモの種が石見銀山に伝わってきたのは、江戸の青木昆陽がサツマイモの栽培を始める2年前だったといわれている。（完）

第7章【成田街道】

【成田街道】のポイント（目次）

＊成田街道の概要

成田街道は江戸時代の下総佐倉藩をはじめ房総地方の大名の参勤交代だけでなく、成田山新勝寺や千葉寺参詣道として発達した。

日本橋から水路で江戸川河港・行徳に上陸し、ここから八幡、船橋、大和田、佐倉を経て成田に至るルートと、日光街道の千住宿から右に分かれ小岩を経て八幡で合流するルートがある。この陸路の道は〝佐倉道〟とも呼ばれている。本書では、千住宿から新宿、小岩・八幡を経て成田に至る約58㎞を歩いた。（千住～新宿は水戸街道と重なる）

みちのりは千住から新宿、小岩、八幡、船橋、大和田、臼井、佐倉、酒々井《しすいまち》を経て成田山新勝寺に到る。この街道は江戸日本橋から東へ、神田川、隅田川、荒川、中川、江戸川を渡って、千葉県の佐倉を経て成田に向かう。このように多くの川が流れる〝東京の下町〟を横断して東に向かうコースと言えるかもしれない。（国道296）

（注）〝新宿〟は〝あらいじゅく〟と読み〝成田街道〟と水戸街道〟が交差する宿場町。

①街道筋の概要とポイント（千住から新宿、小岩、八幡）

成田街道は〝千住〟で〝日光街道〟から分かれ、東に向かって荒川、中川を渡って〝新宿〟で〝水戸街道〟から分かれて南東方向に下っていく。〝小岩〟の渡しで〝江戸川〟を渡ると東京都から千葉県（市川市）に入る。

このあと〝千葉街道〟と重なってＪＲ総武本線と共に〝八幡〟を経たあと〝船橋〟でＪＲ総武本線と分かれ千葉街道から〝成田街道〟に代わって東に向かう。そして〝大和田〟の先で〝京成本線〟と合流し〝臼井〟から〝佐倉〟を経た先で〝ＪＲ成田線〟と合流し〝成田〟に向かう。京成本線はこの後、成田空港へ。一方、ＪＲ成田線は総武本線の佐倉駅から分岐し、成田駅を経たあと松岸駅で再び総武本線に合流する。

▽街道筋の詳細（千住〜八幡）

〝**千住**〟の外れ〝横山家住宅〟の先に〝水戸・成田街道〟の追分がある。ここで〝日光街道〟から分かれるとすぐに〝荒川〟にぶつかってしまう。かつて渡し場があったのだろう。今は渡るすべなく〝日光街道〟に戻って〝千住新橋〟を渡り、対岸の船着場近くに戻るため東武伊勢崎線・小菅駅から〝小菅東京拘置所〟の横を通ると〝万葉公園〟に「小菅御殿跡」の説明パネルが立っていて、次のように記されていた。

＊東京拘置所（小菅御殿跡）

「小菅には江戸時代の初め関東郡代伊那忠治の18，000余坪にのぼる広大な下屋敷があった。元文元年（1736）八代将軍吉宗の命により屋敷内に御殿を設け、葛西方面の鷹狩りの際の休息所として利用された。御殿廃止後は小菅籾蔵《もみぐら》が置かれ、明治維新後は小菅県の県庁所在地となり、さらに小菅煉瓦製造所、小菅監獄、そして現在の東京拘置所に受け継がれてきた」。（説明板／要約）

この〝万葉公園〟で一休みしてから、荒川に注ぐ〝綾瀬川〟を渡って〝亀有駅〟近くの交差点にさしかかると、近くに〝曳舟川親水公園〟の遊歩道が通じていて、この一角に「曳舟川の由来」と題した次のような説明パネルが添えてあった。

＊曳舟川の由来

「曳舟川は、江戸幕府が明暦3年（1657）の大火ののち、深川方面の新市街地へ、飲料水を供給する目的で開削された水路で、成立は万治2年（1659）といわれ、亀有上水あるいは本所上水・小梅上水とも呼ばれた。のちに上水が廃止されたが、現在の四ツ木から亀有まで3㎞の水路を利用して〝サッパコ〟という小舟に人を乗せ、土手の上から長い綱を肩にかけて引いたことから〝曳舟川〟と呼ばれるようになった。帝釈天詣《たいしゃくてんまいり》や水戸街道に出る旅人が利用した曳舟は江戸東郊の風物として多くの紀行文や広重の名所江戸百景などに情景が描かれているという」。（説明板／要約）

そして〝環七通り〟を横切り〝渡し舟〟で渡っていたという〝中川〟を渡るとまもなく〝新宿〟に着く。

＊〝新宿〟について

葛西とも呼ばれたこの宿には本陣が無く問屋があるのみの小さな宿場。ここに〝左水戸街道・右なりたちば寺…〟と刻まれた古い道標が建っていて、次のような「水戸街道石橋供養道標」と題した説明板が添えてあった。

「新宿町は水戸・佐倉街道〝の分岐にある宿場町で〝水戸街道〟は〝金町〟へ、〝佐倉街道〟は上小岩へと向かいます。この佐倉街道は参勤交代に利用されただけでなく元禄（１６８８）以降、民間の信仰が盛んになると、成田山新勝寺や千葉寺参詣の道としても利用され成田道、千葉寺道と呼ばれるようになりました。葛飾区教育委員会」。（要約）

現在も〝新宿〟の町名は残っていたが、当時の面影はほとんど残っていなかった。

＊〝江戸・東京の農業〟

しかし〝葛西神社〟の側を通った時〝江戸・東京の農業〟「千住ネギの産地」と「金町コカブ」の説明板が立っていて、次のように記されていた。

＊千住ネギの産地（新宿）

「葛飾区北部の金町、水元、新宿一帯は、昭和の中期まで〝千住ネギ〟の産地として全国的にも有名だった。当地区の精農家たちは、もともと千住付近にあった古い〝熊手ネギ〟や〝砂村ネギ〟を改良して、良質な〝根深一本葱《ねぎ》〟を作り、これらを総称して〝千住ネギ〟といわれ、中でも地元が生んだ〝金長ネギ〟は、その品質の良さから全国的に広く作られていった。土質が適していた当地

産の千住ネギは軟白部分が長くて締りも良く、煮くずれしないため、すき焼などの鍋物に好んで使われた」。（説明板／要約）

＊金町コカブ（新宿）

「明治末期に金町の長谷緑之助が、下千葉中生というコカブを4月に早どりできるように改良。当時は新カブと言われて高級料亭等に高値で取り引きされていたが、その後は金町一帯で広く栽培されるようになり、さらに東京から全国に広まった」。（説明板／要約）

そして京成本線の〝小岩駅〟近くが〝**小岩**〟で、江戸川の〝小岩の渡し跡〟があったので御番所町といわれていたという。この先〝江戸川河川敷〟に〝**小岩市川関所**〟があって、旅籠屋、小料理屋などが軒を連ねていたらしく、名残りの「角屋旅館」の看板が今も残っていた。江戸川岸に建てられていたという説明板「小岩市川渡　常灯明」を見て江戸川（市川橋）を渡って千葉県に入る。

☆東京都から千葉県（市川市）へ

〝江戸川・市川橋〟を渡って東京都から千葉県に入ると〝八幡〟の京成八幡駅前に〝葛飾八幡宮〟が、そして次の京成中山駅の奥まったところに祖師日蓮の足跡がみとめられるという日蓮宗大本山〝法華経寺〟が、この法華経寺に国歌に詠まれている〝さざれ石〟があった。

・葛飾八幡宮

創建は寛平年間（889〜）、武神として崇敬され平将門の献幣《けんぺい》、源頼朝の改築、太田道灌の修覆など社歴をもつという。朱の随神門をくぐって境内に入ると、異様な根をした千本公孫樹《いちょう》（天然記念物）が生えている。多数の樹幹が寄り集まって、まるで根本から一本の大樹が伸びているように見えるところからこの名で呼ばれている。古くから有名で、江戸名所図会にも記載されているという。（説明パネル／要約）

〝八幡〟をあとに総武本線の西武船橋駅を過ぎた東船橋駅近くがかつての〝船橋〟になる。

＊〝船橋〟地名発祥の由来

〝船橋〟の中心を流れる海老川（海老川橋）を渡ると橋の欄干に「船橋地名発祥の地」と刻まれた傍に「由来」と題したパネルが付いていた。文字が薄くてよく読めなかったが、「市内を流れる海老川は現在より川幅が広く水量も多かったため、橋を渡すのが困難だった。そこで川に小さな舟を数珠つなぎに並べて上に板を渡し、橋の代わりにしたことから〝船橋〟という名が付いた」といった内容が記されていた。

②街道筋の概要とポイント（船橋、大和田、臼井、佐倉、酒々井を経て成田山新勝寺へ）

〝船橋〟を過ぎると緩やかな円弧を画くように走っている〝東葉高速鉄道〟とほぼ並行に西に向かう。そして新川（花見川）を渡った後、京成本線に沿って西の〝印旛沼〟方向に向かう。この途中〝臼井〟を過ぎて、佐倉市の北側郊外を抜けたあと、総武本線から分岐された成田線に沿って北北東へ〝成田〟に向かう。

▽街道筋の詳細（船橋〜成田）

〝船橋〟をあとに〝成田山道〟と刻まれた石柱が建つ〝成田街道・国道２９６〟に戻ると〝薬円台公園〟に「習志野地名発祥の地」碑が建っていて、説明板に次のような内容が記されていた。

「明治6年、この原で近衛兵の天覧演習が行われ、明治天皇は4月29日、県下に初めての行幸をされ、翌30日に演習をご覧になり、天皇より勅諭をもって、この原に〝習志野ノ原〟の名を賜わり、これが現在の〝習志野〟の地名の発祥とされている」。（詳細後述）

この少し先に自衛隊演習場〝習志野駐屯地第一空挺団〟があった。

そして〝**大和田**〟を過ぎて印旛沼に注ぐ〝花見川〟を渡ると再び〝京成本線〟沿いに出る。そして〝佐倉市〟に入って志津駅、モダンなユーカリが丘駅を過ぎると菜の花が咲き誇る田園風景が現れ、印旛沼近くの〝**臼井**〟に着くと〝妙覚寺境内〟に頭身大の〝雷電為上衛門〟の立像が刻まれた大きな顕彰碑が建っていた。佐久間象山の筆による「天下第一流力士雷電之碑」の文字が刻まれていて、傍に雷電の手形を押印した立札と「雷電為右衛門顕彰碑」と題した説明板が添えてあった。

　この少し北（沼側）にある「臼井城跡」碑が建つ〝臼井城址公園〟に立ち寄ったあと、街道筋に戻って印旛沼に注ぐ鹿島川（鹿島橋）を渡ると〝国立歴史民族博物館〟奥の小高い台地に土井利勝が築城した〝佐倉城跡〟があるので立ち寄った。そして国道２９６号に戻って旧い土蔵を見せる三谷家住宅を過ぎると〝佐倉順天堂記念館〟があった。

＊個々詳細は次の通り

・雷電為右衛門顕彰碑

「江戸時代の寛政から文化年間にかけて無敵を謳《うた》われた名大関雷電為右衛門（一七六七〜一八二五）の等身大（一米九六）画像に佐久間象山（一八一一〜六四）筆の…文字を配した巨大な顕彰碑が妙覚寺（この奥に入る）境内にあります。雷電歿後百五十三年の命日に因で建立されたものです。（佐倉・雷電顕彰会）」。（説明板より／詳細後述）
　この少し北（沼側）に〝臼井城跡〟があった。

・臼井城跡

　入口に「臼井城跡」碑が建っていて「臼井城跡」と「名勝・臼井八景・城嶺夕照」の説明板が添えてあった。現在〝臼井城址公園〟になっていて、土塁や空堀の一部が今でも昔のまま残っていて「土橋」と題した説明板が添えてあった。高台にあったので近くの印旛沼が望めた。（詳細後述）
　街道筋に戻って印旛沼に注ぐ鹿島川（鹿島橋）を渡ると、右に国立歴史博物館、奥の小高い台地に土井利勝が築城した「佐倉城跡」があった。そして国道296号に戻り、旧い土蔵を見せる三谷家住宅を過ぎると佐倉順天堂記念館があった。

・佐倉城跡

佐倉城大手門跡から満開に咲き誇る桜並木を通って〝佐倉城址公園〟に来ると、紅梅が咲き誇っている。この時期は桜と梅が咲き頃でとても美しい。本丸跡から麻賀田神社（佐倉の総鎮守）、そば老舗・川瀬屋を過ぎて街道筋に戻った。今日は火曜日だが結構多くの人が訪れていた。（詳細後述）

佐倉城は慶長15年（1610）、関ヶ原の合戦後1万石の大名に取り立てられた土井利勝が佐倉に入封すると、この台地上に佐倉城を築くとともに城下町を整備した。戦国時代まで千葉氏がこの地を支配していたが、秀吉の小田原攻めで北条と共に千葉氏も滅亡した。秀吉が関八州を徳川家康に与え、家康が江戸城に入ったとき諸将を関東各地に配置し、それまで武田信吉（家康の五男）、松平忠輝（家康の6男）、小笠原吉次が入封。その後も老中が相次いで入城し、老中堀田正亮が10万石で入城したあと堀田家が明治維新まで続いた。

・佐倉順天堂記念館

立派な冠木門を構えた屋敷で「旧佐倉順天堂」と題した次のような説明板が添えてある。

「佐倉順天堂は長崎に遊学後江戸に蘭医学塾を開いていた蘭医佐藤泰然が佐倉に移り住み、天保14年（1843）に開いたオランダ医学の塾で、当時の最高水準の外科手術を中心とした医学教育と治療が行われ、塾生の多くが明治医学会で活躍した。明治時代になると佐藤尚中（泰然の養子）は新政府から大学東高（現東京大学医学部）の最高責任者として招かれた後、御茶ノ水に順天堂医院を開業。一方、佐倉の順天堂は養子佐藤舜海《しゅんかい》（岡本道庵）が受け継ぎ、佐倉順天堂として医療活動を続けた」。（説明板／要約）

このあと印旛沼の南端を京成本線とＪＲ総武本線に挟まれて東に進み〝**佐倉**〟から丘陵地を越え〝**酒々井**《しすいまち》〟の集落を経て北東方向〝成田〟へと向かう。（佐倉から国道51号、成田市に入ると国道４０９号に変わる）

※成田街道の終点〝成田山新勝寺〟に到着！

成田市の「一本松跡」（標示板）を過ぎると成田駅の商店街が見えてくる。右〝京成成田駅〟左〝ＪＲ成田駅〟を見て、真っすぐ〝成田山表参道入口〟から〝成田山新勝寺〟に向かう。途中に建つ当地出身の女流俳人の〝三橋鷹女の像〟を見て〝成田山薬師堂〟を過ぎ、立ち並ぶ土産店を抜けて一途に〝成田山新勝寺〟へ。そして〝仁王門〟をくぐり〝大本堂〟前に着いた時、立ち止まってゆっくり参拝し〝成田街道〟の終点〝成田山新勝寺〟に無事到着したお礼を述べた。

•三橋鷹女の像

「女流俳人鷹女は明治32年に現在の成田市田町で生まれ、夫と共に俳句にいそしみ、独自の句境を築いた。よく知られた句に〝夏痩せて嫌ひなものは嫌ひなり〟〝白露や死んでゆく日も帯締めて〟〝口中一顆の雹《ひょう》を啄《ついば》み　火の鳥や〟などの句はよく知られているという」。（説明パネル／要約）

＊〝成田山新勝寺〟の概要

天慶3年（９４０）寛朝《かんちょう》大僧正によって開山。御本尊不動明王は、平安の昔、嵯峨天皇の勅願《ちょくがん》により、弘法大師が一刀三礼《いっとうさんらい》、敬虔《けいけん》な祈りを込めて敬刻《けいこく》開眼されたご尊像。

背景に平安時代、平将門の乱が起こり不安と混乱に満ちた世の中にあって、関東を守る霊場として成田山が開山〝新たに勝つ〟新勝寺の寺号を賜ったという。

境内に三重塔、額堂、光明堂、平和の大塔、釈迦堂、の他、光輪閣、聖徳太子堂などがある。個々の特徴は次の通り。

•仁王門（重要文化財）

天保2年（１８３１）に再建。門の左右に密迹金剛《みっしゃくこんごう》、那羅延金剛《ならえんこんごう》の二尊が奉安《ほうあん》され、昔から成田山の門を守ってきた。また、裏仏として広目天《こうもくてん》、多聞天の二天が奉安《ほうあん》されていて、中央の「魚がし」の文字が大きく目立つ大提灯は、魚河岸講の奉納によるものという。

•大本堂

昭和43年（１９６８）建立。当山で最も重要な護摩祈祷を行う中心道場で、堂内の御本尊不動明王は、向かって右に矜吒羅童子《こんがらどうし》、左に制吒迦童子《せいたかどうじ》を従えている。また四大明王や平成大曼荼羅《だいまんだら》などが奉安されているという。

•三重塔（重要文化財）

正徳2年（１７１２）建立。総高25ｍで、塔内には大日如来を中心に五智如来が奉安され、周囲には「十六羅漢」の彫刻がめぐらされているという。

・額堂（重要文化財）

　奉納額や絵馬を掲げる建築物であり、このお堂は文久元年（１８６１）に当山で二番目の額堂として建立されている。

・光明堂（重要文化財）

　元禄14年（１７０１）に建立された旧本堂で、本尊には真言密教の教主である大日如来が安置されている。江戸時代中期における密教寺院の構造の一つとして貴重な建物といわれている。

・平和の大塔

　１９８４年（昭和59）に建立された平和の大塔は、真言密教の教えを象徴する塔で、総高58ｍ、1階は成田山の歴史展、写経道場各種受付がある。２階の明王殿には、大塔のご本尊不動明王、西大明王等が奉安され、３・４階の経・法蔵殿には、信徒による掛仏《かけぼとけ》、５階の金剛殿には五智如来が奉安されているという。

・釈迦堂（重要文化財）

　安政5年（１８５８）に建立。かつての本堂であり、大本堂の建立にあたって昭和39年（１９６４）に現在の場所に移された。仏教を開いた釈迦如来や、普賢《ふげん》、文殊《もんじゅ》、弥勒《みろく》、千手観音の四菩薩が奉安されているという。

　途中、境内にあった八重紅枝垂桜がとてもきれいだった。このあと成田山公園を一巡りして〝成田山新勝寺〟をあとにした。

平日なのに参拝者が多く、中国語、韓国語の声も多く聞かれた。かつて初詣に訪れているが、覚えているのは人に押されながら前の人の頭の上からお賽銭を投げたことくらい。今回は落ち着いてゆっくり訪れることができた。

②［**ポイントの詳細説明**］

＊習志野地名発祥の地（船橋）

「この地域一帯は、江戸時代には徳川幕府の下総小金五牧のうちの下野牧の一部で、小金原あるいは大和田原といわれ、野馬の放牧が行われていた。明治六年、この原で近衛兵の天覧演習が行われ、明治天皇は四月二十九日、県下に初めての行幸をされた。行幸には、徳大寺宮内卿・西郷隆盛篠原国幹ほか多くの供奉者が従い、薩摩・長州・土佐の兵からなる四個大隊二千八百人の近衛隊が率いられていた。天皇は翌三十日に演習をご覧になり、五月一日皇居へ還御《かんぎょ》された。同十三日、天皇より勅諭《ちょくゆ》をもって、この原に「習志野ノ原」の名を賜わり、これが現在の「習志野」の地名の発祥とされている。以下省略」（説明板より）

＊雷電為右衛門顕彰碑（臼井）

「江戸時代の寛政から文化年間にかけて無敵を謳《うた》われた名大関雷電為右衛門（一七六七～

一八二五）の等身大（一米九六）画像に佐久間象山（一八一一～六四）筆の…文字を配した巨大な顕彰碑が妙覚寺（この奥に入る）境内にあります。雷電没後百五十三年の命日に因《ちな》んで建立されたものです。（佐倉・雷電顕彰会）」。（説明板より）

調べによると、現役生活21年、本場所在籍36場所（大関在位27場所）。通算成績254勝10敗、勝率0・962の大相撲史上未曾有の最強力士とされている。江戸時代の大相撲は最高位が大関、「横綱を締めて土俵入りする大関」を「横綱」と呼んでいた時代で、当時の横綱は免許制だったとか…。雷電には「張り手」「かんぬき」「突っ張り」の三つが禁じられていたという。それは必ず相手に怪我をさせるかららしい。この江戸時代無敵を誇った〝雷電〟は引退後、余生をこの旧宿場〝臼井〟で過ごしたと言われている。

＊臼井城跡（臼井）

入口に「臼井城跡」と名勝・臼井八景「城嶺夕照《じょうれいせきしょう》」の説明板が立っていて、この二つを合わせ要約すると、次のようになる。

「永久2年（1114）に千葉常兼の3男常康が初めて臼井の地を治めて以来、16代臼井久胤《ひさたね》までの約450年間、臼井氏は長くこの地の領主だった。戦国末期には原氏が城主になったが、天正18年（1590）小田原城落城により千葉氏とともに滅んだ。以後徳川家康の武将・酒井家次3万石の居城になって、慶長9年（1604）の天封まで使用された。太田道潅・上杉謙信の軍との攻防戦は有名である」。（説明板要約）

＊佐倉城跡

城跡に入る道脇の桜が満開近くでとてもきれいだ。散り始めた花びらを踏みながら小高い丘に上ると樹木の多い静かな住宅街が現れる。ここに房総の魅力５００選「武家屋敷通り」と題した次のような説明が記されている。

「この地は、江戸時代、鏑木小路（かぶらぎこうじ）と呼ばれ、家老若林家をはじめ、佐倉藩政を支えた上・中級武士の屋敷が立ち並んでいた武家屋敷町でした。生活様式の変化により、屋敷の大半は取り壊されましたが、わずかに残された土塁・生け垣、そして敷地の境界に植えられている大樹の茂みに、当時の面影をしのぶことができます」。

この武家屋敷通りを進むと〝旧河原家住宅〟〝旧但馬家住宅〟旧武井家住宅〟とつづく。いずれも萱葺き造りで建物内は自由に見て廻れるよう開放されている。江戸時代の初め、佐倉藩主〝土井利勝〟は、台地上に佐倉城を築き、城下町を整備したという。大手門跡を過ぎると桜が咲き誇る広々とした〝佐倉城址公園〟がつづく。この一角に〝佐倉兵衛跡碑〟があった。

佐倉城址公園のパンフレットに、「佐倉城は明治６年（１８７３）陸軍歩兵第二連隊の営所が置かれたため、城の建物は全て取り壊され、明治42年（１９０９）にこれにかわって歩兵第57連隊が入営したが佐倉兵衛跡碑や飛び降り訓練用の跳下台などが残されている」。と記されていた。

成田街道を歩いて

◎最初に出会った〝東京拘置所〟

八代将軍吉宗の鷹狩りの休息所〝小菅御殿跡〟が〝小菅〟と呼ばれている現在の〝東京拘置所〟は最初の出会いとしては驚きだった。

◎〝明暦の大火〟とは？

亀有駅近くの交差点にさしかかったとき、「曳舟川の由来」と題した説明板の冒頭に「明暦３年（１６５７）の大火ののち…」と記されていたが〝明暦の大火〟を調べると次のようだった。

「明暦3年（１６５７）正月18～20日、江戸城本丸をはじめ市街の大部分焼き払った大火事。焼失町数４００町。死者10万余人。本郷丸山町の本妙寺で施餓鬼《せがき》に焼いた振袖が空中に舞い上がって大火の因をなしたといわれ、俗に振袖火事と称された。災後、本所に回向院建てて死者の霊を祀った」。とある。（広辞苑より）

当時の江戸の町人人口は約28万人と推定され、これに武家人口50万人を加えると、江戸の総人口は約80万人。国内はもちろん、当時のヨーロッパの諸都市と比べてもずば抜けた巨大都市だったらしい。

この〝明暦の大火〟は明和の大火・文化の大火を江戸三大大火といわれており、特に〝明暦の大火〟の被害は延焼面積・死者ともに江戸時代最大であることから、江戸三大火事の筆頭に挙げられ、ロ一マ大火、ロンドン大火、〝明暦の大火〟を世界三大大火とも言われている。

◎初めて知った〝さざれ石〟

法華経寺で〝さざれ石〟に出合ったのが平成16年（2004）。小学校に入学してから国家を歌うようになったが、これまで国家の歌詞内容を全く知らずに歌っていた。この歌詞の意味を知ったときは嬉しかった。この後、靖国神社を訪れたときも見かけた。

◎〝新勝寺〟の寺号について

天慶2年（939）関東の武将・平将門が新皇と名乗り朝廷と敵対し平将門の乱が勃発。乱世の中で人々は不安と混乱に満ちた中にあって、関東を守る霊場として成田山が開山し、「新たに勝つ」新勝寺の寺号を賜ったという。

◎下町について

冒頭「成田街道は川が多く流れる東京の下町を通って東に向かうコースと言えよう」と書いている。JR山手線をはじめ〝山の手〟の反対語に〝下町〟がある。この〝下町〟はどこをさすのか。広辞苑には「東京では台東区、千代田区、中央区から隅田川以東にわたる地域をいう」とある。

東京では歴史的に江戸時代の御府内（江戸の市域）で高台の地域を〝山の手〟と呼び、低地にある町が〝下町〟と呼称されたという。あるいは、低地（墨田川、神田川流域など）のことで、山の手の住宅街に対して言う。〝江戸っ子〟はこの地域に住む人達をさす。等々言われている。

ここでは、隅田川以東にわたる低地にあって運河や小河川が縦横にあるため、橋を渡らないと隣町に行けないような地域を〝下町〟とみなし〝墨田川と江戸川に挟まれた東京都区東半の低い地域〟例えば、葛飾区、墨田区、江東区、江戸川区を想定した。（完）

おわりに（ロングウォーキングの魅力）

会社に勤めていた頃、週末になると1時間近く多摩川の土手道を走っていた。20年近く続けていたと思うが、左ひざに違和感を覚えることがあったのでウォーキングに切り替えた。ジョギングやウォーキングは健康や気分転換、ストレス解消のためだけではなかった。〝考え事が集中できる〟ので、もつれた糸がほどけるように仕事上の課題や悩み事が整理されるからだった。

ウォーキングに切り替えて何年か経つと、〝いつも同じところを歩いてもつまらない、どうせなら日本各地を見て歩きたい〟と思うようになった。それなら気力・体力が残っているうちに〝日本を見て歩くウォーキングの旅〟をやろう、と平成14年4月から〝旧街道〟を歩き始めた。

①達成感の喜び

こうしてロングウォーキングの旅を始めてみると、この旅を通じて見聞を広げるだけでなく、今までの近場のウォーキングとは違った達成感や感動・喜びに加え〝健康を実感し、開放感を抱く〟といった〝心の洗濯〟が最大の魅力だったかもしれない。

例えば、甲州街道から歩き始めたが、9日目に終点〝下諏訪〟に到着したときは嬉しかった。全行程210㎞、この甲州街道を踏破した達成感はなんともいえず、ヤッターという喜びだった。また初めての旧街道踏破であり〝これならやれる！〟という自信につながって嬉しかった。

また、東海道は歴史街道歩きの本命でもあったので、22日目に京都・三条大橋に着いたときは本当に嬉しかった。特に東海道踏破を成し遂げるときは家を出るときから心が弾み、三条大橋を目指す日になると、「いよいよ東海道を踏破する日がきた！」と感無量の思いでホテルを出た。それだけに京都・三条大橋に着いたときは嬉しかった。橋を行き交う人が多くゆっくり留まって喜びをかみ締める雰囲気になかったので、橋を行ったり来たりと何回も往復することで〝三条大橋〟に到達した実感と〝東海道踏破の喜び〟をかみ締めていた。

一つの街道を歩き終えたときの喜びと達成感はなんともいえない。よく歩いた！という満足感に浸りながら帰りの車中で飲むビールの美味しいこと。特に厳しい峠道が含まれていたり、道に迷ったり、と苦労が多かったときほど踏破したときの喜びは大きかった。

こういった達成感や喜びを味わうのは一つの街道を踏破したときだけではない。例えば、一日平均25～30㎞歩くとして4泊5日の旅なら１３０㎞。その日の目標地点は適当なところに旅館やホテルがあればその宿が、無ければ最寄り駅になる。１日の旅を終えるたびに〝今日は××㎞歩いた！〟とささやかながらも達成感を味わい、最後は〝今回は１３０㎞、よく歩いた！〟とそれなりの喜びと達成感に浸りながら帰路に着く。といった、その都度それなりの達成感を味わえるのがロングウォーキングの魅力かもしれない。

②健康を実感する！

家にいたときモヤモヤとして身体が重いように感じるときでも、一旦ウォーキングの旅に出るとすっかり忘れてしまう。そのうち嘘だったかのようにひたすら歩いている自分に気付く。そして〝健康だ〟と感じる。このように何時間もひたすら歩いていると〝悪いように考えなくなる〟気がする。ロングウォーキングは気持ちを躁状態（健康だ）にする働きがあるのかもしれない。

それから、毎日30㎞近く歩いているとお腹が空くのでよく食べる。だから便通もよく、身体的にも肉体的にも疲れているのでよく眠る。このように快食、快眠、快便、しかも朝から歩くので早起き・早寝の規則正しい生活リズムになる。まさに〝健康そのものを実感する〟と言えるのかもしれない。

③開放感を満喫！

旅というのは日常生活から離れることもあって、気分が変わり、開放感が味わえてとても楽しい。それも親しい人達と出かけるとより楽しい。しかしウォーキングの旅は仲間と一緒に歩くのも良いが、私は〝一人歩き〟の方が楽しいと思っている。それは自分の都合の良いように日程を組み、自分の体力や体調に合わせて好きなペースで歩ける。しかも日常生活のわずらわしい事を忘れ、人に気遣いする必要もなく、自由奔放な自分だけの世界に浸れるからだった。

こうして日常生活から離れ、何日も一人で黙々と歩いていると、日常生活で気になるところがいろいろ浮かんでくる。ペンキを塗っている家、庭木を手入れしている家、等を見ると自分もやらねばと刺激され、家に帰ってやりたい事が一杯溜まってくる。

④孤独感に浸る日がつづくと…

また、峠越えの山道を人に出会うことなく何時間も歩いていると寂しくなり孤独感に襲われてくるが、小さな集落が点在するような山間の道を抜けていくような場合は、誰独り出会わなくてもそれほど孤独感を抱かない。近くに人がいるかどうかで違うのかも…。

こうして開放感を満喫し孤独感に浸る日がつづくと、この反動のように日常生活と人が恋しくなってくる。このようにロングウォーキングの旅は、自分の日常生活を外から眺める機会であり、また人間は一人で生きていけないことを再認識する〝心の洗濯の旅〟になるのかもしれない。

⑤心が洗われる！

こうして歩いて旅をしていると、芭蕉はもちろんのこと、昔の人はよく歩いていたのが分かる。なぜ歩くのか、〝歩くことが一つの修行〟になっていたのではないだろうか…。

今回こうして歩いていたとき、過去の事が摩天楼のように脳裏を横切っていった。なぜ今、自分はこうして歩いているのか、今までの人生はどうだったのか、物心ついた幼児の頃から学生時代、結婚、子育て、会社勤務時代を振り返りながら、今の自分を見つめ、自分の人生と向き合う良い機会でもあった。

こうして旧街道を歩いていると大都市から周辺郊外へ、そして自然豊かな田園地帯から小さな山村集落を通って峠を越えていく。地形によって少々違いはあるがこの連続。人が多く住む大都市から周辺郊外の比率はせいぜい20％くらい。このように多くの自然に触れながら黙々と歩いていると、人はこの自然の中で生きている！と改めて思い、自然環境の破壊や資源のムダ遣い、さらには過剰な欲求への戒めを感じてくる。

このようにロングウォーキングの旅をしていると〝修験の心境〟に触れるかのように心が洗われ

〝生きている原点を見る〟気がする。それは自然環境に多く触れるからなのか、歩くことでそう思わせるのか、素朴な田舎や田園風景がそう思わせるのか……？

〝まえがき〟で述べたように講演資料をまとめた「旧街道紀行・歩いて学ぶ歴史と文化」を8年前に出版。本書はこの続編でもあり〝日本を見て歩くウォーキングの旅〟の総括版として〝**土地々に根付いた歴史と文化**〟をテーマに記載している。

この原稿執筆を4～5年前からとりかかっていて〝傘寿〟の節目に出版したいとの思いから、このドラフト版「関東・東海」、「中部・北陸」、「出羽・東北」を書き終えたところで一旦中断し、ここではこの「関東・東海」編を記載している。

尚、本書では〝ポイント項目〟という新しい目次概念を導入しており、けやき出版社のご協力に感謝しております。

2024年5月

八尋　章文

参考資料

『街道物語⒂⒃　甲州街道　玉の惣次郎編』　三昧堂
『歩く旅　東海道を歩く』　山と渓谷社大阪支局編
『中世の道・鎌倉街道の探索』　北倉庄一　テレコム・トリビューン社
『川越街道』（歴史の道調査報告書）
『歴史の道調査報告書第九集　青梅街道』　山梨県東京都教育委員会
『歴史の道調査報告書第三集　青梅街道』　東京都教育委員会
『歴史の道調査報告書第三集　五日市街道』　東京都教育委員会
『日本の街道ハンドブック』（株）三省堂
『広辞苑第四版』　岩波書店

著者プロフィール

八尋 章文（やひろ あきふみ）

1943年	京都府生まれ
1962年	石川県立金沢泉丘高校卒業
1966年	金沢大学工学部電子工学科卒業 同年（株）金門製作所入社 開発部に従事
1970年	（株）東芝入社　府中工場電力用 計算機システム設計に従事 東北システムセンター所長を務め 1998年退職
1998年	東芝エンジニアリング（株）入社 経営変革統括責任者を務め2002年退職
2009年	昭島市環境審議会委員（～2011年） 現在に至る

東京都昭島市在住

著書

『歴史街道を歩いてみよう「江戸五街道」旅日記』　文芸社　2006年
『旧街道紀行　歩いて学ぶ歴史と文化』　けやき出版　2016年

旧街道紀行　土地々に根付いた歴史と文化

2024年6月6日　初版第1刷発行

著者　八尋 章文

発行人　小崎 奈央子
編集・DTP　袴田 唯実
発行元　株式会社 けやき出版
〒190-0023 東京都立川市柴崎町3-9-2 コトリンク3階
TEL 042-525-9909　FAX 042-524-7736
https://keyaki-s.co.jp
印刷　株式会社立川紙業

ISBN978-4-87751-640-6 C0026